교과서 GO! 매쓰

Start

교과서 개념

수학 6-2

구성과 특징

1 교과서 개념 잡기

교과서 개념을 익힌 다음 개념 Check 또는 개념 Play로 개념을 확인하고 개념 확인 문제를 풀어 보세요.

개념 Check 또는 개념 Play로 개념을 재미있게 확인할 수 있습니다.

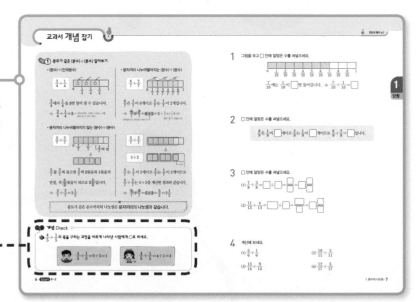

2 교과서 개념

개념을 게임으로 학습하면서 집중력을 높여 개념을 익히고 기본을 탄탄하게 만들어요.

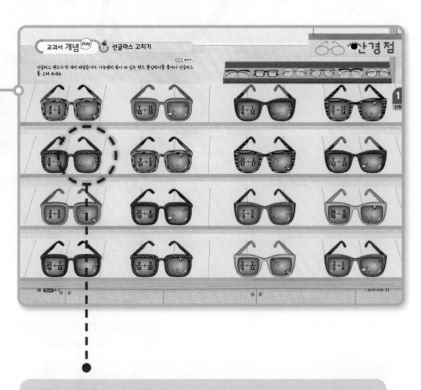

Play 붙임딱지를 활용하여 손잡이를 접어 붙였다 떼었다를 반복하면 하나의 게임도 여러 번 할 수 있습니다.

3

집중! 드릴 문제

각 단원에 꼭 필요한 기초 문제를 반복
하여 풀어 보면 기초력을 향상시킬 수
있어요.

4

교과서 개념 확인 문제

교과서와 익힘책의 다양한 유형의 문제
를 풀어 볼 수 있어요.

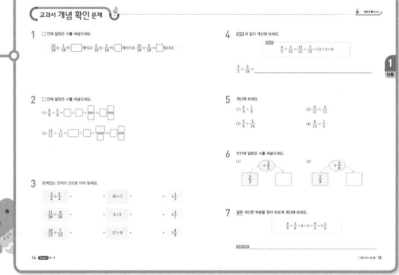

5

개념 확인평가

각 단원의 개념을 잘 이해하였는지 평
가하여 배운 내용을 정리할 수 있어요.

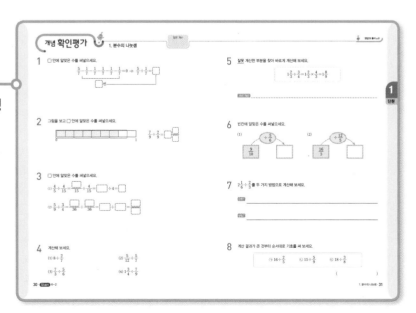

차례

1 분수의 나눗셈

교과서 개념 잡기

개념 ① 분모가 같은 (분수)÷(분수) 알아보기

· (분수)÷(단위분수)

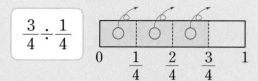

$\dfrac{3}{4}$에서 $\dfrac{1}{4}$을 3번 덜어 낼 수 있습니다.

➡ $\dfrac{3}{4} \div \dfrac{1}{4} = 3$ → 나누어지는 수에서 나누는 수를 덜어 낼 수 있는 횟수

· 분자끼리 나누어떨어지는 (분수)÷(분수)

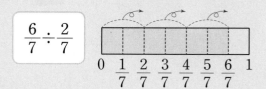

$\dfrac{6}{7}$은 $\dfrac{1}{7}$이 6개이고 $\dfrac{2}{7}$는 $\dfrac{1}{7}$이 2개입니다.

➡ $\dfrac{6}{7} \div \dfrac{2}{7} = 6 \div 2 = 3$ → $\dfrac{6}{7}$에서 $\dfrac{2}{7}$를 3번 덜어 낼 수 있습니다.

단위분수의 개수로 나누기 ←

· 분자끼리 나누어떨어지지 않는 (분수)÷(분수)

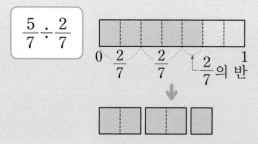

$\dfrac{5}{7}$를 $\dfrac{2}{7}$씩 묶으면 $\dfrac{2}{7}$씩 2묶음과 1묶음의 반절, 즉 $\dfrac{1}{2}$묶음이 되므로 $2\dfrac{1}{2}$입니다.

➡ $\dfrac{5}{7} \div \dfrac{2}{7} = 2\dfrac{1}{2}$

$\dfrac{5}{7}$는 $\dfrac{1}{7}$이 5개이고 $\dfrac{2}{7}$는 $\dfrac{1}{7}$이 2개이므로

$\dfrac{5}{7} \div \dfrac{2}{7}$는 $5 \div 2$를 계산한 결과와 같습니다.

➡ $\dfrac{5}{7} \div \dfrac{2}{7} = 5 \div 2 = \dfrac{5}{2} = 2\dfrac{1}{2}$

> 분모가 같은 분수끼리의 나눗셈은 분자끼리의 나눗셈과 같습니다.

개념 Check

🎓 $\dfrac{4}{5} \div \dfrac{1}{5}$의 몫을 구하는 과정을 바르게 나타낸 사람에게 ◯표 하세요.

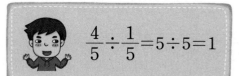

$\dfrac{4}{5} \div \dfrac{1}{5} = 5 \div 5 = 1$

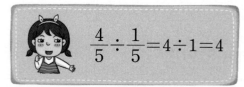

$\dfrac{4}{5} \div \dfrac{1}{5} = 4 \div 1 = 4$

1 그림을 보고 □ 안에 알맞은 수를 써넣으세요.

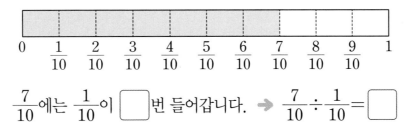

$\dfrac{7}{10}$에는 $\dfrac{1}{10}$이 □ 번 들어갑니다. ➡ $\dfrac{7}{10} \div \dfrac{1}{10} = $ □

2 □ 안에 알맞은 수를 써넣으세요.

$\dfrac{8}{9}$은 $\dfrac{1}{9}$이 □ 개이고 $\dfrac{2}{9}$는 $\dfrac{1}{9}$이 □ 개이므로 $\dfrac{8}{9} \div \dfrac{2}{9} = $ □ 입니다.

3 □ 안에 알맞은 수를 써넣으세요.

(1) $\dfrac{7}{8} \div \dfrac{3}{8} = $ □ $\div$ □ $= \dfrac{\square}{\square} = $ □ $\dfrac{\square}{\square}$

(2) $\dfrac{11}{13} \div \dfrac{4}{13} = $ □ $\div$ □ $= \dfrac{\square}{\square} = $ □ $\dfrac{\square}{\square}$

4 계산해 보세요.

(1) $\dfrac{5}{6} \div \dfrac{1}{6}$

(2) $\dfrac{10}{11} \div \dfrac{5}{11}$

(3) $\dfrac{13}{14} \div \dfrac{9}{14}$

(4) $\dfrac{12}{17} \div \dfrac{5}{17}$

개념 ② 분모가 다른 (분수)÷(분수) 알아보기

• 분자끼리 나누어떨어지는 (분수)÷(분수)

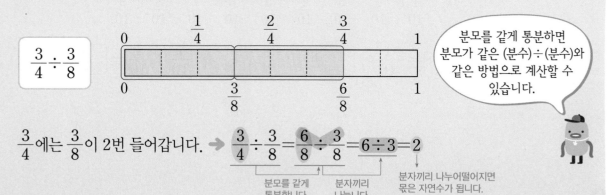

$\dfrac{3}{4}$에는 $\dfrac{3}{8}$이 2번 들어갑니다. → $\dfrac{3}{4} \div \dfrac{3}{8} = \dfrac{6}{8} \div \dfrac{3}{8} = 6 \div 3 = 2$

분모를 같게   분자끼리
통분합니다.   나눕니다.

분자끼리 나누어떨어지면
몫은 자연수가 됩니다.

> 분모를 같게 통분하면 분모가 같은 (분수)÷(분수)와 같은 방법으로 계산할 수 있습니다.

• 분자끼리 나누어떨어지지 않는 (분수)÷(분수)

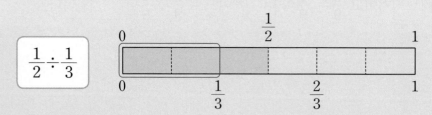

$\dfrac{1}{2}$에는 $\dfrac{1}{3}$이 1번 들어가고 $\dfrac{1}{3}$의 반$\left(=\dfrac{1}{2}\right)$이 남습니다.

→ $\dfrac{1}{2} \div \dfrac{1}{3} = \dfrac{3}{6} \div \dfrac{2}{6} = 3 \div 2 = \dfrac{3}{2} = 1\dfrac{1}{2}$

분모를 같게   분자끼리
통분합니다.   나눕니다.

분자끼리 나누어떨어지지 않으면
몫은 분수가 됩니다.

> 분모의 곱이나 최소공배수를 공통분모로 하여 통분합니다.

분모가 다른 (분수)÷(분수)의 계산

분모를 같게 통분합니다. → 분자끼리의 나눗셈을 계산합니다.

개념 Check

🎓 $\dfrac{2}{3} \div \dfrac{1}{6}$의 몫을 구하는 과정을 바르게 나타낸 사람에게 ○표 하세요.

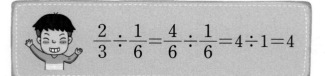

$\dfrac{2}{3} \div \dfrac{1}{6} = \dfrac{4}{6} \div \dfrac{1}{6} = 4 \div 1 = 4$

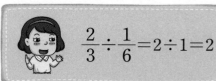

$\dfrac{2}{3} \div \dfrac{1}{6} = 2 \div 1 = 2$

1 그림을 보고 □ 안에 알맞은 수를 써넣으세요.

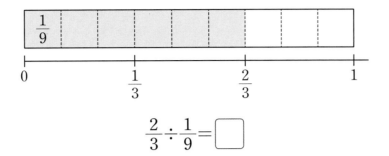

$$\frac{2}{3} \div \frac{1}{9} = \boxed{}$$

2 □ 안에 알맞은 수를 써넣으세요.

(1) $\dfrac{4}{5} \div \dfrac{2}{15} = \dfrac{\boxed{}}{15} \div \dfrac{2}{15} = \boxed{} \div 2 = \boxed{}$

(2) $\dfrac{5}{6} \div \dfrac{5}{24} = \dfrac{\boxed{}}{24} \div \dfrac{5}{24} = \boxed{} \div 5 = \boxed{}$

3 보기 와 같이 계산해 보세요.

보기
$$\frac{5}{8} \div \frac{2}{5} = \frac{25}{40} \div \frac{16}{40} = 25 \div 16 = \frac{25}{16} = 1\frac{9}{16}$$

$$\frac{5}{7} \div \frac{4}{9} = \underline{}$$

4 계산해 보세요.

(1) $\dfrac{4}{7} \div \dfrac{1}{14}$

(2) $\dfrac{7}{12} \div \dfrac{7}{36}$

(3) $\dfrac{2}{5} \div \dfrac{3}{7}$

(4) $\dfrac{9}{10} \div \dfrac{7}{9}$

준비물 ◀ 붙임딱지

선글라스 렌즈가 한 개씩 깨졌습니다. 나눗셈의 몫이 써 있는 렌즈 붙임딱지를 붙여서 선글라스를 고쳐 보세요.

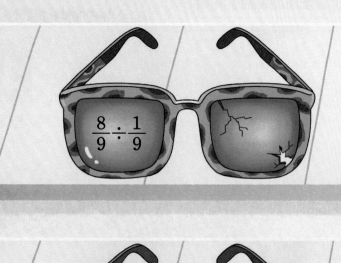

$$\frac{8}{9} \div \frac{1}{9}$$

$$\frac{7}{15} \div \frac{11}{15}$$

$$\frac{5}{6} \div \frac{5}{12}$$

$$\frac{9}{10} \div \frac{1}{2}$$

$$\frac{3}{8} \div \frac{2}{5}$$

$$\frac{12}{19} \div \frac{4}{19}$$

$$\frac{13}{16} \div \frac{7}{16}$$

$$\frac{9}{10} \div \frac{3}{20}$$

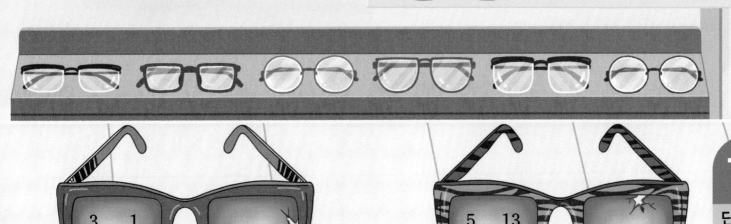

$$\frac{10}{17} \div \frac{2}{17}$$

$$\frac{7}{13} \div \frac{3}{13}$$

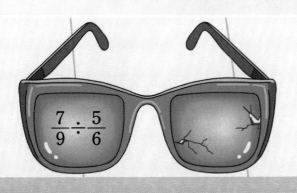

$$\frac{7}{9} \div \frac{5}{6}$$

$$\frac{24}{35} \div \frac{6}{35}$$

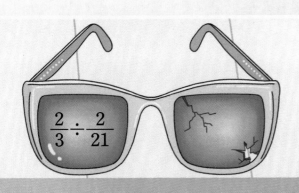

$$\frac{2}{3} \div \frac{2}{21}$$

$$\frac{2}{5} \div \frac{5}{8}$$

집중! 드릴 문제

[1~5] 계산해 보세요.

1 $\dfrac{4}{5} \div \dfrac{2}{5}$

2 $\dfrac{8}{9} \div \dfrac{4}{9}$

3 $\dfrac{12}{13} \div \dfrac{3}{13}$

4 $\dfrac{15}{17} \div \dfrac{5}{17}$

5 $\dfrac{18}{23} \div \dfrac{6}{23}$

[6~10] 계산해 보세요.

6 $\dfrac{5}{8} \div \dfrac{3}{8}$

7 $\dfrac{9}{10} \div \dfrac{7}{10}$

8 $\dfrac{13}{14} \div \dfrac{5}{14}$

9 $\dfrac{13}{19} \div \dfrac{6}{19}$

10 $\dfrac{20}{27} \div \dfrac{11}{27}$

[11~15] 계산해 보세요.

11 $\dfrac{3}{5} \div \dfrac{3}{10}$

12 $\dfrac{4}{7} \div \dfrac{2}{21}$

13 $\dfrac{2}{3} \div \dfrac{3}{18}$

14 $\dfrac{8}{14} \div \dfrac{4}{7}$

15 $\dfrac{18}{33} \div \dfrac{2}{11}$

[16~20] 계산해 보세요.

16 $\dfrac{2}{5} \div \dfrac{3}{7}$

17 $\dfrac{7}{9} \div \dfrac{4}{5}$

18 $\dfrac{3}{4} \div \dfrac{2}{3}$

19 $\dfrac{7}{8} \div \dfrac{5}{6}$

20 $\dfrac{5}{7} \div \dfrac{4}{9}$

1

단원

1 □ 안에 알맞은 수를 써넣으세요.

$\dfrac{15}{19}$는 $\dfrac{1}{19}$이 □개이고 $\dfrac{5}{19}$는 $\dfrac{1}{19}$이 □개이므로 $\dfrac{15}{19} \div \dfrac{5}{19} =$ □입니다.

2 □ 안에 알맞은 수를 써넣으세요.

(1) $\dfrac{8}{9} \div \dfrac{5}{9} = \boxed{} \div \boxed{} = \dfrac{\boxed{}}{\boxed{}} = \boxed{}\dfrac{\boxed{}}{\boxed{}}$

(2) $\dfrac{10}{11} \div \dfrac{3}{11} = \boxed{} \div \boxed{} = \dfrac{\boxed{}}{\boxed{}} = \boxed{}\dfrac{\boxed{}}{\boxed{}}$

3 관계있는 것끼리 선으로 이어 보세요.

$\dfrac{3}{4} \div \dfrac{2}{4}$ •	• $10 \div 7$ •	• $1\dfrac{1}{2}$
$\dfrac{17}{20} \div \dfrac{9}{20}$ •	• $3 \div 2$ •	• $1\dfrac{3}{7}$
$\dfrac{10}{13} \div \dfrac{7}{13}$ •	• $17 \div 9$ •	• $1\dfrac{8}{9}$

4 보기 와 같이 계산해 보세요.

> 보기
> $$\frac{4}{5} \div \frac{2}{15} = \frac{12}{15} \div \frac{2}{15} = 12 \div 2 = 6$$

$$\frac{2}{3} \div \frac{3}{18} = \underline{\hspace{8cm}}$$

5 계산해 보세요.

(1) $\dfrac{4}{9} \div \dfrac{1}{9}$

(2) $\dfrac{8}{11} \div \dfrac{4}{11}$

(3) $\dfrac{5}{6} \div \dfrac{5}{24}$

(4) $\dfrac{6}{15} \div \dfrac{1}{5}$

6 빈칸에 알맞은 수를 써넣으세요.

(1)

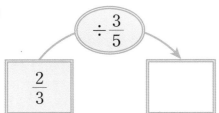

(2)

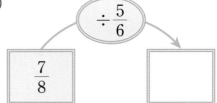

7 잘못 계산한 부분을 찾아 바르게 계산해 보세요.

> $$\frac{8}{9} \div \frac{5}{6} = 8 \div 5 = \frac{8}{5} = 1\frac{3}{5}$$

바른 계산 $\underline{\hspace{10cm}}$

8 가장 큰 수를 가장 작은 수로 나눈 몫을 구해 보세요.

$$\frac{5}{13} \qquad \frac{2}{13} \qquad \frac{9}{13} \qquad \frac{12}{13}$$

( )

9 계산 결과를 비교하여 ○ 안에 >, =, <를 알맞게 써넣으세요.

$$\frac{7}{16} \div \frac{3}{16} \qquad \bigcirc \qquad \frac{9}{10} \div \frac{3}{10}$$

10 계산 결과가 다른 하나를 찾아 ○표 하세요.

$$\frac{5}{6} \div \frac{5}{12} \qquad\qquad \frac{4}{5} \div \frac{2}{15} \qquad\qquad \frac{8}{14} \div \frac{2}{7}$$

( ) ( ) ( )

11 계산 결과가 1보다 큰 것을 찾아 기호를 써 보세요.

$$\text{㉠ } \frac{2}{5} \div \frac{3}{7} \qquad\qquad \text{㉡ } \frac{7}{9} \div \frac{4}{5} \qquad\qquad \text{㉢ } \frac{5}{6} \div \frac{3}{4}$$

( )

12 그림에 알맞은 진분수끼리의 나눗셈식을 만들고 답을 구해 보세요.

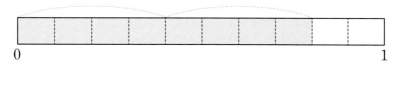

$$0 \qquad\qquad\qquad\qquad\qquad 1$$

식 _____

답 _____

13 조건 을 만족하는 분수의 나눗셈식을 모두 쓰려고 합니다. ☐ 안에 알맞은 수를 써넣으세요.

조건
• $9 \div 7$을 이용하여 계산할 수 있습니다.
• 분모가 12보다 작은 진분수의 나눗셈입니다.
• 두 분수의 분모는 같습니다.

$$\dfrac{9}{\boxed{}} \div \dfrac{7}{\boxed{}}, \quad \dfrac{9}{\boxed{}} \div \dfrac{7}{\boxed{}}$$

식 _____

14 ☐ 안에 알맞은 수를 구해 보세요.

$$\boxed{} \times \dfrac{3}{32} = \dfrac{3}{8}$$

(   )

15 피자 한 판 중 선혜는 $\dfrac{1}{6}$을 먹었고, 재상이는 $\dfrac{5}{8}$를 먹었습니다. 재상이가 먹은 피자의 양은 선혜가 먹은 피자의 양의 몇 배인지 구해 보세요.

(   )

개념 ❸ **(자연수)÷(분수) 알아보기**

• 철근 $\dfrac{2}{3}$ m의 무게가 6 kg일 때 철근 1 m의 무게 구하기

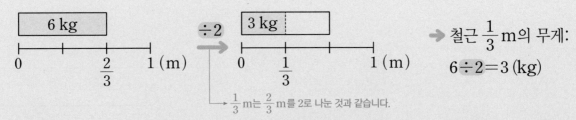

➡ 철근 $\dfrac{1}{3}$ m의 무게:

$6÷2=3$ (kg)

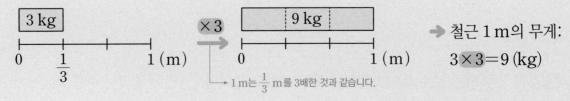

➡ 철근 1 m의 무게:

$3×3=9$ (kg)

$$6÷\dfrac{2}{3}=(6÷2)×3=3×3=9$$

자연수를 분수의 분자로 나눕니다.
분수의 분모를 곱합니다.

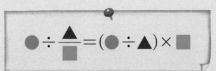

$$●÷\dfrac{▲}{■}=(●÷▲)×■$$

개념 ❹ **(분수)÷(분수)를 (분수)×(분수)로 나타내기**

• 통의 $\dfrac{2}{3}$ 를 채운 설탕의 무게가 $\dfrac{3}{5}$ kg일 때 한 통을 가득 채운 설탕의 무게 구하기

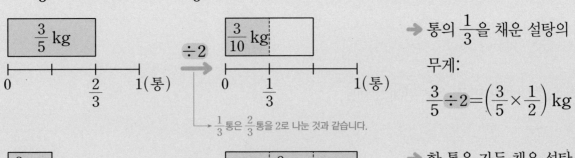

➡ 통의 $\dfrac{1}{3}$ 을 채운 설탕의 무게:

$$\dfrac{3}{5}÷2=\left(\dfrac{3}{5}×\dfrac{1}{2}\right) \text{kg}$$

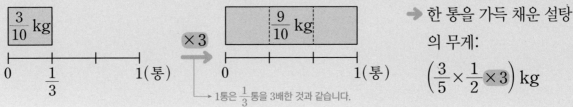

➡ 한 통을 가득 채운 설탕의 무게:

$$\left(\dfrac{3}{5}×\dfrac{1}{2}×3\right) \text{kg}$$

나눗셈을 곱셈으로 바꿉니다.

$$\dfrac{3}{5}÷\dfrac{2}{3}=\dfrac{3}{5}÷2×3=\dfrac{3}{5}×\dfrac{1}{2}×3=\dfrac{3}{5}×\dfrac{3}{2}=\dfrac{9}{10}$$

나누는 분수의 분모와 분자를 바꾸어 계산합니다.

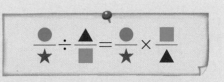

$$\dfrac{●}{★}÷\dfrac{▲}{■}=\dfrac{●}{★}×\dfrac{■}{▲}$$

1 □ 안에 알맞은 수를 써넣으세요.

(1) $4 \div \dfrac{2}{3} = (4 \div \boxed{}) \times \boxed{} = \boxed{}$

(2) $12 \div \dfrac{6}{7} = (12 \div \boxed{}) \times \boxed{} = \boxed{}$

1 단원

2 □ 안에 알맞은 수를 써넣어 나눗셈식을 곱셈식으로 나타내어 보세요.

(1) $\dfrac{2}{5} \div \dfrac{3}{4} = \dfrac{2}{5} \div \boxed{} \times \boxed{} = \dfrac{2}{5} \times \dfrac{1}{\boxed{}} \times \boxed{} = \dfrac{2}{5} \times \dfrac{\boxed{}}{\boxed{}}$

(2) $\dfrac{4}{9} \div \dfrac{5}{7} = \dfrac{4}{9} \div \boxed{} \times \boxed{} = \dfrac{4}{9} \times \dfrac{1}{\boxed{}} \times \boxed{} = \dfrac{4}{9} \times \dfrac{\boxed{}}{\boxed{}}$

3 계산해 보세요.

(1) $7 \div \dfrac{7}{8}$ (2) $9 \div \dfrac{3}{8}$

(3) $10 \div \dfrac{5}{7}$ (4) $14 \div \dfrac{7}{13}$

4 나눗셈식을 곱셈식으로 나타내어 계산해 보세요.

(1) $\dfrac{5}{7} \div \dfrac{3}{4}$ (2) $\dfrac{3}{8} \div \dfrac{5}{7}$

(3) $\dfrac{5}{8} \div \dfrac{2}{3}$ (4) $\dfrac{6}{13} \div \dfrac{7}{9}$

개념 5 (자연수)÷(분수) 계산하기

• $2 \div \dfrac{7}{9}$ 의 계산

방법 분수의 곱셈으로 나타내어 계산하기

$$2 \div \frac{7}{9} = 2 \times \frac{9}{7} = \frac{18}{7} = 2\frac{4}{7}$$

분수의 곱셈으로
나타내어 계산할 때는
나누는 분수의 분모와 분자를
바꾸는 것을 잊지 않도록
주의합니다.

개념 6 (가분수)÷(분수) 계산하기

• $\dfrac{5}{4} \div \dfrac{5}{7}$ 의 계산

방법1 통분하여 분자끼리 나누기

$$\frac{5}{4} \div \frac{5}{7} = \frac{35}{28} \div \frac{20}{28} = 35 \div 20 = \frac{\overset{7}{35}}{\underset{4}{20}} = \frac{7}{4} = 1\frac{3}{4}$$

방법2 분수의 곱셈으로 나타내어 계산하기

$$\frac{5}{4} \div \frac{5}{7} = \frac{\overset{1}{5}}{4} \times \frac{7}{\underset{1}{5}} = \frac{7}{4} = 1\frac{3}{4}$$

개념 7 (대분수)÷(분수) 계산하기

• $3\dfrac{1}{2} \div \dfrac{3}{4}$ 의 계산

방법1 통분하여 분자끼리 나누기

$$3\frac{1}{2} \div \frac{3}{4} = \frac{7}{2} \div \frac{3}{4} = \frac{14}{4} \div \frac{3}{4} = 14 \div 3 = \frac{14}{3} = 4\frac{2}{3}$$

방법2 분수의 곱셈으로 나타내어 계산하기

$$3\frac{1}{2} \div \frac{3}{4} = \frac{7}{2} \div \frac{3}{4} = \frac{7}{\underset{1}{2}} \times \frac{\overset{2}{4}}{3} = \frac{14}{3} = 4\frac{2}{3}$$

(대분수)÷(분수)를
계산할 때에는 대분수를
가분수로 나타내어
계산합니다.

🎮 **개념 Check**

🎓 맞으면 ○표, 틀리면 ✕표 하세요.

(대분수)÷(분수)를 계산할 때에는 대분수를 가분수로 나타내어 계산합니다.

1 □ 안에 알맞은 수를 써넣으세요.

(1) $6 \div \dfrac{5}{7} = 6 \times \dfrac{\boxed{}}{\boxed{}} = \dfrac{\boxed{}}{\boxed{}} = \boxed{} \dfrac{\boxed{}}{\boxed{}}$

(2) $8 \div \dfrac{3}{5} = 8 \times \dfrac{\boxed{}}{\boxed{}} = \dfrac{\boxed{}}{\boxed{}} = \boxed{} \dfrac{\boxed{}}{\boxed{}}$

2 $\dfrac{9}{5} \div \dfrac{2}{3}$ 를 두 가지 방법으로 계산하려고 합니다. □ 안에 알맞은 수를 써넣으세요.

방법1 $\dfrac{9}{5} \div \dfrac{2}{3} = \dfrac{\boxed{}}{15} \div \dfrac{\boxed{}}{15} = \boxed{} \div \boxed{} = \dfrac{\boxed{}}{\boxed{}} = \boxed{} \dfrac{\boxed{}}{\boxed{}}$

방법2 $\dfrac{9}{5} \div \dfrac{2}{3} = \dfrac{9}{5} \times \dfrac{\boxed{}}{\boxed{}} = \dfrac{\boxed{}}{\boxed{}} = \boxed{} \dfrac{\boxed{}}{\boxed{}}$

3 $1\dfrac{1}{4} \div \dfrac{2}{5}$ 를 두 가지 방법으로 계산하려고 합니다. □ 안에 알맞은 수를 써넣으세요.

방법1 $1\dfrac{1}{4} \div \dfrac{2}{5} = \dfrac{\boxed{}}{4} \div \dfrac{2}{5} = \dfrac{\boxed{}}{20} \div \dfrac{\boxed{}}{\boxed{}} = \boxed{} \div \boxed{} = \dfrac{\boxed{}}{\boxed{}} = \boxed{} \dfrac{\boxed{}}{\boxed{}}$

방법2 $1\dfrac{1}{4} \div \dfrac{2}{5} = \dfrac{\boxed{}}{4} \div \dfrac{2}{5} = \dfrac{\boxed{}}{4} \times \dfrac{\boxed{}}{\boxed{}} = \dfrac{\boxed{}}{\boxed{}} = \boxed{} \dfrac{\boxed{}}{\boxed{}}$

4 계산해 보세요.

(1) $7 \div \dfrac{3}{4}$

(2) $\dfrac{5}{3} \div \dfrac{6}{7}$

(3) $2\dfrac{5}{7} \div \dfrac{2}{3}$

(4) $3\dfrac{2}{3} \div \dfrac{5}{8}$

준비물 ◀ 붙임딱지

마우스가 깨졌습니다. 마우스 왼쪽 버튼에 있는 수를 오른쪽 버튼에 있는 수로 나눈 몫이 써 있는 부품 붙임딱지를 붙여서 마우스를 고쳐 보세요.

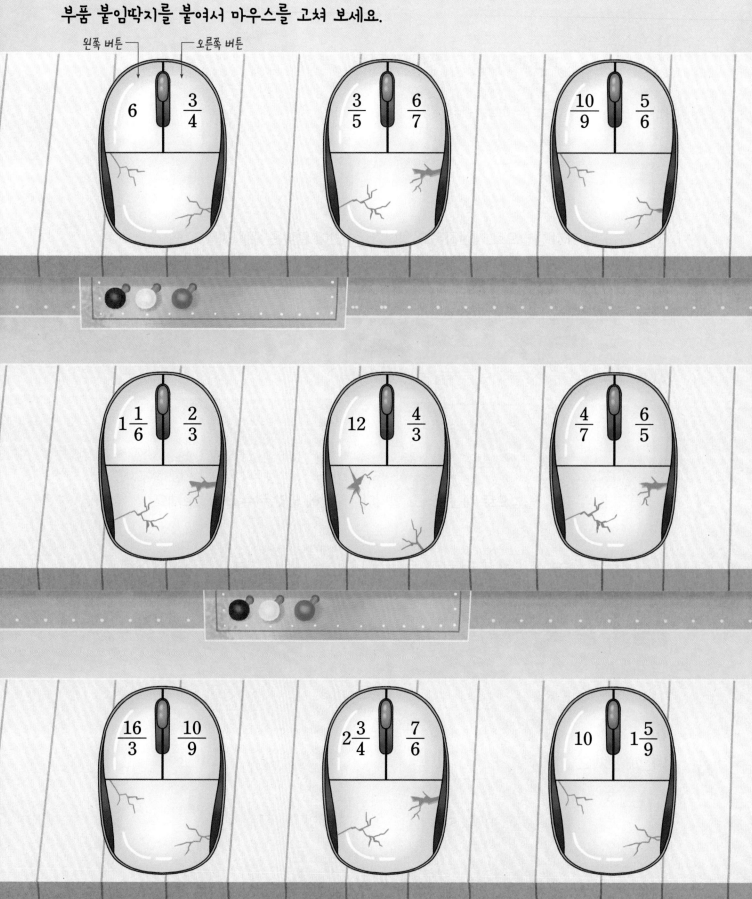

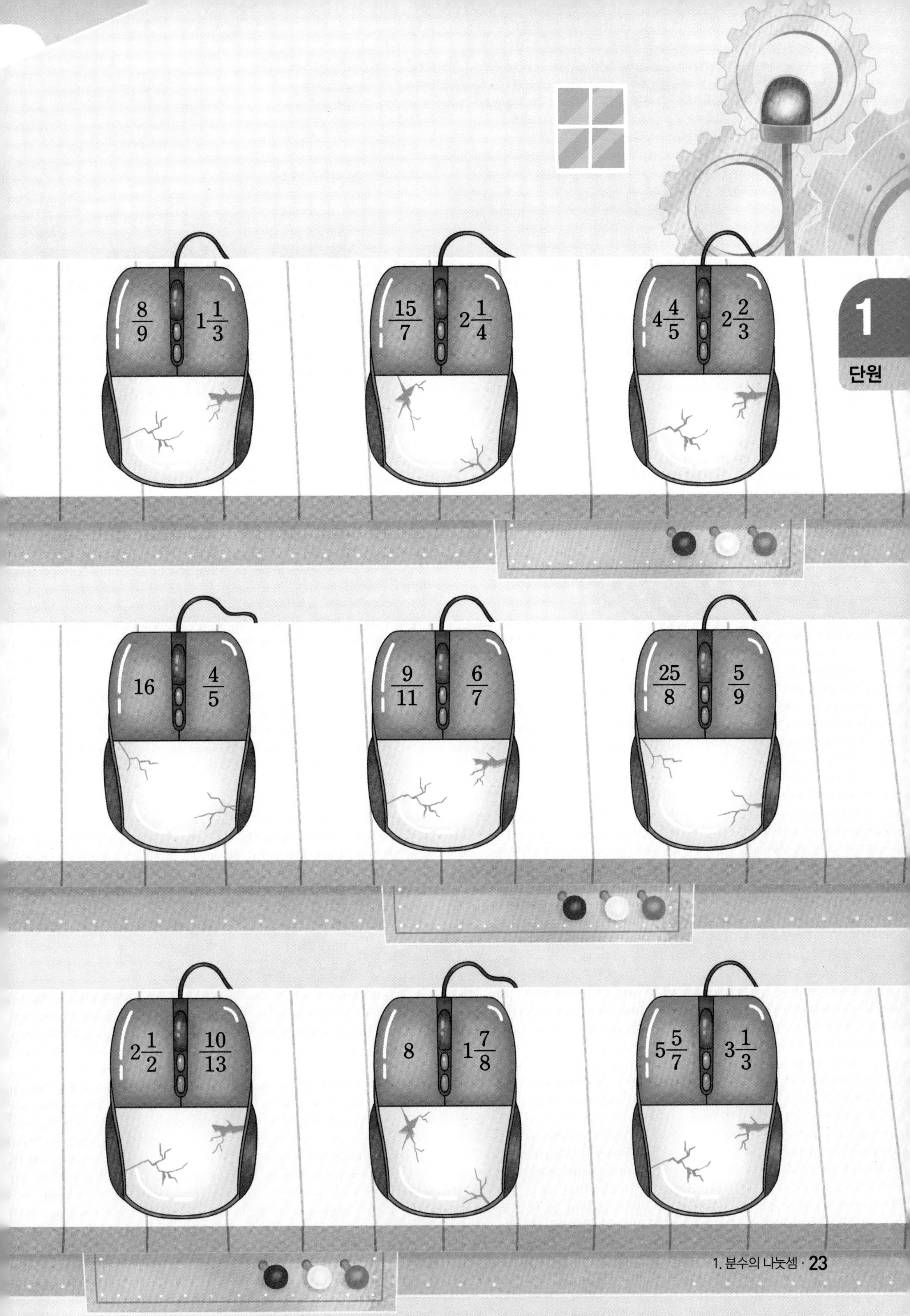

$\dfrac{8}{9}$ $1\dfrac{1}{3}$

$\dfrac{15}{7}$ $2\dfrac{1}{4}$

$4\dfrac{4}{5}$ $2\dfrac{2}{3}$

16 $\dfrac{4}{5}$

$\dfrac{9}{11}$ $\dfrac{6}{7}$

$\dfrac{25}{8}$ $\dfrac{5}{9}$

$2\dfrac{1}{2}$ $\dfrac{10}{13}$

8 $1\dfrac{7}{8}$

$5\dfrac{5}{7}$ $3\dfrac{1}{3}$

집중! 드릴 문제

[1~5] 계산해 보세요.

1 $9 \div \dfrac{3}{4}$

2 $8 \div \dfrac{6}{7}$

3 $18 \div \dfrac{9}{5}$

4 $6 \div \dfrac{10}{7}$

5 $7 \div 3\dfrac{1}{2}$

[6~10] 계산해 보세요.

6 $\dfrac{5}{6} \div \dfrac{4}{7}$

7 $\dfrac{8}{9} \div \dfrac{2}{3}$

8 $\dfrac{1}{4} \div \dfrac{6}{5}$

9 $\dfrac{7}{8} \div \dfrac{11}{6}$

10 $\dfrac{3}{4} \div 3\dfrac{1}{3}$

[11~15] 계산해 보세요.

11 $\dfrac{7}{2} \div \dfrac{2}{5}$

12 $\dfrac{10}{7} \div \dfrac{5}{8}$

13 $\dfrac{6}{5} \div \dfrac{4}{3}$

14 $\dfrac{17}{8} \div \dfrac{9}{4}$

15 $\dfrac{8}{3} \div 2\dfrac{5}{6}$

[16~20] 계산해 보세요.

16 $1\dfrac{1}{5} \div \dfrac{2}{3}$

17 $2\dfrac{6}{7} \div \dfrac{4}{5}$

18 $3\dfrac{3}{5} \div \dfrac{9}{7}$

19 $4\dfrac{3}{8} \div \dfrac{7}{4}$

20 $2\dfrac{7}{9} \div 1\dfrac{2}{3}$

1 무게가 8 kg이고 길이가 $\frac{2}{5}$ m인 쇠막대가 있습니다. 이 쇠막대 1 m의 무게를 구해 보세요.

(1) 쇠막대 $\frac{1}{5}$ m의 무게를 구하려고 합니다. ☐ 안에 알맞은 수를 써넣으세요.

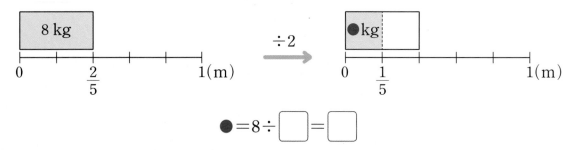

$$\bullet = 8 \div \boxed{} = \boxed{}$$

(2) 쇠막대 1 m의 무게를 구하려고 합니다. ☐ 안에 알맞은 수를 써넣으세요.

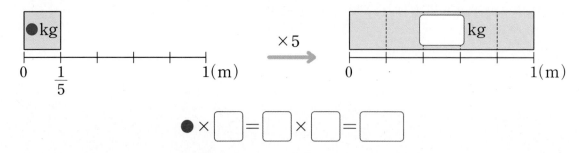

$$\bullet \times \boxed{} = \boxed{} \times \boxed{} = \boxed{}$$

(3) ☐ 안에 알맞은 수를 써넣으세요.

$$8 \div \frac{2}{5} = (8 \div \boxed{}) \times \boxed{} = \boxed{}$$

2 ☐ 안에 알맞은 수를 써넣으세요.

(1) $\dfrac{5}{9} \div \dfrac{7}{9} = \boxed{} \div \boxed{} = \dfrac{\boxed{}}{\boxed{}}$

(2) $\dfrac{5}{9} \div \dfrac{7}{9} = \dfrac{5}{\cancel{9}} \times \dfrac{\overset{1}{\cancel{9}}}{\boxed{}} = \dfrac{\boxed{}}{\boxed{}}$

3 ㉠, ㉡, ㉢에 알맞은 수의 합을 구해 보세요.

$$\frac{5}{8} \div \frac{2}{3} = \frac{5}{8} \times \frac{㉠}{㉡} = \frac{15}{㉢}$$

(   )

4 보기 와 같이 계산해 보세요.

> 보기
> $$4 \div \frac{2}{7} = (4 \div 2) \times 7 = 14$$

$8 \div \dfrac{4}{9} = $ _____

5 나눗셈식을 곱셈식으로 나타내어 계산해 보세요.

(1) $\dfrac{4}{5} \div \dfrac{5}{6}$

(2) $\dfrac{3}{8} \div \dfrac{5}{7}$

(3) $\dfrac{5}{9} \div \dfrac{7}{8}$

(4) $\dfrac{6}{11} \div \dfrac{7}{9}$

6 계산해 보세요.

(1) $\dfrac{3}{5} \div \dfrac{9}{10}$

(2) $\dfrac{20}{3} \div \dfrac{12}{5}$

(3) $4\dfrac{2}{5} \div \dfrac{11}{12}$

(4) $3\dfrac{1}{8} \div 2\dfrac{1}{2}$

7 잘못 계산한 부분을 찾아 바르게 계산해 보세요.

$$2\frac{2}{3} \div \frac{5}{6} = 2\frac{2}{\underset{1}{\cancel{3}}} \times \frac{\overset{2}{\cancel{6}}}{5} = 2\frac{4}{5}$$

바른 계산 _____

8 계산 결과를 비교하여 ○ 안에 >, =, <를 알맞게 써넣으세요.

$$4 \div \frac{9}{5} \qquad \bigcirc \qquad 5 \div \frac{10}{7}$$

9 큰 수를 작은 수로 나눈 몫을 구해 보세요.

$$\frac{3}{2} \qquad \frac{4}{5}$$

( )

10 빈칸에 알맞은 수를 써넣으세요.

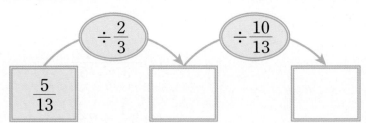

11 집에서 우체국까지의 거리는 집에서 학교까지의 거리의 몇 배인지 구해 보세요.

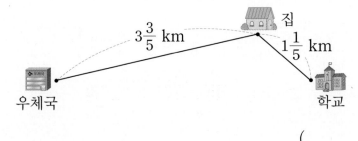

( )

12 무게가 $\dfrac{5}{6}$ kg이고 길이가 $\dfrac{2}{3}$ m인 고무관이 있습니다. 이 고무관 1 m의 무게를 구해 보세요.

(   )

1 단원

13 빵 한 개를 만드는 데 밀가루 $\dfrac{5}{8}$ 컵이 필요합니다. 밀가루 $8\dfrac{3}{4}$ 컵으로 만들 수 있는 빵은 몇 개인지 식을 쓰고 답을 구해 보세요.

식 _____

답 _____

14 ☐ 안에 들어갈 수 있는 자연수를 모두 구해 보세요.

$$2\dfrac{1}{2} \div \dfrac{5}{9} > \boxed{}$$

(   )

15 ☐ 안에 알맞은 수를 구해 보세요.

$$\dfrac{9}{10} \div \dfrac{3}{4} = \dfrac{4}{5} \times \boxed{}$$

(   )

개념 확인평가

1. 분수의 나눗셈

맞은 개수

1 □ 안에 알맞은 수를 써넣으세요.

$$\frac{5}{7} - \frac{1}{7} - \frac{1}{7} - \frac{1}{7} - \frac{1}{7} - \frac{1}{7} = 0 \ \Rightarrow \ \frac{5}{7} \div \frac{1}{7} = \boxed{}$$

$$\boxed{} \text{번}$$

2 그림을 보고 □ 안에 알맞은 수를 써넣으세요.

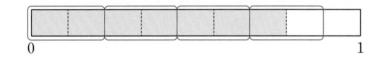

$$\frac{7}{9} \div \frac{2}{9} = \boxed{} \frac{\boxed{}}{\boxed{}}$$

3 □ 안에 알맞은 수를 써넣으세요.

(1) $\dfrac{4}{5} \div \dfrac{4}{15} = \dfrac{\boxed{}}{15} \div \dfrac{4}{15} = \boxed{} \div 4 = \boxed{}$

(2) $\dfrac{5}{9} \div \dfrac{3}{4} = \dfrac{\boxed{}}{36} \div \dfrac{\boxed{}}{36} = \boxed{} \div \boxed{} = \dfrac{\boxed{}}{\boxed{}}$

4 계산해 보세요.

(1) $8 \div \dfrac{2}{7}$

(2) $\dfrac{5}{12} \div \dfrac{5}{7}$

(3) $\dfrac{7}{3} \div \dfrac{5}{6}$

(4) $1\dfrac{3}{4} \div \dfrac{7}{9}$

5 잘못 계산한 부분을 찾아 바르게 계산해 보세요.

$$1\frac{2}{3} \div \frac{3}{4} = 1\frac{2}{3} \times \frac{4}{3} = 1\frac{8}{9}$$

바른 계산

6 빈칸에 알맞은 수를 써넣으세요.

(1)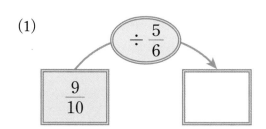

(2)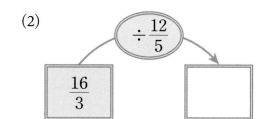

7 $2\frac{1}{6} \div \frac{2}{3}$ 를 두 가지 방법으로 계산해 보세요.

방법1

방법2

8 계산 결과가 큰 것부터 순서대로 기호를 써 보세요.

$$\bigcirc\ 16 \div \frac{2}{5} \qquad \bigcirc\ 15 \div \frac{5}{9} \qquad \bigcirc\ 18 \div \frac{3}{8}$$

(   )

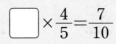

9 □ 안에 알맞은 수를 구해 보세요.

$$\boxed{} \times \frac{4}{5} = \frac{7}{10}$$

(　　　　　　　)

10 넓이가 $\frac{13}{14}$ m²인 직사각형이 있습니다. 세로가 $\frac{4}{7}$ m일 때 가로는 몇 m인지 구해 보세요.

$$\frac{13}{14}\,\text{m}^2 \qquad \frac{4}{7}\,\text{m}$$

(　　　　　　　)

11 휘발유 $\frac{7}{8}$ L로 $10\frac{8}{9}$ km를 가는 자동차가 있습니다. 이 자동차는 휘발유 1 L로 몇 km를 갈 수 있는지 구해 보세요.

(　　　　　　　)

12 ㉠은 ㉡의 몇 배인지 구해 보세요.

$$㉠\ 4\frac{3}{8} \div \frac{7}{10} \qquad\qquad ㉡\ 2\frac{2}{9} \div \frac{4}{5}$$

(　　　　　　　)

2 소수의 나눗셈

학습 계획표

내용	쪽수	날짜		확인
교과서 **개념** 잡기	34~37쪽	월	일	
교과서 **개념** play / **집중!** 드릴 문제	38~41쪽	월	일	
교과서 **개념 확인** 문제	42~45쪽	월	일	
교과서 **개념** 잡기	46~49쪽	월	일	
교과서 **개념** play / **집중!** 드릴 문제	50~53쪽	월	일	
교과서 **개념 확인** 문제	54~57쪽	월	일	
개념 확인평가	58~60쪽	월	일	

교과서 개념 잡기

개념 ① 자연수의 나눗셈을 이용하여 (소수)÷(소수) 계산하기

• 126÷6을 이용하여 12.6÷0.6과 1.26÷0.06 계산하기

$$12.6 \div 0.6$$

10배 ↘ ↙ 10배

$$126 \div 6 = 21$$

$$12.6 \div 0.6 = 21$$ → 몫이 같습니다.

$$1.26 \div 0.06$$

100배 ↘ ↙ 100배

$$126 \div 6 = 21$$

$$1.26 \div 0.06 = 21$$ → 몫이 같습니다.

나눗셈에서 나누어지는 수와 나누는 수에 똑같이 10배 또는 100배를 하여
(자연수)÷(자연수)로 계산해도 몫은 같습니다.

개념 ② 자릿수가 같은 (소수)÷(소수) 알아보기

• 2.5÷0.5 계산하기

① 분수의 나눗셈으로 계산하기

$$2.5 \div 0.5 = \frac{25}{10} \div \frac{5}{10} = 25 \div 5 = 5$$

② 세로로 계산하기 └→ 분모가 10인 분수로 나타냅니다.

> 2.5÷0.5는
> 2.5와 0.5의
> 소수점을 똑같이 옮긴
> 25÷5와 몫이
> 같습니다.

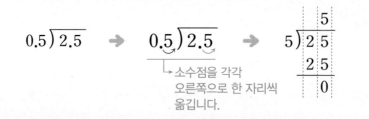

└→ 소수점을 각각 오른쪽으로 한 자리씩 옮깁니다.

• 1.64÷0.41 계산하기

① 분수의 나눗셈으로 계산하기

$$1.64 \div 0.41 = \frac{164}{100} \div \frac{41}{100} = 164 \div 41 = 4$$

② 세로로 계산하기 └→ 분모가 100인 분수로 나타냅니다.

> 1.64÷0.41은
> 1.64와 0.41의
> 소수점을 똑같이 옮긴
> 164÷41과 몫이
> 같습니다.

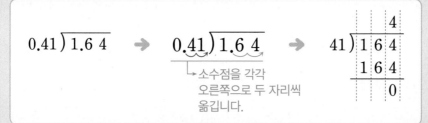

└→ 소수점을 각각 오른쪽으로 두 자리씩 옮깁니다.

나누는 수와 나누어지는 수의 소수점을 똑같이 옮겨서 자연수의 나눗셈을 이용해 계산합니다.

1 □ 안에 알맞은 수를 써넣으세요.

$$0.48 \div 0.08$$

100배   100배

$$48 \div 8 = \boxed{}$$

$$0.48 \div 0.08 = \boxed{}$$

2 소수의 나눗셈을 분수의 나눗셈으로 계산하려고 합니다. □ 안에 알맞은 수를 써넣으세요.

$$3.5 \div 0.7 = \frac{\boxed{}}{10} \div \frac{\boxed{}}{10} = \boxed{} \div \boxed{} = \boxed{}$$

3 □ 안에 알맞은 수를 써넣으세요.

(1)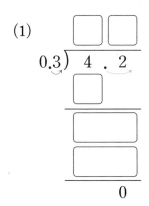

(2)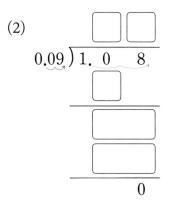

4 계산해 보세요.

(1)
$$0.9 \overline{)2.7}$$

(2)
$$0.18 \overline{)1.2\,6}$$

개념 ③ 자릿수가 다른 (소수)÷(소수) 알아보기

• 3.75÷2.5 계산하기

방법1 나누어지는 수와 나누는 수를 각각 100배씩 하여 계산하기

100배

$3.75 \div 2.5 = 1.5$ $375 \div 250 = 1.5$

100배

→ 소수 한 자리 수를 100배 한 경우 수의 끝에 0을 씁니다.

$$2.5 \overline{)3.7\,5} \rightarrow 2.50 \overline{)3.7\,5} \rightarrow 250 \overline{)375.0}$$

↳ 소수점을 오른쪽으로 두 자리씩 옮깁니다.

```
        1.5
250 ) 3 7 5 . 0
      2 5 0
      1 2 5 0
      1 2 5 0
            0
```

몫의 소수점은 옮긴 소수점의 위치에서 찍습니다.

방법2 나누어지는 수와 나누는 수를 각각 10배씩 하여 계산하기

10배

$3.75 \div 2.5 = 1.5$ $37.5 \div 25 = 1.5$

10배

$$2.5 \overline{)3.7\,5} \rightarrow 2.5 \overline{)3.7\,5} \rightarrow 25 \overline{)37.5}$$

↳ 소수점을 오른쪽으로 한 자리씩 옮깁니다.

```
      1.5
25 ) 3 7 . 5
     2 5
     1 2 5
     1 2 5
         0
```

나누는 수와 나누어지는 수의 소수점을 각각 오른쪽으로 한 자리씩 옮기거나 두 자리씩 옮겨서 계산합니다.

개념 Check ○

🎓 $504 \div 360 = 1.4$를 이용하여 $5.04 \div 3.6$의 몫을 바르게 나타낸 사람에게 ○표 하세요.

1 ☐ 안에 알맞은 수를 써넣으세요.

3.48÷1.2는 3.48과 1.2를 ☐배씩 하여 계산하면

34.8÷☐＝2.9입니다.

2 ☐ 안에 알맞은 수를 써넣으세요.

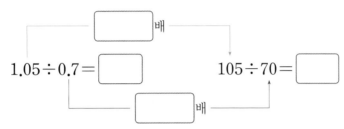

3 나누어지는 수와 나누는 수를 각각 100배씩 하여 계산해 보세요.

(1)

1.20) 3.1 2 0

(2)

2.40) 3.3 6 0

4 나누어지는 수와 나누는 수를 각각 10배씩 하여 계산해 보세요.

(1)

2.1) 2.5 2

(2)

3.5) 7.3 5

준비물 붙임딱지

나눗셈의 몫이 써 있는 붙임딱지를 붙여 배변이 보이지 않게 패드를 치워 보세요.

$24.5 \div 0.7$

$28.8 \div 1.2$

$25.2 \div 1.2$

$36.8 \div 2.3$

$3.84 \div 0.48$

$3.45 \div 0.15$

$4.55 \div 0.91$

$2.64 \div 0.08$

1.62÷0.6

6.72÷5.6

9.45÷2.7

8.51÷3.7

15.12÷6.3

30.15÷4.5

40.42÷8.6

25.92÷7.2

집중! 드릴 문제

[1~5] □ 안에 알맞은 수를 써넣으세요.

1 $3.2 \div 0.4 = \dfrac{\boxed{}}{10} \div \dfrac{\boxed{}}{10}$

$= \boxed{} \div \boxed{} = \boxed{}$

2 $8.4 \div 2.8 = \dfrac{\boxed{}}{10} \div \dfrac{\boxed{}}{10}$

$= \boxed{} \div \boxed{} = \boxed{}$

3 $1.28 \div 0.16 = \dfrac{\boxed{}}{100} \div \dfrac{\boxed{}}{100}$

$= \boxed{} \div \boxed{} = \boxed{}$

4 $2.34 \div 0.18 = \dfrac{\boxed{}}{100} \div \dfrac{\boxed{}}{100}$

$= \boxed{} \div \boxed{}$

$= \boxed{}$

[5~8] 계산해 보세요.

5 $0.9 \overline{)3.6}$

6 $1.5 \overline{)13.5}$

7 $0.09 \overline{)1.44}$

8 $0.27 \overline{)4.32}$

[9~14] □ 안에 알맞은 수를 써넣으세요.

9 $8.64 \div 1.6 = \boxed{} \div 160 = \boxed{}$

10 $6.72 \div 2.1 = \boxed{} \div 210 = \boxed{}$

11 $2.16 \div 2.7 = 216 \div \boxed{} = \boxed{}$

12 $3.64 \div 1.4 = \boxed{} \div 14 = \boxed{}$

13 $7.56 \div 1.8 = \boxed{} \div 18 = \boxed{}$

14 $19.05 \div 1.5 = 190.5 \div \boxed{} = \boxed{}$

[15~18] 계산해 보세요.

15 $2.5 \overline{)4.7\,5}$

16 $4.6 \overline{)1\,5.6\,4}$

17 $3.6 \overline{)1\,0.0\,8}$

18 $2.4 \overline{)7.9\,2}$

교과서 개념 확인 문제

1 12.8÷0.4를 자연수의 나눗셈을 이용하여 계산해 보세요.

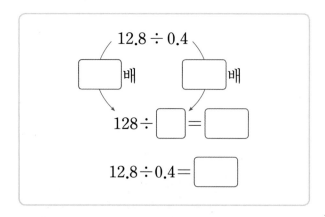

2 보기 와 같이 분수의 나눗셈으로 바꾸어 계산해 보세요.

> 보기
> $$4.8 \div 0.8 = \frac{48}{10} \div \frac{8}{10} = 48 \div 8 = 6$$

(1) $1.5 \div 0.3 =$ _____

(2) $6.65 \div 0.07 =$ _____

3 □ 안에 알맞은 수를 써넣으세요.

(1)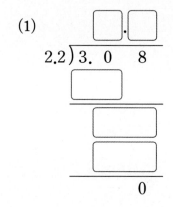

(2)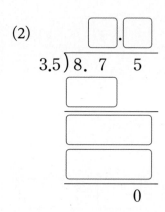

4 빈칸에 알맞은 수를 써넣으세요.

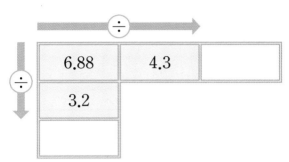

5 큰 수를 작은 수로 나눈 몫을 빈칸에 써넣으세요.

(1)

3.44	0.43

(2)

1.6	6.72

6 계산 결과를 비교하여 ○ 안에 >, =, <를 알맞게 써넣으세요.

6.72÷0.28 674.1÷32.1

7 빈칸에 알맞은 수를 써넣으세요.

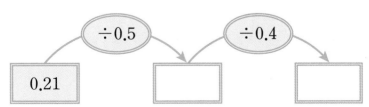

8 계산 결과를 찾아 선으로 이어 보세요.

$4.75 \div 1.9$ •　　　　• 2.5

$6.15 \div 0.41$ •　　　　• 3.2

$14.72 \div 4.6$ •　　　　• 15

9 ☐ 안에 알맞은 수를 써넣으세요.

(1) ☐ $\times 2.2 = 6.16$

(2) $1.2 \times$ ☐ $= 2.88$

곱셈과 나눗셈의
관계를 생각해 보세요.

10 <u>잘못</u> 계산한 곳을 찾아 바르게 계산해 보세요.

$$
\begin{array}{r}
0.1\,6 \\
4.2\,\overline{)\,6.7\,2} \\
4\,2 \\
\hline
2\,5\,2 \\
2\,5\,2 \\
\hline
0
\end{array}
$$

→

$$4.2\,\overline{)\,6.7\,2}$$

11 주스 5.6 L를 한 사람에게 0.4 L씩 나누어 주려고 합니다. 주스를 몇 명에게 나누어 줄 수 있는지 식을 쓰고 답을 구해 보세요.

식 _____

답 _____

12 평행사변형의 넓이가 98.8 cm²입니다. 이 평행사변형의 밑변의 길이가 7.6 cm일 때, 높이는 몇 cm인지 구해 보세요.

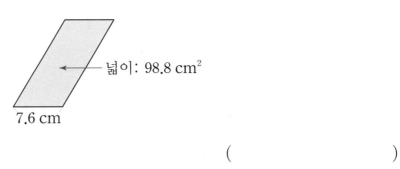

넓이: 98.8 cm²

7.6 cm

(   )

13 집에서 학교까지의 거리는 9.88 km이고 집에서 마트까지의 거리는 2.6 km입니다. 집에서 학교까지의 거리는 집에서 마트까지의 거리의 몇 배인지 구해 보세요.

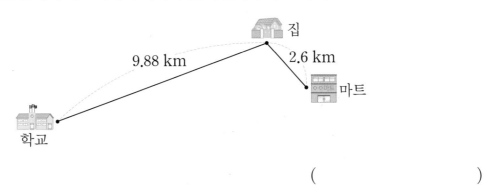

9.88 km   집   2.6 km

마트

학교

(   )

개념 ④ (자연수)÷(소수) 알아보기

• 15÷2.5의 계산

① 분수의 나눗셈으로 계산하기

$$15 \div 2.5 = \frac{150}{10} \div \frac{25}{10} = 150 \div 25 = 6$$

↳ 분모가 10인 분수로 나타냅니다.

② 자연수의 나눗셈으로 계산하기

10배

$$15 \div 2.5 = 6 \qquad 150 \div 25 = 6$$

10배

③ 세로로 계산하기

$$2.5 \overline{)15} \quad \rightarrow \quad 2.5 \overline{)15.0} \quad \rightarrow \quad 25 \overline{)\begin{array}{r} 6 \\ 150 \\ 150 \\ \hline 0 \end{array}}$$

↳ 15 오른쪽에 소수점과 0을 쓰고 소수점을 옮깁니다.

나누어지는 수와 나누는 수의 소수점을 오른쪽으로 한 자리씩 옮겨 계산합니다.

• 7÷1.75의 계산

① 분수의 나눗셈으로 계산하기

$$7 \div 1.75 = \frac{700}{100} \div \frac{175}{100} = 700 \div 175 = 4$$

↳ 분모가 100인 분수로 나타냅니다.

② 자연수의 나눗셈으로 계산하기

100배

$$7 \div 1.75 = 4 \qquad 700 \div 175 = 4$$

100배

③ 세로로 계산하기

$$1.75 \overline{)7} \quad \rightarrow \quad 1.75 \overline{)7.00} \quad \rightarrow \quad 175 \overline{)\begin{array}{r} 4 \\ 700 \\ 700 \\ \hline 0 \end{array}}$$

↳ 7 오른쪽에 소수점과 0을 2개 쓰고 소수점을 옮깁니다.

나누어지는 수와 나누는 수의 소수점을 오른쪽으로 두 자리씩 옮겨 계산합니다.

1 720÷2.4를 분수의 나눗셈으로 계산하려고 합니다. ☐ 안에 알맞은 수를 써넣으세요.

$$720 \div 2.4 = \frac{\boxed{}}{10} \div \frac{24}{10} = \boxed{} \div 24 = \boxed{}$$

2 ☐ 안에 알맞은 수를 써넣으세요.

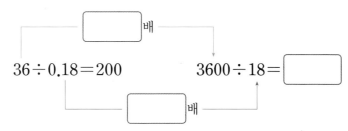

3 ☐ 안에 알맞은 수를 써넣으세요.

(1)
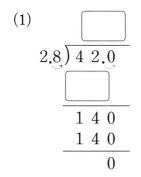

(2)

$$0.25 \overline{)1\,2.0\,0}$$

배 ... 200
200
0

4 계산해 보세요.

(1)
$$1.5 \overline{)6\,0}$$

(2)
$$3.25 \overline{)1\,3\,0}$$

개념 ⑤ 몫을 반올림하여 나타내기

- $26 \div 7$의 몫을 반올림하여 나타내기

$$26 \div 7 = 3.714\cdots\cdots$$

반올림은 구하려는 자리 바로 아래 자리의 숫자가 0, 1, 2, 3, 4이면 버리고 5, 6, 7, 8, 9이면 올리는 방법입니다.

- 몫을 반올림하여 일의 자리까지 나타내기 → 소수 첫째 자리에서 반올림합니다.

$$3.7\cdots\cdots \rightarrow 4$$
→ 7이므로 올립니다.

- 몫을 반올림하여 소수 첫째 자리까지 나타내기 → 소수 둘째 자리에서 반올림합니다.

$$3.71\cdots\cdots \rightarrow 3.7$$
→ 1이므로 버립니다.

- 몫을 반올림하여 소수 둘째 자리까지 나타내기 → 소수 셋째 자리에서 반올림합니다.

$$3.714\cdots\cdots \rightarrow 3.71$$
→ 4이므로 버립니다.

> 몫을 반올림하여 나타낼 때에는 구하려는 자리 바로 아래에서 반올림합니다.

개념 ⑥ 나누어 주고 남는 양 알아보기

- 끈 7.1 m를 한 사람에 2 m씩 나누어 줄 때 나누어 줄 수 있는 사람 수와 남는 끈의 길이 구하기

① 뺄셈식으로 알아보기

$$7.1 - 2 - 2 - 2 = 1.1 \rightarrow 남는 양$$
└── 3번 ──┘

7.1에서 2를 3번 뺄 수 있으므로 3명에게 나누어 줄 수 있고 1.1이 남으므로 남는 끈의 길이는 1.1 m입니다.

② 세로로 계산하기

$$
\begin{array}{r}
3 \\
2\overline{)7.1} \\
6 \\
\hline
1.1
\end{array}
$$

- 3 → 나누어 줄 수 있는 사람 수
- 6 → 나누어 주는 끈의 길이
- 1.1 → 나누어 주고 남는 끈의 길이

세로로 계산하면 3명에게 나누어 줄 수 있고 남는 끈의 길이는 1.1 m입니다.

🎮 개념 Check

🎓 $22 \div 6 = 3.66\cdots\cdots$의 몫을 반올림하여 소수 첫째 자리까지 바르게 나타낸 사람에게 ◯표 하세요.

1 식의 몫을 보고 □ 안에 알맞은 수를 써넣으세요.

$$25 \div 13 = 1.923\cdots\cdots$$

(1) 몫을 반올림하여 일의 자리까지 나타내면 □ 입니다.

(2) 몫을 반올림하여 소수 첫째 자리까지 나타내면 □ 입니다.

(3) 몫을 반올림하여 소수 둘째 자리까지 나타내면 □ 입니다.

2

2 끈 27.9 m를 한 사람에 3 m씩 나누어 줄 때 나누어 줄 수 있는 사람 수와 남는 끈의 길이를 구해 보세요.

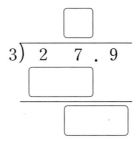

나누어 줄 수 있는 사람 수 (   )

남는 끈의 길이 (   )

3 23.7÷9의 몫을 소수 둘째 자리까지 구하고 반올림하여 소수 첫째 자리까지 나타내어 보세요.

9)2 3.7   ➡   (   )

준비물 붙임딱지

나눗셈의 몫이 써 있는 붙임딱지를 붙여 담을 수 있는 상자 수를 구해 보세요.

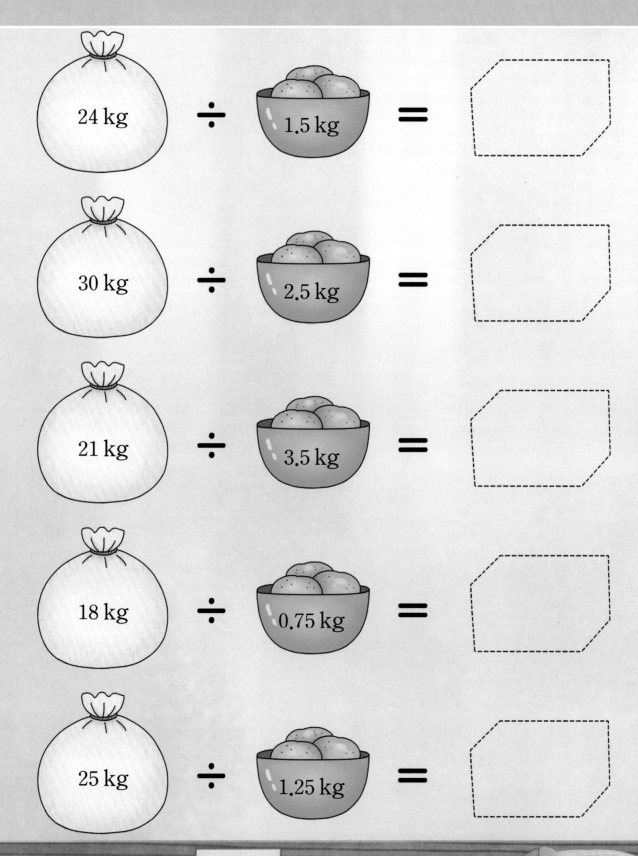

24 kg ÷ 1.5 kg =

30 kg ÷ 2.5 kg =

21 kg ÷ 3.5 kg =

18 kg ÷ 0.75 kg =

25 kg ÷ 1.25 kg =

3,000₩

나눗셈의 몫과 나머지가 써 있는 붙임딱지를 붙여
담을 수 있는 상자 수와 남는 양을 구해 보세요.

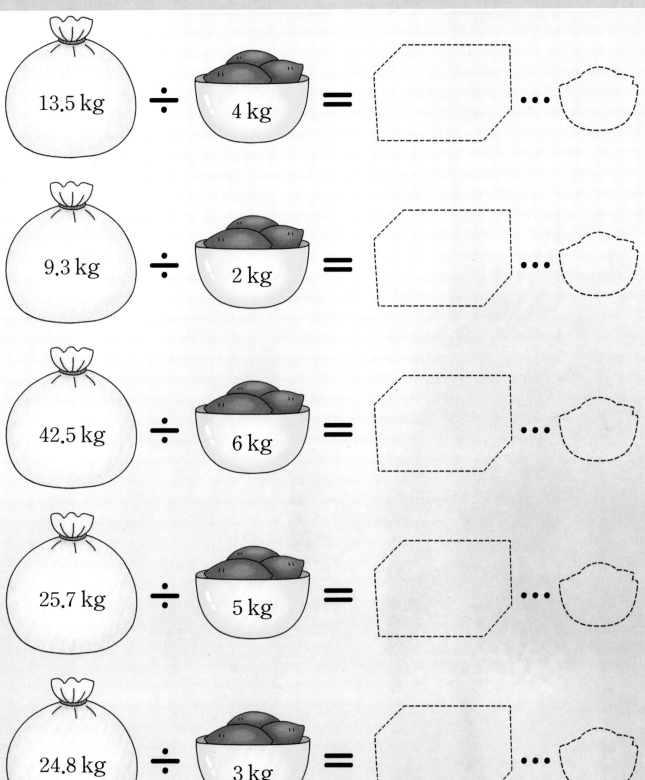

13.5 kg ÷ 4 kg = ⬡ … ⬭

9.3 kg ÷ 2 kg = ⬡ … ⬭

42.5 kg ÷ 6 kg = ⬡ … ⬭

25.7 kg ÷ 5 kg = ⬡ … ⬭

24.8 kg ÷ 3 kg = ⬡ … ⬭

2

단원

가지, 당근
3,000₩

2,000₩

[1~5] 분수의 나눗셈으로 계산해 보세요.

1 $60 \div 1.2$

2 $70 \div 2.8$

3 $9 \div 0.6$

4 $16 \div 0.64$

5 $22 \div 0.44$

[6~9] 계산해 보세요.

6 $1.5 \overline{)2\ 4}$

7 $3.4 \overline{)5\ 1}$

8 $2.25 \overline{)1\ 8}$

9 $1.35 \overline{)2\ 7}$

[10~13] 몫을 소수 둘째 자리까지 구하고 반올림하여 소수 첫째 자리까지 나타내어 보세요.

10 $11\overline{)34}$ ➡ (   )

11 $17\overline{)72}$ ➡ (   )

12 $2.7\overline{)5.6}$ ➡ (   )

13 $1.3\overline{)2.53}$ ➡ (   )

[14~16] 몫을 자연수까지만 구하고 ☐ 안에 알맞은 수를 써넣으세요.

14 감자 6.3 kg을 한 사람에 2 kg씩 나누어 줍니다.

$2\overline{)6.3}$

나누어 줄 수 있는 사람 수: ☐명

남는 양: ☐kg

15 옥수수 11.1 kg을 한 사람에 4 kg씩 나누어 줍니다.

$4\overline{)11.1}$

나누어 줄 수 있는 사람 수: ☐명

남는 양: ☐kg

16 자두 25.2 kg을 한 사람에 3 kg씩 나누어 줍니다.

$3\overline{)25.2}$

나누어 줄 수 있는 사람 수: ☐명

남는 양: ☐kg

교과서 개념 확인 문제

1 보기 와 같이 계산해 보세요.

> **보기**
> $$21 \div 3.5 = \frac{210}{10} \div \frac{35}{10} = 210 \div 35 = 6$$

(1) $12 \div 2.4 =$ _____

(2) $16 \div 0.25 =$ _____

2 계산해 보세요.

(1)
$$0.8 \overline{)\, 4\,}$$

(2)
$$0.35 \overline{)\, 1\, 4\,}$$

(3) $40 \div 2.5$

(4) $11 \div 0.22$

3 다음 나눗셈의 몫을 반올림하여 주어진 자리까지 나타내어 보세요.

> $$2.8 \div 1.3$$

소수 첫째 자리까지 (   )

소수 둘째 자리까지 (   )

4 ☐ 안에 알맞은 수를 써넣으세요.

(1) $54 \div 6 = $ ☐

$54 \div 0.6 = $ ☐

$54 \div 0.06 = $ ☐

(2) $3.15 \div 0.07 = $ ☐

$31.5 \div 0.07 = $ ☐

$315 \div 0.07 = $ ☐

2
단원

5 계산 결과를 비교하여 ◯ 안에 $>$, $=$, $<$를 알맞게 써넣으세요.

$18 \div 1.2$ $49 \div 3.5$

6 몫을 반올림하여 주어진 자리까지 나타내어 보세요.

(1) 소수 첫째 자리

$$2.6\overline{)9.2\,7}$$

(   )

(2) 소수 둘째 자리

$$0.7\overline{)2.5}$$

(   )

7 나눗셈의 몫을 자연수 부분까지 구하여 ☐ 안에 쓰고, 나머지를 ◯ 안에 써넣으세요.

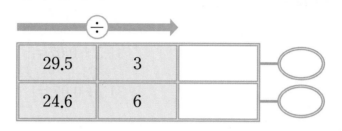

	÷		
29.5	3		◯
24.6	6		◯

8 잘못 계산한 곳을 찾아 바르게 계산해 보세요.

```
        1 4
3.3) 4 6 2
     3 3
     1 3 2
     1 3 2
         0
```

➡

```
3.3) 4 6 2
```

9 계산 결과를 비교하여 ◯ 안에 >, =, <를 알맞게 써넣으세요.

(1)
3.5÷3의 몫을 반올림하여 소수 첫째 자리까지 나타낸 수	◯	3.5÷3

(2)
45÷7의 몫을 반올림하여 일의 자리까지 나타낸 수	◯	45÷7

10 끈 18.6 m를 한 사람에게 5 m씩 나누어 주려고 합니다. 나누어 줄 수 있는 사람 수와 남는 끈의 길이를 구해 보세요.

나누어 줄 수 있는 사람 수 (   )

남는 끈의 길이 (   )

11 닭의 무게는 3.1 kg이고 병아리의 무게는 0.6 kg입니다. 닭의 무게는 병아리의 무게의 몇 배인지 반올림하여 소수 첫째 자리까지 나타내어 보세요.

(   )

12 물 28.8 L를 한 명에 3 L씩 나누어 주려고 합니다. 나누어 줄 수 있는 사람 수와 남는 물의 양을 두 가지 방법으로 구해 보세요.

(1)   뺄셈으로 구하기   (2)   나눗셈으로 구하기

나누어 줄 수 있는 사람 수: ☐ 명

남는 물의 양: ☐ L

나누어 줄 수 있는 사람 수: ☐ 명

남는 물의 양: ☐ L

1 ☐ 안에 알맞은 수를 써넣으세요.

$$2.7 \div 0.3 = \frac{\boxed{}}{10} \div \frac{3}{10} = \boxed{} \div 3 = \boxed{}$$

2 쌀 15.8 kg을 한 봉지에 3 kg씩 나누어 담으려고 합니다. 나누어 담을 수 있는 봉지 수와 남는 쌀은 몇 kg인지 알아보려고 다음과 같이 계산했습니다. 물음에 답하세요.

$$15.8 - 3 - 3 - 3 - 3 - 3 = \boxed{}$$

(1) ☐ 안에 알맞은 수를 써넣으세요.

(2) 계산식을 보고 쌀을 몇 봉지에 나누어 담을 수 있는지 구해 보세요.

(   )

(3) 계산식을 보고 봉지에 나누어 담고 남는 쌀의 양을 구해 보세요.

(   )

3 ☐ 안에 알맞은 수를 써넣으세요.

(1) $216 \div 6 = \boxed{}$

     $216 \div 0.6 = \boxed{}$

     $216 \div 0.06 = \boxed{}$

(2) $2.25 \div 0.45 = \boxed{}$

     $22.5 \div 0.45 = \boxed{}$

     $225 \div 0.45 = \boxed{}$

4 몫을 반올림하여 소수 첫째 자리까지 나타내어 보세요.

$$36 \div 17 = 2.11\cdots\cdots$$

(   )

5 가장 큰 수를 가장 작은 수로 나눈 몫을 구해 보세요.

| 5.8 | 1.7 | 13.6 |

(   )

6 계산 결과를 비교하여 ○ 안에 >, =, <를 알맞게 써넣으세요.

(1) 3.08÷1.4 ◯ 3.45÷1.5

(2) 6÷0.15 ◯ 7÷0.14

7 밀가루 32.8 kg을 한 봉지에 2 kg씩 나누어 담으려고 합니다. □ 안에 알맞은 수를 써넣으세요.

나누어 담을 수 있는 봉지 수: ☐ 봉지

남는 밀가루의 양: ☐ kg

8 빈칸에 알맞은 수를 써넣으세요.

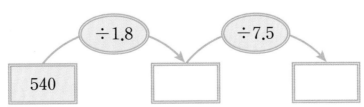

9 어느 자동차가 1시간 30분 동안 130.5 km를 달렸습니다. 같은 빠르기로 자동차가 1시간 동안 달린 거리는 몇 km인지 구해 보세요.

( )

10 넓이가 15.12 cm²인 직사각형이 있습니다. 가로가 6.3 cm일 때 세로는 몇 cm인지 구해 보세요.

( )

11 수 카드 [2], [4], [6], [9] 중 2장을 골라 가장 큰 소수 한 자리 수를 만들고 남은 수 카드로 가장 작은 소수 한 자리를 만들었을 때, 몫은 얼마인지 구해 보세요.

( )

12 사각형의 넓이는 삼각형의 넓이의 몇 배인지 반올림하여 소수 첫째 자리까지 나타내어 보세요.

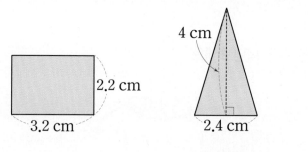

( )

3 공간과 입체

교과서 개념 잡기

개념 ① 어느 방향에서 보았는지 알아보기

• 각 사진은 어느 방향에서 찍은 것인지 알아보기

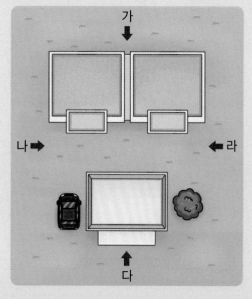

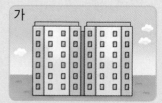

건물 뒷면이 보입니다.

건물 옆면과 자동차가 보입니다.

자동차가 왼쪽에 있고 나무는 오른쪽에 있습니다.

나무와 건물 옆면이 보입니다.

➡ 보는 위치와 방향에 따라 보이는 대상과 모양이 달라질 수 있습니다.

개념 ② 쌓은 모양과 쌓기나무의 개수 알아보기(1)

• 쌓은 모양과 위에서 본 모양을 보고 쌓기나무의 개수 구하기

쌓은 모양에서 쌓기나무가 보이지 않더라도 위에서 본 모양이 색칠되어 있으면 쌓기나무가 있는 것입니다.

몇 개인지 보이지 않는 부분입니다. 이 부분에는 쌓기나무가 1개 또는 2개 있을 수 있습니다.

위에서 본 모양

〈보이지 않는 부분이 1개인 경우〉

뒤에서 본 모양

1층에 4개, 2층에 3개, 3층에 3개이므로 모두 10개입니다.

〈보이지 않는 부분이 2개인 경우〉

뒤에서 본 모양

1층에 4개, 2층에 4개, 3층에 3개이므로 모두 11개입니다.

참고

쌓은 모양에서 보이는 위의 면들과 위에서 본 모양이 다른 경우에는 쌓은 모양과 쌓기나무의 개수가 여러 가지 있을 수 있습니다.

1 보기 와 같이 컵을 놓았을 때 찍을 수 <u>없는</u> 사진을 찾아 기호를 써 보세요.

┌→ 컵을 놓고 위에서 본 모습입니다.

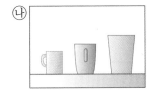
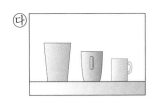

(   )

2 쌓기나무를 보기 와 같은 모양으로 쌓았습니다. 돌렸을 때 보기 와 같은 모양을 만들 수 있는 경우를 찾아 기호를 써 보세요.

가 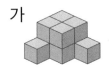　나 　다

(   )

3 오른쪽 건물 모양을 쌓기나무로 쌓은 것입니다. 주어진 모양과 똑같이 쌓는 데 필요한 쌓기나무는 몇 개인지 구해 보세요.

(1)

위에서 본 모양

(   )

(2)

위에서 본 모양

(   )

개념 ③ 쌓은 모양과 쌓기나무의 개수 알아보기(2)

> 3단원에서 옆 모양은 오른쪽 옆에서 본 모양으로 합니다.

• 쌓기나무로 쌓은 모양을 보고, 위, 앞, 옆에서 본 모양 그리기

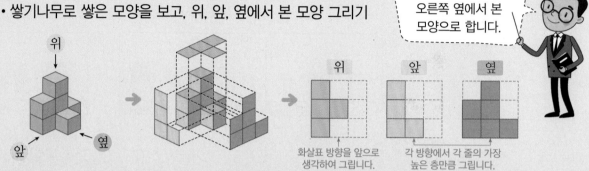

위
앞
옆

화살표 방향을 앞으로 생각하여 그립니다.

각 방향에서 각 줄의 가장 높은 층만큼 그립니다.

> • 쌓은 모양을 위에서 본 모양은 1층의 모양과 같습니다.
> • 쌓은 모양을 앞과 옆에서 본 모양은 각 방향에서 각 줄의 가장 높은 층의 모양과 같습니다.

• 위, 앞, 옆에서 본 모양을 보고, 쌓은 모양 알아보고 쌓기나무의 개수 구하기

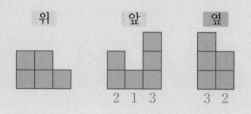

위
앞
옆

2 1 3   3 2

참고
위, 앞, 옆에서 본 모양이 같더라도 쌓은 모양은 다를 수 있습니다.

① 위에서 본 모양을 보고 1층 쌓기	② 앞에서 본 모양은 왼쪽에서부터 2층, 1층, 3층	③ 옆에서 본 모양은 왼쪽에서부터 3층, 2층	④ 완성된 모양 ➡ 2가지

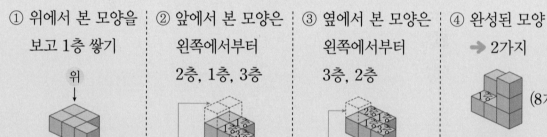

위
앞   옆

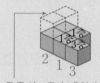
2 1 3

둘 중 어느 곳이 2층인지 알 수 없습니다.

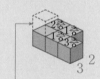
3 2

이 곳은 쌓기나무가 있어도 되고 없어도 됩니다.

(8개)

(9개)

🎮 **개념 Check**

🎓 맞으면 ○표, 틀리면 ×표 하세요.

> 앞과 옆에서 본 모양은 각 방향에서 각 줄의 가장 낮은 층의 모양과 같습니다.

1 쌓기나무로 쌓은 모양과 위에서 본 모양입니다. 앞에서 본 모양을 그려 보세요.

(1)   (2)

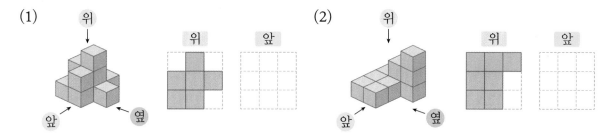

2 쌓기나무로 쌓은 모양과 위에서 본 모양입니다. 옆에서 본 모양을 그려 보세요.

(1)   (2)

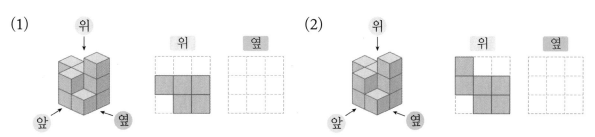

3 쌓기나무로 쌓은 모양을 위, 앞, 옆에서 본 모양입니다. 물음에 답하세요.

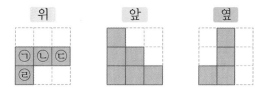

(1) 앞에서 본 모양을 보면 ㉡ 부분과 ㉢ 부분은 쌓기나무가 각각 ☐개, ☐개입니다.

    옆에서 본 모양을 보면 ㉠ 부분과 ㉣ 부분은 쌓기나무가 각각 ☐개, ☐개입니다.

(2) 쌓은 모양으로 알맞은 것에 ◯표 하고, 필요한 쌓기나무의 개수를 구해 보세요.

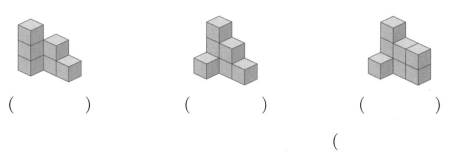

(   )   (   )   (   )

(   )

막대 아이스크림 완성하기

준비물 ◀ 붙임딱지

나무 막대에 있는 쌓기나무를 위, 앞, 옆에서 본 모양이 있는 아이스크림 붙임딱지를 붙여 보세요. (쌓기나무 옆에 있는 개수는 그 모양을 쌓는 데 사용한 쌓기나무의 개수입니다.)

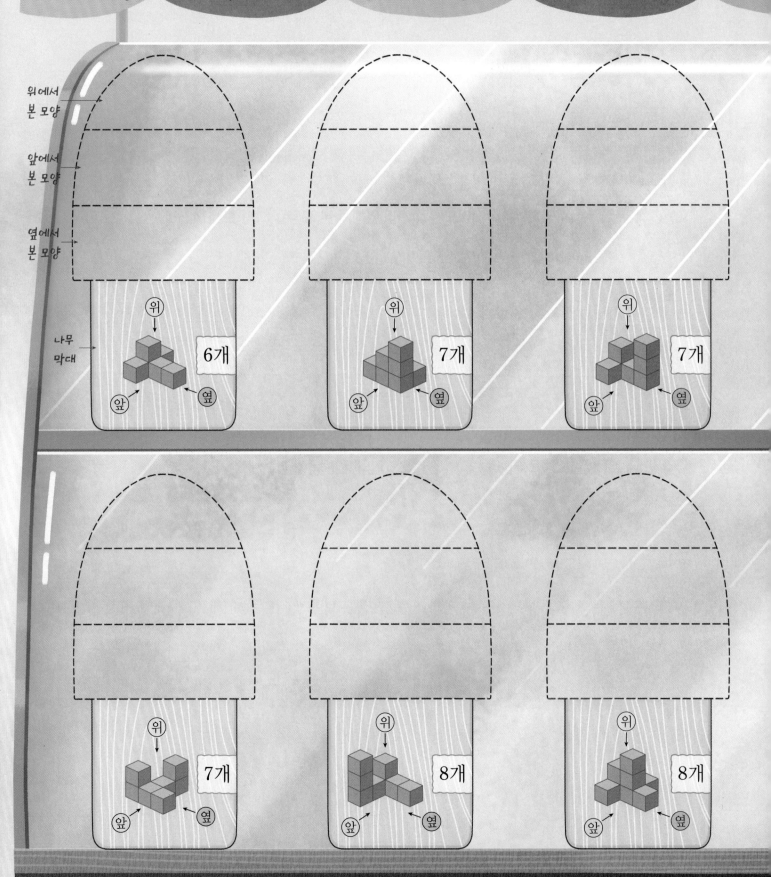

위에서 본 모양

앞에서 본 모양

옆에서 본 모양

나무 막대

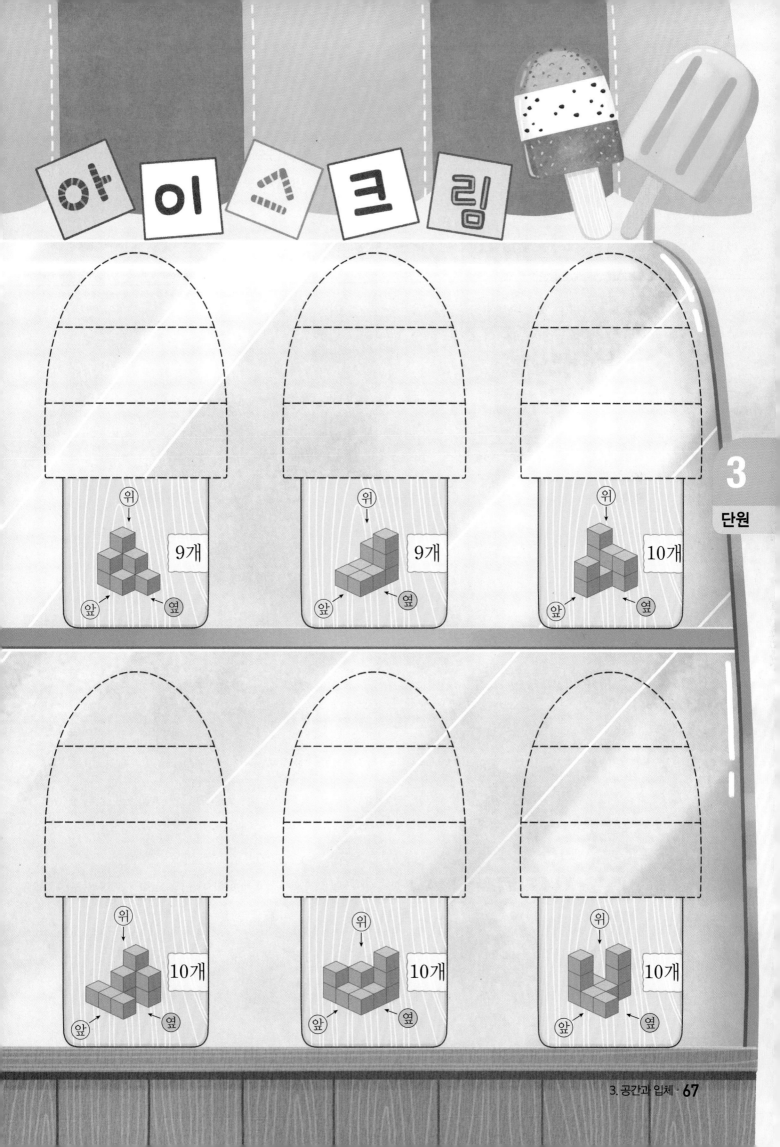

위
앞
옆
9개

위
앞
옆
9개

위
앞
옆
10개

위
앞
옆
10개

위
앞
옆
10개

위
앞
옆
10개

3
단원

집중! 드릴 문제

[1~4] 주어진 모양과 똑같이 쌓는 데 필요한 쌓기나무의 개수를 구해 보세요.

1

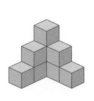 

위에서 본 모양

( )

[5~8] 쌓기나무로 쌓은 모양과 위에서 본 모양입니다. 앞에서 본 모양을 그려 보세요.

5

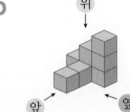 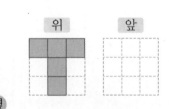

위 앞

2

위에서 본 모양

( )

6

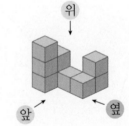 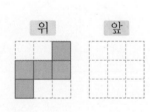

위 앞

3

위에서 본 모양

( )

7

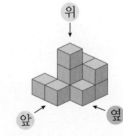

위 앞

4

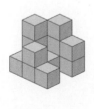 

위에서 본 모양

( )

8

위 앞

[9~12] 쌓기나무로 쌓은 모양과 위에서 본 모양입니다. 옆에서 본 모양을 그려 보세요.

9

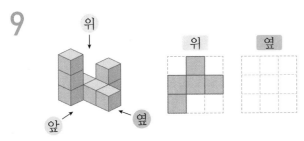

10

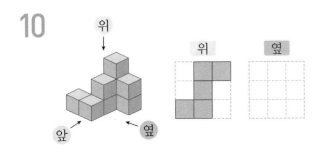

11

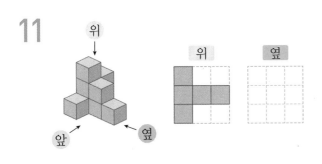

12

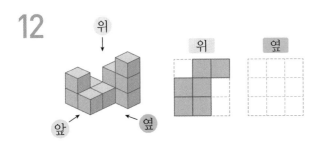

[13~15] 쌓기나무로 쌓은 모양을 위, 앞, 옆에서 본 모양입니다. 쌓은 모양으로 가능한 모양을 찾아 ○표 하세요.

13

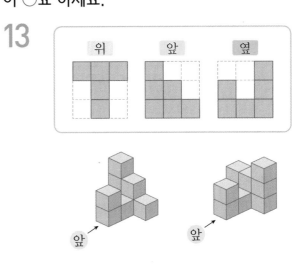

14

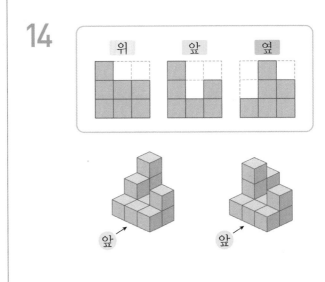

15

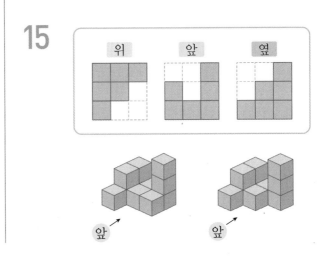

1 오른쪽 모양과 똑같이 쌓는 데 필요한 쌓기나무의 개수를 구하려고 합니다. 물음에 답하세요.

(1) 쌓기나무의 개수를 정확히 알 수 있습니까, 알 수 없습니까?

(   )

(2) 위에서 본 모양이 오른쪽과 같을 때 쌓기나무의 개수를 구해 보세요.

위에서 본 모양

(   )

2 쌓기나무 8개로 쌓은 모양을 위, 앞, 옆에서 본 모양을 보기 에서 찾아 기호를 써 보세요.

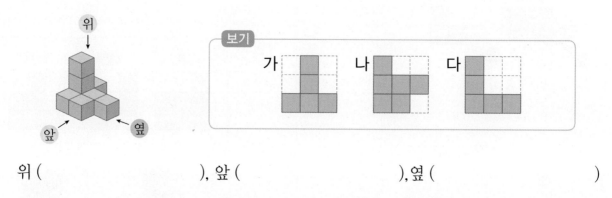

위 (   ), 앞 (   ), 옆 (   )

3 쌓기나무로 쌓은 모양을 보고 위에서 본 모양을 그렸습니다. 관계있는 것끼리 선으로 이어 보세요.

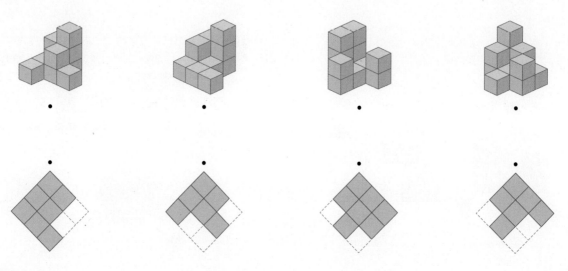

4 주어진 모양과 똑같이 쌓는 데 필요한 쌓기나무의 개수를 구해 보세요.

(1)

위에서 본 모양

(   )

(2)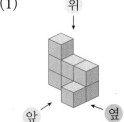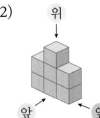

위에서 본 모양

(   )

5 쌓기나무 8개로 쌓은 모양입니다. 옆에서 본 모양을 그려 보세요.

(1)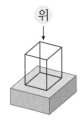

옆

(2)

옆

 3

단원

6 왼쪽 모양을 위에서 내려다보면 어떤 모양인지 찾아 기호를 써 보세요.

위

가 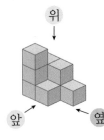   나 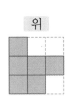   다   라

(   )

7 쌓기나무로 쌓은 모양과 위에서 본 모양입니다. 앞과 옆에서 본 모양을 각각 그려 보세요.

위

위   앞   옆

8 쌓기나무로 쌓은 모양을 위, 앞, 옆에서 본 모양입니다. 똑같은 모양으로 쌓는 데 필요한 쌓기나무의 개수를 구해 보세요.

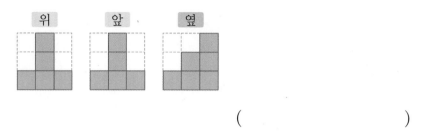

(   )

9 쌓기나무 7개로 쌓은 모양을 위와 앞에서 본 모양입니다. 옆에서 본 모양을 그려 보세요.

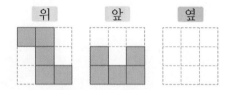

10 배를 타고 여러 방향에서 사진을 찍었습니다. 각 사진은 어느 배에서 찍은 것인지 찾아 기호를 써 보세요.

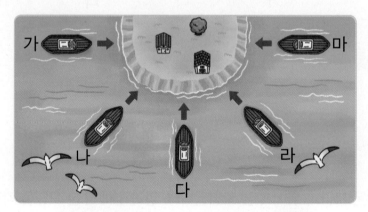

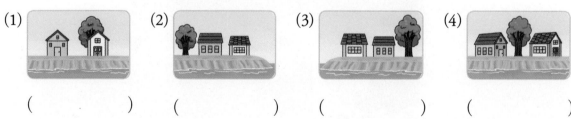

(1) (   ) (2) (   ) (3) (   ) (4) (   )

11 쌓기나무 9개로 쌓은 모양입니다. 위, 앞, 옆에서 본 모양을 각각 그려 보세요.

12 쌓기나무로 쌓은 모양을 위, 앞, 옆에서 본 모양입니다. 쌓은 모양으로 가능한 모양을 모두 찾아 기호를 써 보세요.

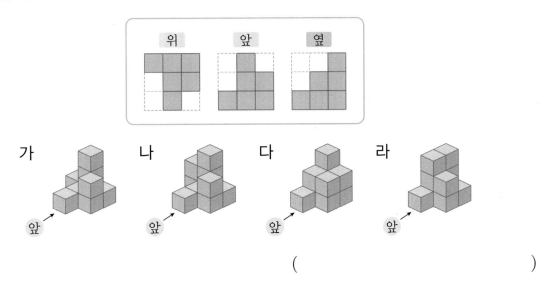

(   )

13 쌓기나무로 쌓은 모양과 위에서 본 모양입니다. 앞에서 본 모양이 될 수 있는 모양을 2가지 그려 보세요.

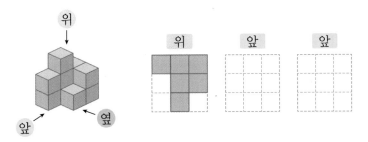

교과서 개념 잡기

개념 4 쌓은 모양과 쌓기나무의 개수 알아보기 (3)

- 쌓기나무로 쌓은 모양을 위에서 본 모양에 수를 쓰는 방법으로 나타내기

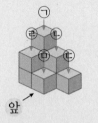
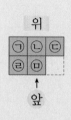

위에서 본 모양의 각 자리에 쌓기나무가 각각 몇 개씩 쌓여 있는지 알아보면 ㉠ 3개, ㉡ 2개, ㉢ 1개, ㉣ 2개, ㉤ 1개입니다.

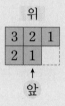

위에서 본 모양의 각 자리에 쌓은 쌓기나무의 개수를 쓰면 왼쪽과 같습니다. 따라서 똑같은 모양으로 쌓는 데 필요한 쌓기나무는 3+2+1+2+1=9(개)입니다.

각 자리에 쌓은 쌓기나무의 개수를 모두 더하면 필요한 쌓기나무의 개수를 구할 수 있습니다.

- 위에서 본 모양에 수를 쓴 것을 보고 앞과 옆에서 본 모양 그리기

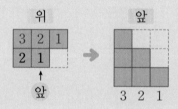

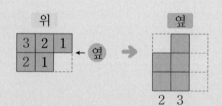

- 위에서 본 모양에 수를 쓴 것을 보고 쌓은 모양 만들기

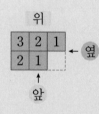

① 위에서 본 모양에 맞게 1층 쌓기

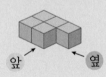

② 개수에 맞게 쌓기나무 쌓기

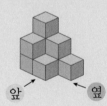

참고
위에서 본 모양에 수를 쓴 것을 보고 만든 쌓기나무의 모양은 한 가지만 나옵니다.

개념 Check

맞으면 ○표, 틀리면 ✕표 하세요.

> 똑같은 모양으로 쌓는 데 필요한 쌓기나무의 개수는
> 위에서 본 모양에 쓰인 수를 모두 더하면 됩니다.

1 쌓기나무로 쌓은 모양을 보고 위에서 본 모양의 각 자리에 수를 써넣으세요.

(1) 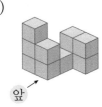   위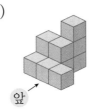

(2) 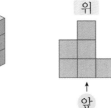   위

2 쌓기나무로 쌓은 모양을 보고 위에서 본 모양에 수를 썼습니다. 똑같은 모양으로 쌓는 데 필요한 쌓기나무의 개수를 구해 보세요.

(1) 위

(   )

(2) 위

(   )

3 쌓기나무로 쌓은 모양을 보고 위에서 본 모양에 수를 썼습니다. 앞에서 본 모양을 그려 보세요.

(1) 위 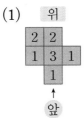   앞

(2) 위    앞

4 쌓기나무로 쌓은 모양을 보고 위에서 본 모양에 수를 썼습니다. 옆에서 본 모양을 그려 보세요.

(1) 위 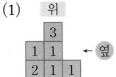   옆

(2) 위 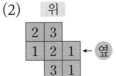   옆

개념 ⑤ 쌓은 모양과 쌓기나무의 개수 알아보기 (4)

• 쌓기나무로 쌓은 모양을 층별로 나타낸 모양으로 표현하기

→ 각 층별로 색칠된 칸 수는 그 층에 있는 쌓기나무의 개수와 같습니다.

> 1층을 기준으로 하여 같은 위치에 쌓인 쌓기나무는 같은 자리에 그려야 합니다.

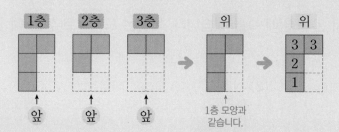

• 층별로 나타낸 모양을 위에서 본 모양에 수를 쓰는 방법으로 나타내기

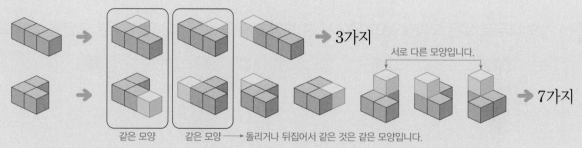

3층인 자리에 3을 쓰고, 남은 자리 중 2층인 자리에 2를 쓰고, 나머지 자리에 1을 씁니다.

개념 ⑥ 여러 가지 모양 만들기

• 쌓기나무 4개로 만들 수 있는 서로 다른 모양 찾기

방법 쌓기나무 3개로 만들 수 있는 모양에 쌓기나무를 1개 더 붙여서 만들어 봅니다.

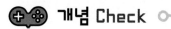

쌓기나무 4개로 만들 수 있는 서로 다른 모양은 3+7−2=8(가지)입니다.

개념 Check

🎓 맞으면 ○표, 틀리면 ×표 하세요.

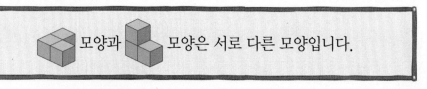

모양과 　모양은 서로 다른 모양입니다.

1 쌓기나무로 쌓은 모양을 보고 1층과 2층 모양을 각각 그려 보세요.

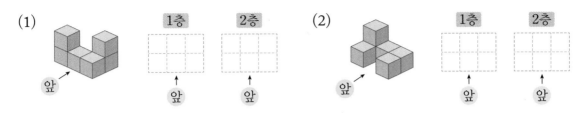

2 보기 의 모양에 쌓기나무 1개를 더 붙여서 만들 수 있는 모양에 ○표 하세요.

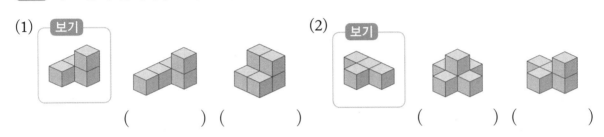

3 쌓기나무로 1층 위에 2층을 쌓으려고 합니다. 1층 모양을 보고 2층 모양으로 알맞은 것을 찾아 기호를 써 보세요.

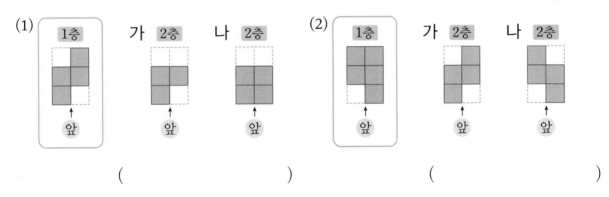

4 쌓기나무 4개로 만든 모양입니다. 다른 모양 하나를 찾아 기호를 써 보세요.

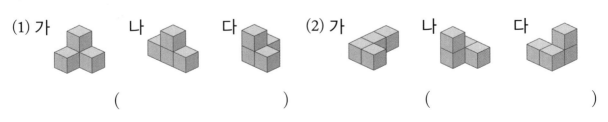

교과서 개념 play 컵 아이스크림 완성하기

준비물 붙임딱지

컵에 있는 위에서 본 모양 또는 쌓기나무를 보고 각 층의 모양이 있는 아이스크림 붙임딱지를
붙여 보세요. (쌓기나무 옆에 있는 개수는 그 모양을 쌓는 데 사용한 쌓기나무의 개수입니다.)

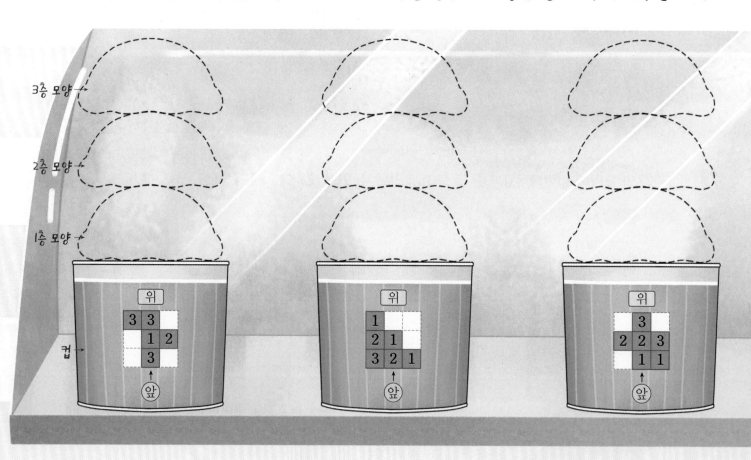

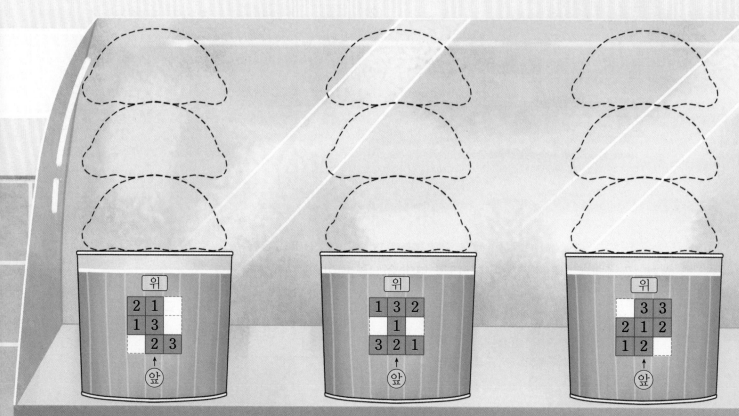

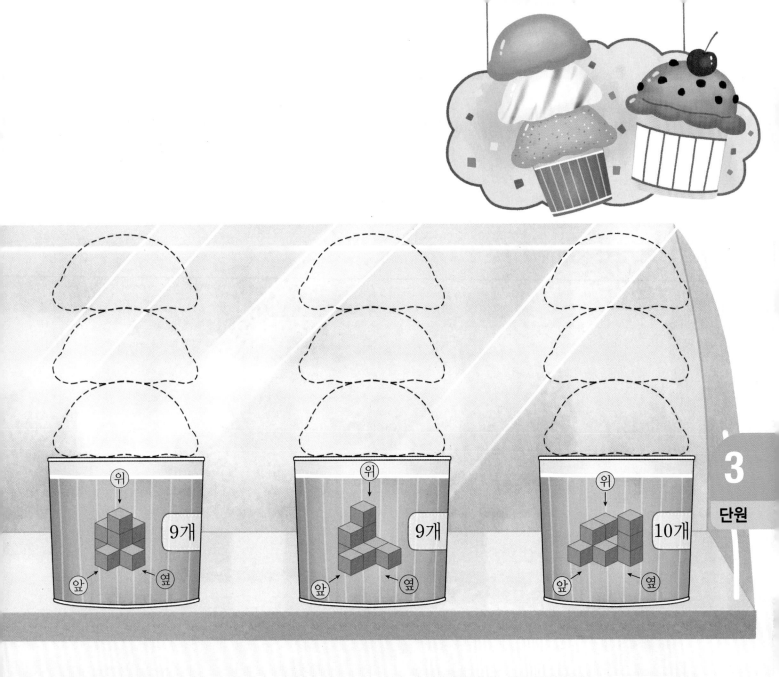

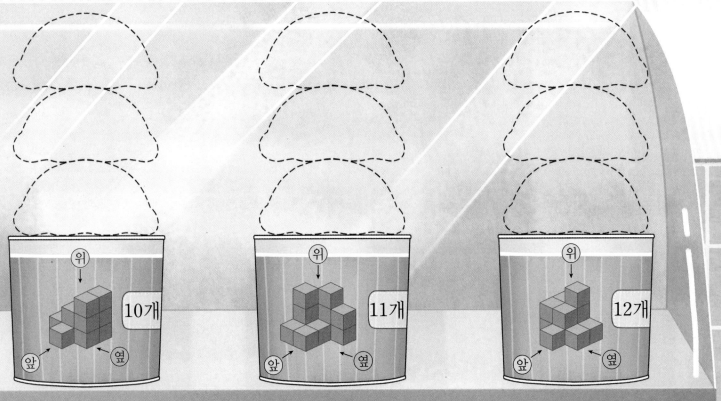

[1~4] 쌓기나무로 쌓은 모양을 보고 위에서 본 모양의 각 자리에 수를 써넣으세요.

1

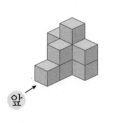

[5~8] 쌓기나무로 쌓은 모양을 보고 위에서 본 모양에 수를 썼습니다. 앞과 옆에서 본 모양을 각각 그려 보세요.

5

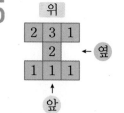 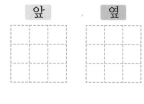

2

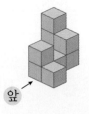 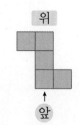

6

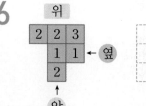 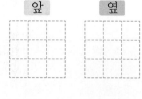

3

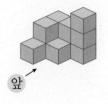 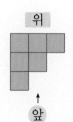

7

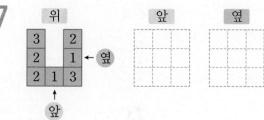

4

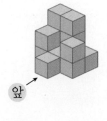 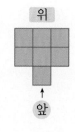

8

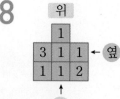 

[9~12] 쌓기나무로 쌓은 모양과 1층 모양을 보고 2층과 3층 모양을 각각 그려 보세요.

9

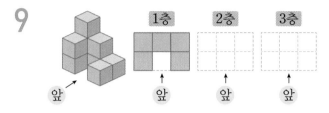

10

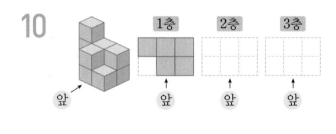

11

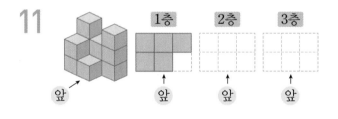

12

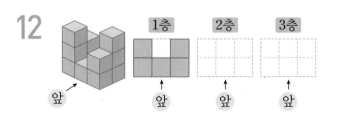

[13~16] 층별로 나타낸 모양을 보고 똑같은 모양으로 쌓는 데 필요한 쌓기나무의 개수를 구해 보세요.

13

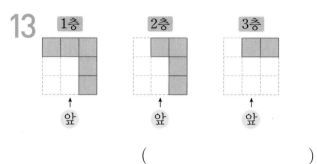

( )

14

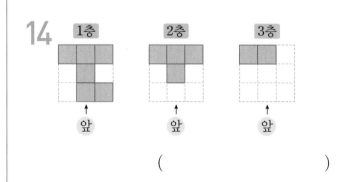

( )

15

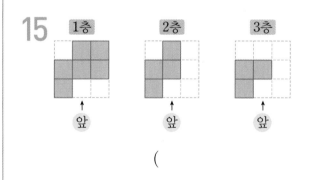

( )

16

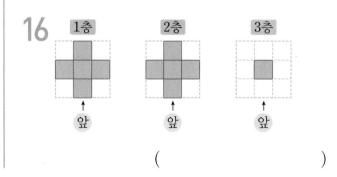

( )

1 쌓기나무로 쌓은 모양을 위, 앞, 옆에서 본 모양입니다. 똑같은 모양으로 쌓는 데 필요한 쌓기나무의 개수를 구하려고 합니다. 물음에 답하세요.

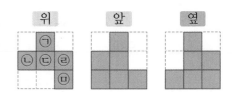

(1) ㉡, ㉣, ㉤에 쌓인 쌓기나무는 각각 몇 개인지 구해 보세요.

㉡ (   ), ㉣ (   ),㉤ (   )

(2) ㉠과 ㉢에 쌓인 쌓기나무는 각각 몇 개인지 구해 보세요.

㉠ (   ), ㉢ (   )

(3) 똑같은 모양으로 쌓는 데 필요한 쌓기나무는 몇 개인지 구해 보세요.

(   )

2 쌓기나무로 쌓은 3층짜리 모양을 층별로 나타낸 모양입니다. 1층, 2층, 3층 모양으로 알맞은 것을 찾아 기호를 써 보세요.

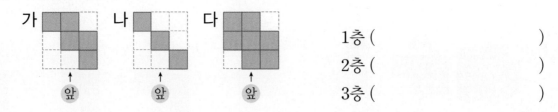

1층 (   )

2층 (   )

3층 (   )

3 보기 의 모양에 쌓기나무 1개를 더 붙여서 만들 수 없는 모양에 ✕표 하세요.

       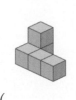

(   )   (   )   (   )   (   )

4 쌓기나무로 쌓은 모양을 보고 위에서 본 모양에 수를 썼습니다. 관계있는 것끼리 선으로 이어 보세요.

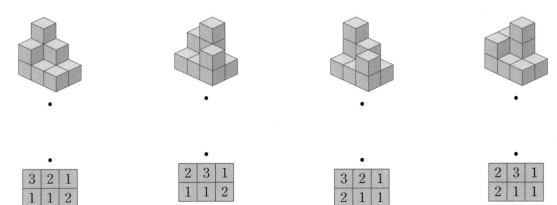

5 쌓기나무로 쌓은 모양을 층별로 나타낸 모양을 보고 쌓은 모양을 찾아 기호를 써 보세요.

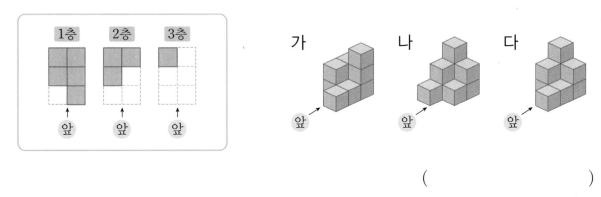

(   )

6 쌓기나무 9개를 사용하여 쌓은 모양입니다. 위에서 본 모양에 수를 쓰는 방법으로 나타내어 보세요.

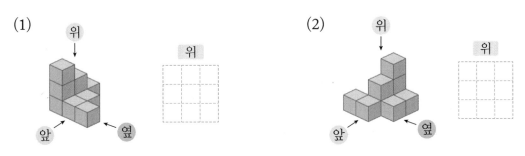

(1)   (2)

7 쌓기나무를 각각 4개씩 붙여서 만든 두 가지 모양을 사용하여 새로운 모양을 만들었습니다. 사용한 두 가지 모양을 찾아 기호를 써 보세요.

(1)   (2)

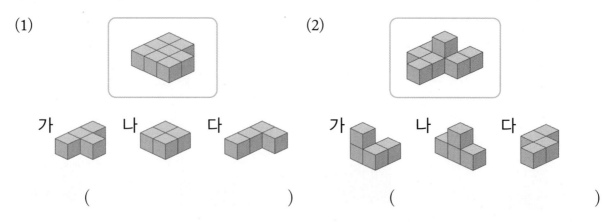

(   )   (   )

8 쌓기나무 4개로 만든 모양입니다. 돌리거나 뒤집었을 때 같은 모양이 되는 것을 찾아 기호를 써 보세요.

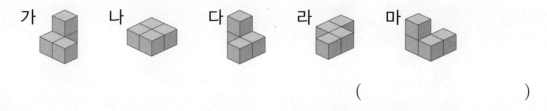

(   )

9 쌓기나무로 1층 위에 2층과 3층을 쌓으려고 합니다. 1층 모양을 보고 2층과 3층 모양으로 알맞은 것을 보기 에서 찾아 기호를 써 보세요.

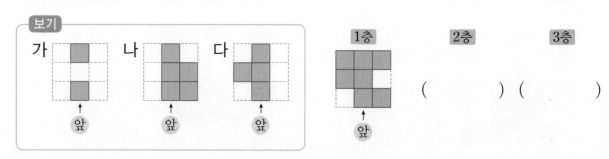

(   ) (   )

10 쌓기나무로 쌓은 모양을 층별로 나타낸 모양입니다. 위에서 본 모양을 그리고, 각 자리에 쌓인 쌓기나무의 개수를 써넣으세요.

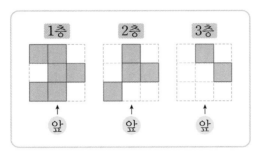

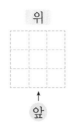

11 쌓기나무로 쌓은 모양을 층별로 나타낸 모양입니다. 앞과 옆에서 본 모양을 각각 그려 보세요.

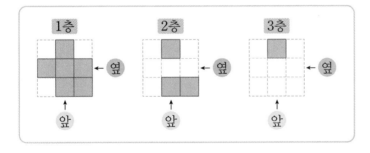

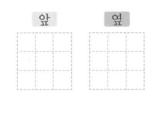

12 쌓기나무를 7개씩 사용하여 조건 을 만족하도록 쌓았을 때 위에서 본 모양에 수를 쓰는 방법으로 나타내어 보세요.

조건
- 가와 나의 쌓은 모양은 서로 다릅니다.
- 위에서 본 모양이 서로 같습니다.
- 앞에서 본 모양이 서로 같습니다.
- 옆에서 본 모양이 서로 같습니다.

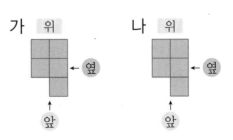

1 팔각기둥입니다. 팔각형 모양이 나오려면 어느 방향에서 찍어야 하는지 번호를 써 보세요.

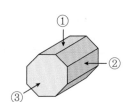

(   )

2 쌓기나무로 쌓은 모양을 보고 위에서 본 모양의 각 자리에 수를 써넣으세요.

(1)

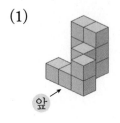

위

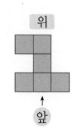

앞

(2)

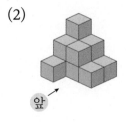

위

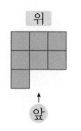

앞

3 주어진 모양과 똑같이 쌓는 데 필요한 쌓기나무의 개수를 구해 보세요.

(1)

위에서 본 모양

(2)

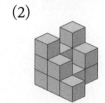

위에서 본 모양

(   )   (   )

4 쌓기나무로 쌓은 모양과 1층 모양을 보고 2층과 3층 모양을 각각 그려 보세요.

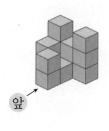

앞

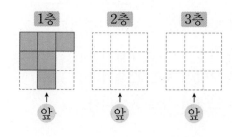

1층   2층   3층

앞   앞   앞

5 오른쪽 모양에 쌓기나무 1개를 더 붙여서 만들 수 있는 서로 다른 모양은 모두 몇 가지인지 구해 보세요. (단, 돌리거나 뒤집었을 때 같은 모양인 것은 1가지로 생각합니다.)

(   )

6 쌓기나무로 쌓은 모양을 보고 위에서 본 모양이 될 수 있는 것을 모두 찾아 기호를 써 보세요.

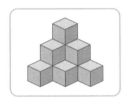   ㉠ 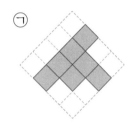   ㉡ 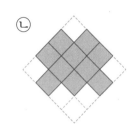   ㉢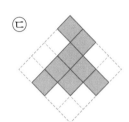

(   )

7 쌓기나무로 쌓은 모양을 보고 위에서 본 모양에 수를 썼습니다. 앞과 옆에서 볼 때 각각 보이는 쌓기나무 개수의 합을 구해 보세요.

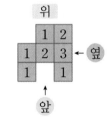

(   )

8 쌓기나무 12개로 쌓은 모양과 위에서 본 모양입니다. 앞과 옆에서 본 모양을 각각 그려 보세요.

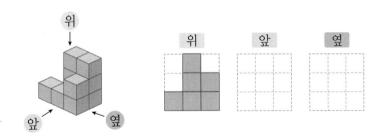

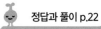
9 쌓기나무를 각각 4개씩 붙여서 만든 두 가지 모양을 사용하여 새로운 모양을 만들었습니다. 사용한 두 가지 모양을 보기에서 찾아 기호를 써 보세요.

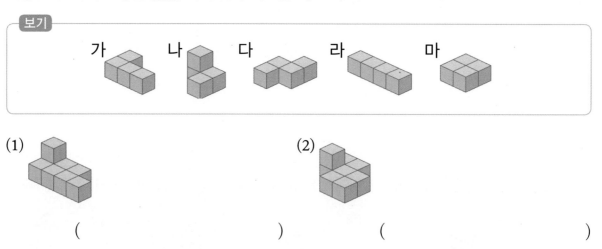

(1) (   )   (2) (   )

10 쌓기나무로 쌓은 모양을 위, 앞, 옆에서 본 모양입니다. 위에서 본 모양에 수를 쓰고 똑같은 모양으로 쌓는 데 필요한 쌓기나무의 개수를 구해 보세요.

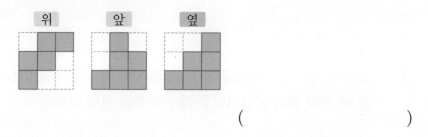

(   )

11 쌓기나무로 쌓은 모양을 층별로 나타낸 모양입니다. 위, 앞, 옆에서 본 모양을 각각 그려 보세요.

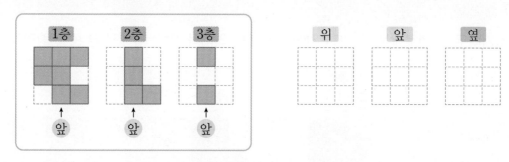

비례식과 비례배분

학습 계획표

내용	쪽수	날짜		확인
교과서 **개념** 잡기	90~93쪽	월	일	
교과서 **개념 play / 집중!** 드릴 문제	94~97쪽	월	일	
교과서 **개념 확인** 문제	98~101쪽	월	일	
교과서 **개념** 잡기	102~105쪽	월	일	
교과서 **개념 play / 집중!** 드릴 문제	106~109쪽	월	일	
교과서 **개념 확인** 문제	110~113쪽	월	일	
개념 확인평가	114~116쪽	월	일	

교과서 개념 잡기

개념 ① 비의 성질 알아보기

비 1 : 3에서 기호 ' : ' 앞에 있는 1을 전항, 뒤에 있는 3을 후항이라고
합니다.

$$1 : 3$$
$$\uparrow \quad \uparrow$$
$$전항 \quad 후항$$

• 비의 성질 (1)

  [예] 2 : 3과 4 : 6의 비율 비교하기

$$2 : 3 \xrightarrow{\times 2} 4 : 6$$
$$\underset{\times 2}{}$$

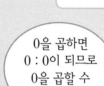

0을 곱하면
0 : 0이 되므로
0을 곱할 수
없어요.

비 2 : 3 비율 $\dfrac{2}{3}$

비 4 : 6 비율 $\dfrac{4}{6} = \dfrac{2}{3}$ ⎤ 비율이 같습니다.

> 비의 전항과 후항에 **0이 아닌 같은 수를 곱**하여도 비율은 같습니다.

• 비의 성질 (2)

  [예] 3 : 9와 1 : 3의 비율 비교하기

$$3 : 9 \xrightarrow{\div 3} 1 : 3$$
$$\underset{\div 3}{}$$

분모가 0인
분수는 없으므로
0으로 나눌 수
없어요.

비 3 : 9 비율 $\dfrac{3}{9} = \dfrac{1}{3}$

비 1 : 3 비율 $\dfrac{1}{3}$ ⎤ 비율이 같습니다.

> 비의 전항과 후항을 **0이 아닌 같은 수로 나누**어도 비율은 같습니다.

개념 Check

 맞으면 ○표 틀리면 ✕표 하세요.

> 비의 전항과 후항에 0이 아닌 같은 수를 곱하여도 비율은 같습니다.

1 알맞은 말에 ○표 하세요.

> 비 8 : 9에서 8은 (전항 , 후항)이고, 9는 (전항 , 후항)입니다.

2 비에서 전항과 후항을 각각 구해 보세요.

(1)
| 7 : 5 |

전항 (   )
후항 (   )

(2)
| 2 : 3 |

전항 (   )
후항 (   )

3 비 3 : 5와 비율이 같은 비를 구하려고 합니다. ☐ 안에 알맞은 수를 써넣으세요.

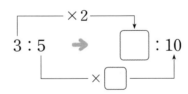

4 비 2 : 6과 비율이 같은 비를 구하려고 합니다. ☐ 안에 알맞은 수를 써넣으세요.

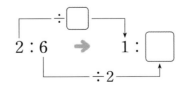

간단한 자연수의 비로 나타내기

- 소수의 비를 간단한 자연수의 비로 나타내기

예 $0.5 : 0.9$

소수점 아래 자릿수에 따라 비의 전항과 후항에 10, 100······을 곱합니다.

- 분수의 비를 간단한 자연수의 비로 나타내기

예 $\dfrac{1}{2} : \dfrac{1}{3}$

2와 3의 공배수: 6, 12······

$$\dfrac{1}{2} : \dfrac{1}{3} \qquad 3 : 2$$
×6 위, ×6 아래

비의 전항과 후항에 두 분모의 공배수를 곱합니다.

대분수인 경우에는 가분수로 바꾸어서 계산해요.

- 분수와 소수의 비 또는 소수와 분수의 비를 간단한 자연수의 비로 나타내기

분수를 소수로 나타내거나 소수를 분수로 나타낸 후 간단한 자연수의 비로 나타냅니다.

예 $\dfrac{3}{10} : 0.2$

방법1 분수를 소수로 나타내기	방법2 소수를 분수로 나타내기
전항인 $\dfrac{3}{10}$을 소수로 바꾸면 0.3입니다.	후항인 0.2를 분수로 바꾸면 $\dfrac{2}{10}$입니다.
0.3 : 0.2의 전항과 후항에 10을 곱하면 3 : 2가 됩니다.	$\dfrac{3}{10} : \dfrac{2}{10}$의 전항과 후항에 10을 곱하면 3 : 2가 됩니다.

 개념 Check

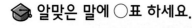 알맞은 말에 ○표 하세요.

> 분수의 비를 간단한 자연수의 비로 나타내려면 비의 전항과 후항에 분모의 (공약수 , 공배수)를 곱합니다.

1 소수의 비를 간단한 자연수의 비로 나타내려고 합니다. ☐ 안에 알맞은 수를 써넣으세요.

(1)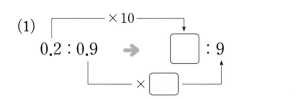

(2)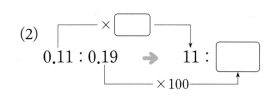

2 분수의 비를 간단한 자연수의 비로 나타내려고 합니다. ☐ 안에 알맞은 수를 써넣으세요.

(1)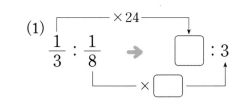

(2)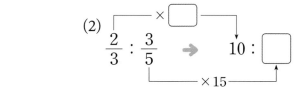

4 단원

3 $0.2 : \dfrac{1}{2}$ 을 간단한 자연수의 비로 나타내려고 합니다. ☐ 안에 알맞은 수를 써넣으세요.

$$0.2 : \dfrac{1}{2} \quad \Rightarrow \quad 0.2 : \boxed{}^{\,소수} \quad \Rightarrow \quad 2 : \boxed{}$$

4 $\dfrac{3}{5} : 0.5$ 를 간단한 자연수의 비로 나타내려고 합니다. ☐ 안에 알맞은 수를 써넣으세요.

$$\dfrac{3}{5} : 0.5 \quad \Rightarrow \quad \dfrac{3}{5} : \boxed{}^{\,분수} \quad \Rightarrow \quad 6 : \boxed{}$$

주어진 비를 간단한 자연수의 비로 나타낸 가격표를 붙여 보세요.

$0.5 : 0.8$

$0.9 : 0.4$

$1.2 : 0.7$

$0.33 : 1.07$

$8.4 : 2.4$

$0.8 : 0.25$

$\dfrac{1}{4} : \dfrac{1}{5}$

$\dfrac{1}{3} : \dfrac{5}{6}$

$\dfrac{1}{3} : \dfrac{1}{4}$

$\dfrac{3}{10} : \dfrac{1}{3}$

$\dfrac{2}{5} : \dfrac{1}{6}$

$\dfrac{2}{7} : \dfrac{1}{5}$

$\dfrac{1}{4} : 0.21$

$1\dfrac{2}{3} : 0.5$

$0.36 : \dfrac{3}{4}$

$2.4 : \dfrac{1}{2}$

$\dfrac{5}{8} : 0.7$

$0.3 : \dfrac{1}{2}$

$\dfrac{2}{5} : 0.7$

$1.2 : 1\dfrac{2}{5}$

$1.25 : 1\dfrac{3}{4}$

$2\dfrac{1}{2} : 0.5$

$0.12 : \dfrac{4}{25}$

$3\dfrac{1}{2} : 1.5$

[1~6] 주어진 비와 비율이 같은 비를 1개 구해 보세요.

1 3 : 7

(   )

2 4 : 9

(   )

3 7 : 8

(   )

4 8 : 6

(   )

5 6 : 18

(   )

[6~10] 소수의 비를 간단한 자연수의 비로 나타내어 보세요.

6 0.4 : 1.1

(   )

7 2.4 : 8.4

(   )

8 3.6 : 5.4

(   )

9 0.25 : 1.25

(   )

10 1.28 : 0.32

(   )

[11~15] 분수의 비를 간단한 자연수의 비로 나타내어 보세요.

11 $\frac{1}{4} : \frac{1}{10}$

( )

12 $\frac{1}{6} : \frac{1}{9}$

( )

13 $\frac{2}{3} : \frac{1}{4}$

( )

14 $\frac{3}{8} : \frac{5}{12}$

( )

15 $\frac{7}{24} : \frac{5}{18}$

( )

[16~20] 주어진 비를 간단한 자연수의 비로 나타내어 보세요.

16 $\frac{3}{10} : 0.6$

( )

17 $0.5 : \frac{4}{5}$

( )

18 $1\frac{1}{2} : 0.6$

( )

19 $2\frac{1}{4} : 1.2$

( )

20 $2.5 : 3\frac{1}{2}$

( )

4

단원

교과서 개념 확인 문제

1 □ 안에 알맞은 수를 써넣으세요.

(1) 비의 전항과 후항에 ☐ 이 아닌 같은 수를 곱해도 비율은 같습니다.

(2) 비의 전항과 후항을 ☐ 이 아닌 같은 수로 나누어도 비율은 같습니다.

2 전항에는 △표, 후항에는 ○표 하세요.

(1)   3 : 7   (2)   11 : 5

3 비의 전항이 후항보다 큰 것을 찾아 ○표 하세요.

21 : 8   11 : 19   8 : 15

(   )   (   )   (   )

4 비의 성질을 이용하여 비율이 같은 비를 만들려고 합니다. □ 안에 알맞은 수를 써넣으세요.

5 □ 안에 알맞은 수를 써넣어 간단한 자연수의 비로 나타내어 보세요.

6 비의 성질을 이용하여 비율이 같은 비를 찾아 선으로 이어 보세요.

7 비율이 같은 비를 2개씩 써 보세요.

(1) 3 : 2 ➡ _____

(2) 6 : 11 ➡ _____

8 0.25 : 0.49를 간단한 자연수의 비로 나타내려면 전항과 후항에 얼마를 곱해야 하는지 구해 보세요.

(   )

9 $\frac{2}{3} : \frac{1}{4}$을 간단한 자연수의 비로 나타내려고 합니다. 전항과 후항에 곱할 수 있는 수를 모두 찾아 기호를 써 보세요.

> ㉠ 12   ㉡ 16   ㉢ 20   ㉣ 24

(   )

10 간단한 자연수의 비로 나타내어 보세요.

(1)   1.3 : 3.5   ➡ (   )

(2) $\frac{1}{5} : \frac{1}{12}$ ➡ (   )

11 다음 직사각형에서 가로와 세로의 비를 간단한 자연수의 비로 나타내려고 합니다. 물음에 답하세요.

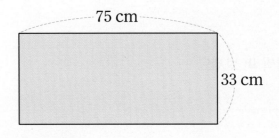

(1) ☐ 안에 알맞은 수를 써넣으세요.

가로와 세로의 비 ➡ 75 : ☐

(2) 가로와 세로의 최대공약수를 구해 보세요.

(   )

(3) 비의 전항과 후항을 최대공약수로 나누어 가로와 세로의 비를 간단한 자연수의 비로 나타내어 보세요.

(   )

12 민기와 예지가 같은 책을 1시간 동안 읽고 나눈 대화입니다. 민기와 예지가 각각 1시간 동안 읽은 책의 양을 간단한 자연수의 비로 나타내어 보세요.

(   )

13 가로와 세로의 비가 3 : 2와 비율이 같은 직사각형을 찾아 기호를 써 보세요.

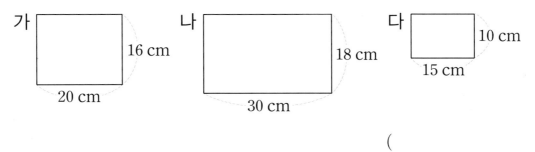

(   )

14 비율이 나머지 셋과 <u>다른</u> 것을 찾아 기호를 써 보세요.

㉠ $\frac{1}{3} : \frac{1}{8}$ ㉡ $0.8 : \frac{2}{5}$

㉢ $32 : 12$ ㉣ $1.6 : 0.6$

(   )

15 $1\frac{1}{5} : 2.4$를 간단한 자연수의 비로 바르게 나타낸 것을 찾아 기호를 써 보세요.

㉠ $3 : 4$ ㉡ $1 : 2$ ㉢ $2 : 1$

(   )

개념 ③ 비례식 알아보기

- 비율이 같은 두 비를 기호 '='를 사용하여 나타낸 식을 비례식이라고 합니다.

비 15 : 6 비율 ➡ $\dfrac{15}{6}=\dfrac{5}{2}$

비 10 : 4 비율 ➡ $\dfrac{10}{4}=\dfrac{5}{2}$

비율이 같으므로 15 : 6 = 10 : 4와 같이 비례식으로 나타낼 수 있습니다.

```
          ┌──── 외항 ────┐
         15 : 6  =  10 : 4
              └── 내항 ──┘
```

- 비례식 15 : 6 = 10 : 4에서 바깥쪽에 있는 15와 4를 외항, 안쪽에 있는 6과 10을 내항이라고 합니다.

- 비례식을 이용하여 비의 성질 나타내기

예 3 : 2는 전항과 후항에 2를 곱한 6 : 4와 그 비율이 같습니다.

```
    ┌── ×2 ──┐
   3 : 2  =  6 : 4
    └── ×2 ──┘
```

┌ 3 : 2 ➡ 비율 : $\dfrac{3}{2}$

└ 6 : 4 ➡ 비율 : $\dfrac{6}{4}=\dfrac{3}{2}$

예 9 : 6은 전항과 후항을 3으로 나눈 3 : 2와 그 비율이 같습니다.

```
    ┌── ÷3 ──┐
   9 : 6  =  3 : 2
    └── ÷3 ──┘
```

┌ 9 : 6 ➡ 비율 : $\dfrac{9}{6}=\dfrac{3}{2}$

└ 3 : 2 ➡ 비율 : $\dfrac{3}{2}$

개념 ④ 비례식의 성질 알아보기

예 1 : 2 = 4 : 8

외항의 곱: $1 \times 8 = 8$ ┐
내항의 곱: $2 \times 4 = 8$ ┘ 같습니다.

> 비례식에서 외항의 곱과 내항의 곱은 같습니다.

예 3 : 7 = 4 : 8

외항의 곱: $3 \times 8 = 24$ ┐
내항의 곱: $7 \times 4 = 28$ ┘ 다릅니다.

> 외항의 곱과 내항의 곱이 같지 않으면 비례식이 아닙니다.

개념 Check

알맞은 말에 ○표 하세요.

비례식에서 외항의 곱과 내항의 곱은 (같습니다 , 다릅니다).

1 □ 안에 알맞은 말을 써넣으세요.

> 1 : 2＝2 : 4와 같이 비율이 같은 두 비를 기호 '＝'를 사용하여 나타낸 식을 ⬚
> (이)라고 합니다.

2 알맞은 말에 ○표 하세요.

> 비례식 2 : 3＝4 : 6에서 2와 6은 (내항 , 외항)입니다.

4
단원

3 비례식을 찾아 ○표 하세요.

1 : 6＝2 : 3

1 : 5＝2 : 10

(   )   (   )

4 비례식의 성질을 이용하여 ■의 값을 구하려고 합니다. □ 안에 알맞은 수를 써넣으세요.

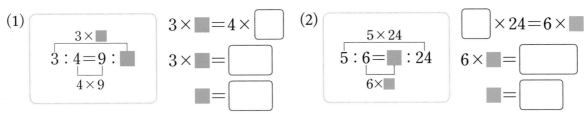

(1)

$3 \times ■$

$3 : 4 = 9 : ■$

4×9

$3 \times ■ = 4 \times ⬚$

$3 \times ■ = ⬚$

$■ = ⬚$

(2)

5×24

$5 : 6 = ■ : 24$

$6 \times ■$

$⬚ \times 24 = 6 \times ■$

$6 \times ■ = ⬚$

$■ = ⬚$

개념 5 비례식 활용하기

예 연수는 설탕과 물을 2 : 5로 섞어서 설탕물을 만들려고 합니다. 물을 100 g 넣었다면 설탕을 몇 g 넣어야 하는지 구해 보세요.

> 넣어야 하는 설탕 무게를 ■ g이라 하고 비례식을 세우면 2 : 5 = ■ : 100입니다.

방법1 비례식의 성질을 이용하기

비례식에서 외항의 곱과 내항의 곱은 같으므로 2 × 100 = 5 × ■, 5 × ■ = 200,
■ = 40입니다.

방법2 비의 성질을 이용하기

비의 전항과 후항에 0이 아닌 같은 수를 곱해도 비율은 같으므로

$$
\begin{array}{c}
\overset{\times 20}{\overbrace{2 \;:\; 5}} = \underset{\times 20}{\underbrace{■ \;:\; 100}} \;\;\Rightarrow\;\; ■ = 2 \times 20 = 40 \text{입니다.}
\end{array}
$$

개념 6 비례배분하기

전체를 주어진 비로 배분하는 것을 비례배분이라고 합니다.

예 사탕 15개를 2 : 3으로 나누기

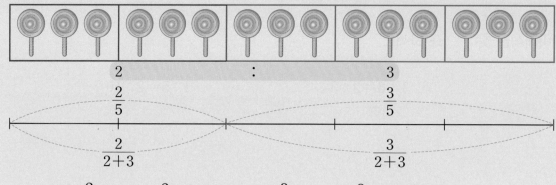

$$\Rightarrow\; 15 \times \frac{2}{2+3} = 15 \times \frac{2}{5} = 6(\text{개}),\quad 15 \times \frac{3}{2+3} = 15 \times \frac{3}{5} = 9(\text{개})$$

개념 Check

알맞은 말에 ◯표 하세요.

> 전체를 주어진 비로 배분하는 것을 (비례식 , 비례배분)이라고 합니다.

1 지우와 동생의 나이의 비가 2 : 1입니다. 지우의 나이가 8살이라면 동생의 나이는 몇 살인지 구하려고 합니다. 물음에 답하세요.

(1) 동생의 나이를 ■살이라고 하고 비례식을 세울 때 □ 안에 알맞은 수를 써넣으세요.

$$2 : 1 = \boxed{} : ■$$

(2) 비례식의 성질을 이용하여 동생의 나이를 구해 보세요.

$$2 \times ■ = \boxed{}, \quad ■ = \boxed{}$$

(   )

2 붕어빵이 3개에 1000원입니다. 붕어빵 9개를 사려면 얼마가 필요한지 구하려고 합니다. 물음에 답하세요.

(1) 필요한 돈을 ■원이라 하고 비례식을 세울 때 □ 안에 알맞은 수를 써넣으세요.

$$3 : 1000 = \boxed{} : ■$$

(2) 비의 성질을 이용하여 붕어빵 9개를 사는 데 필요한 돈을 구해 보세요.

$$\begin{array}{c} \times \boxed{} \\ 3 : 1000 = \boxed{} : ■ \\ \times \boxed{} \end{array}$$

(   )

3 8을 1 : 3으로 나누려고 합니다. □ 안에 알맞은 수를 써넣으세요.

$$8 \times \frac{1}{1 + \boxed{}} = 8 \times \frac{1}{\boxed{}} = \boxed{} \qquad 8 \times \frac{3}{1 + \boxed{}} = 8 \times \frac{3}{\boxed{}} = \boxed{}$$

4 20을 1 : 4로 나누려고 합니다. □ 안에 알맞은 수를 써넣으세요.

$$20 \times \frac{1}{\boxed{}} = \boxed{} \qquad 20 \times \frac{4}{\boxed{}} = \boxed{}$$

4

단원

준비물 · 붙임딱지

비례식이 되도록 알맞은 소금통을 붙여 보세요.

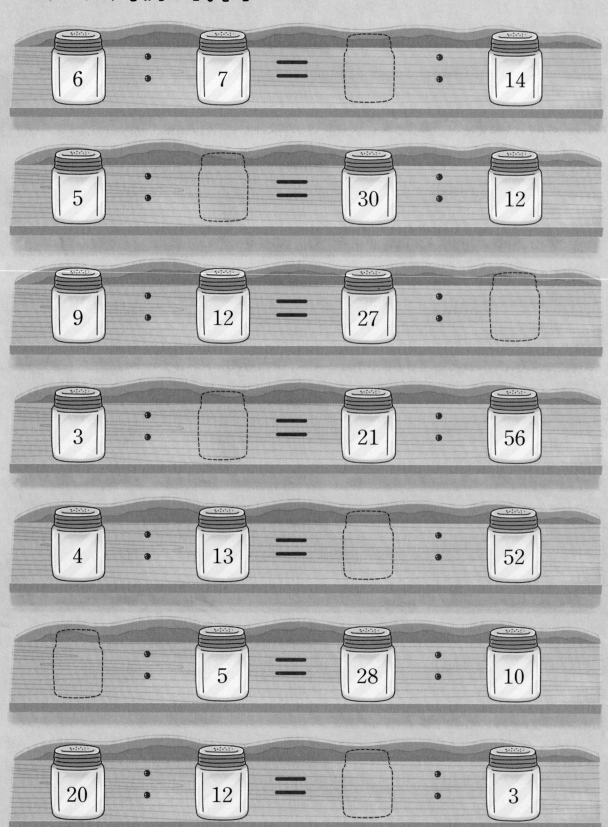

그릇 안의 소금을 주어진 비로 나누어 소금 주머니를 붙여 보세요.

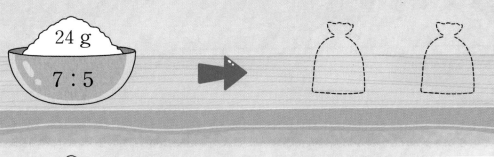

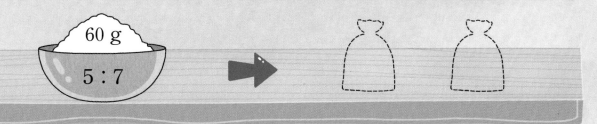

4
단원

집중! 드릴 문제

[1~5] 비례식에서 외항과 내항을 각각 찾아 써 보세요.

[6~10] 비례식이 맞으면 ○표, 아니면 ×표 하세요.

1 $2 : 3 = 6 : 9$

외항 ( )
내항 ( )

6 $3 : 7 = 9 : 21$ ( )

2 $3 : 5 = 6 : 10$

외항 ( )
내항 ( )

7 $4 : 3 = 6 : 8$ ( )

3 $15 : 9 = 5 : 3$

외항 ( )
내항 ( )

8 $9 : 2 = 45 : 10$ ( )

4 $5 : 11 = 20 : 44$

외항 ( )
내항 ( )

9 $3 : 5 = 20 : 25$ ( )

5 $4 : 7 = 16 : 28$

외항 ( )
내항 ( )

10 $28 : 21 = 3 : 2$ ( )

[11~16] 비례식의 성질을 이용하여 ☐ 안에 알맞은 수를 써넣으세요.

11 $6 : 1 = 18 : \boxed{}$

12 $2 : 7 = 10 : \boxed{}$

13 $36 : 15 = \boxed{} : 5$

14 $38 : 19 = \boxed{} : 3$

15 $18 : \boxed{} = 6 : 10$

16 $\boxed{} : 35 = 4 : 5$

[17~20] 수를 주어진 비로 비례배분해 보세요.

17 24   1 : 3
➡ (,   )

18 32   3 : 5
➡ (,   )

19 55   5 : 6
➡ (,   )

20 65   8 : 5
➡ (,   )

교과서 개념 확인 문제

1 비례식에서 외항과 내항을 각각 찾아 써 보세요.

$$6 : 3 = 24 : 12$$

외항 (   )

내항 (   )

2 비례식의 성질을 이용하여 ♡의 값을 구하려고 합니다. ☐ 안에 알맞은 수를 써넣으세요.

$$7 : 3 = ♡ : 6$$

$$\rightarrow 7 \times 6 = \boxed{} \times ♡$$

$$42 = \boxed{} \times ♡$$

$$♡ = \boxed{}$$

3 36을 5 : 7로 나누려고 합니다. 그림을 보고 ☐ 안에 알맞은 수를 써넣으세요.

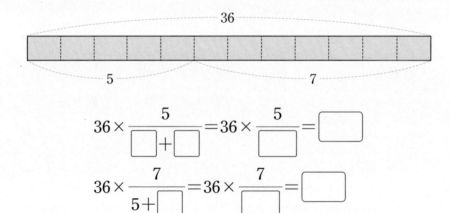

$$36 \times \frac{5}{\boxed{} + \boxed{}} = 36 \times \frac{5}{\boxed{}} = \boxed{}$$

$$36 \times \frac{7}{5 + \boxed{}} = 36 \times \frac{7}{\boxed{}} = \boxed{}$$

4 비례식에서 외항의 곱과 내항의 곱을 각각 구해 보세요.

$$3 : 6 = 4 : 8$$

외항의 곱 (   )

내항의 곱 (   )

5 비율이 같은 두 비를 찾아 비례식으로 나타내어 보세요.

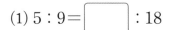

| 20 : 8 | 72 : 16 | 48 : 32 | 35 : 15 |

$$7 : 3 = \boxed{} : \boxed{}$$

$$\boxed{} : \boxed{} = 5 : 2$$

6 비례식의 성질을 이용하여 □ 안에 알맞은 수를 써넣으세요.

(1) $5 : 9 = \boxed{} : 18$

(2) $4 : 5 = 8 : \boxed{}$

(3) $10 : \boxed{} = 5 : 2$

(4) $13 : 5 = 65 : \boxed{}$

비례식에서 외항의 곱과 내항의 곱이 같음을 이용해요.

7 사탕 28개를 준우와 동생이 4 : 3으로 나누어 가지려고 합니다. 물음에 답하세요.

(1) 준우가 가지는 사탕은 몇 개인지 구해 보세요.

(   )

(2) 동생이 가지는 사탕은 몇 개인지 구해 보세요.

(   )

(3) 알맞은 말에 ◯표 하세요.

준우와 동생이 나누어 가지는 사탕의 수의 합은 전체 사탕의 수와 (같습니다 , 다릅니다).

8 보기 와 같이 두 비율을 보고 비례식으로 나타내어 보세요.

보기

$$\frac{3}{4} = \frac{6}{8} \ \Rightarrow \ 3 : 4 = 6 : 8$$

(1) $\dfrac{6}{11} = \dfrac{30}{55}$ ➡ _____

(2) $\dfrac{3}{8} = \dfrac{21}{56}$ ➡ _____

9 형과 동생이 돈을 모아 40000원 짜리 게임기를 사려고 합니다. 형과 동생이 3 : 2로 돈을 낸다면, 두 사람이 내야 하는 돈은 각각 얼마인지 구해 보세요.

형 (   )

동생 (   )

10 소금과 물을 2 : 7로 섞어 소금물을 만들려고 합니다. 물음에 답하세요.

소금을 24 g 넣었습니다.

(1) 물을 몇 g 넣어야 하는지 구해 보세요.

(   )

(2) 소금물은 몇 g인지 구해 보세요.

(   )

11 다음 동화책의 가로와 세로의 비는 5 : 6입니다. 동화책의 가로가 15 cm라면 세로는 몇 cm 인지 구해 보세요.

(   )

12 현수네 학교 6학년 전체 학생은 300명이고, 남학생 수와 여학생 수의 비는 3 : 2입니다. 6학년 남학생이 몇 명인지 알아보기 위한 식에서 잘못된 부분을 찾아 바르게 계산해 보세요.

$$300 \times \frac{3}{3 \times 2} = 300 \times \frac{3}{6} = 150(명)$$

➡

4

단원

13 강호와 서희의 대화를 읽고 물음에 답하세요.

끈 2개로 리본 5개를 만들 수 있어.

강호

리본 개수는 끈 개수보다 3개 많아. 그래서 리본 10개를 만들려면 끈이 7개 필요해.

서희

(1) 서희가 이야기한 것이 맞으면 ◯표, 틀리면 ✕표 하세요.

(   )

(2) (1)에서 ◯표 또는 ✕표 한 이유를 써 보세요.

이유 _____

_____

1 비례식에서 12가 외항인 것을 모두 찾아 보세요. ························· (　　　)

① 5 : 6 = 10 : 12

② 6 : 12 = 1 : 2

③ 1 : 5 = 12 : 60

④ 2 : 12 = 12 : 72

⑤ 12 : 3 = 4 : 1

2 비례식 5 : 7 = 10 : 14에서 옳지 않은 것을 찾아 보세요. ··············· (　　　)

① 비의 성질을 나타낼 수 있습니다.

② 내항은 7과 10입니다.

③ 전항은 5와 14입니다.

④ 기호 '='를 사용하여 나타내었습니다.

⑤ 외항의 곱과 내항의 곱이 같습니다.

[3~4] ☐ 안에 알맞은 수를 써넣으세요.

3
(1)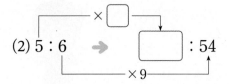

(2)

4
(1)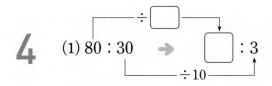

(2)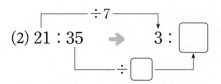

5 76을 12 : 7로 비례배분해 보세요.

(   ), (   )

6 비의 성질을 이용하여 비율이 같은 비를 찾아 선으로 이어 보세요.

3 : 8	•		•	70 : 98
6 : 24	•		•	1 : 4
5 : 7	•		•	60 : 160

4
단원

[7~8] 간단한 자연수의 비로 나타내어 보세요.

7 (1)   0.28 : 0.55   (2)   0.18 : 0.34

(   )   (   )

8 (1) $\dfrac{1}{3} : \dfrac{3}{5}$ (2) $\dfrac{3}{5} : \dfrac{6}{7}$

(   )   (   )

9 비례식이 맞으면 ◯표, 틀리면 ✕표 하세요.

(1)
$$5 : 2 = 30 : 10$$

(   )

(2)
$$7 : 2 = 28 : 8$$

(   )

10 한 상자에 사탕이 50개 들어 있습니다. 은수와 지혜가 사탕을 2 : 3으로 나누어 가진다면 은수와 지혜가 가지는 사탕은 몇 개인지 구해 보세요.

은수 (   )

지혜 (   )

11 4초에 5장을 복사하는 복사기가 있습니다. 100장을 복사하는 데 걸리는 시간이 몇 초인지 구해 보세요.

(   )

12 윤하네 학교 학생 수는 모두 몇 명인지 구해 보세요.

학생 수 전체의 40 % 가 180명 이에요.

(   )

5 원의 넓이

개념 **①** 원주와 지름의 관계 알아보기

• 원의 둘레를 원주라고 합니다.

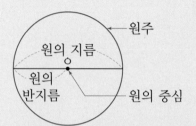

> • 원의 지름이 길어지면 원주도 길어집니다.
> • 원주가 길어지면 원의 지름도 길어집니다.

• 정육각형의 둘레와 원의 지름 비교하기

정육각형의 둘레는 6 cm이고 원의 지름은 2 cm므로 정육각형의 둘레는 원의 지름의 3배입니다. ➡ (원주) > (정육각형의 둘레)

• 정사각형의 둘레와 원의 지름 비교하기

정사각형의 둘레는 8 cm이고 원의 지름은 2 cm이므로 정사각형의 둘레는 원의 지름의 4배입니다. ➡ (원주) < (정사각형의 둘레)

• 지름과 원주의 길이 비교하기

원주는 원의 지름의 3배보다 길고, 원의 지름의 4배보다 짧습니다.

개념 **②** 원주율 알아보기

원의 지름에 대한 원주의 비율을 원주율이라고 합니다.

$$(원주율) = (원주) \div (지름)$$

> 원의 크기와 상관없이 원주율은 일정합니다.

원주율을 소수로 나타내면 3.1415926535897932……와 같이 끝없이 계속됩니다.
따라서 필요에 따라 3, 3.1, 3.14 등으로 어림하여 사용하기도 합니다.

> 원주율은 보통 3.14까지 줄여서 사용합니다. 수가 너무 길어지면 계산할 때 시간이 많이 걸리므로 소수 둘째 자리까지 반올림하여 3.14로 사용하기로 정한 것입니다. 이 수로 계산해도 99 % 이상 정확한 값을 구할 수 있습니다.

1 원주를 나타내는 것을 찾아 기호를 써 보세요.

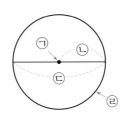

(   )

2 설명이 옳은 것은 ○표, 잘못된 것은 ✕표 하세요.

(1) 원의 지름이 길어져도 원주는 변하지 않습니다. (   )

(2) 원주가 길어지면 원의 지름도 길어집니다. (   )

(3) 원주와 원의 지름은 길이가 같습니다. (   )

3 원주율을 소수로 나타내면 3.1415926535897932……와 같이 끝없이 계속됩니다. 원주율을 반올림하여 주어진 자리까지 나타내어 보세요. ┌─ 구하려는 자리 바로 아래의 숫자가 0, 1, 2, 3, 4이면 버리고, 5, 6, 7, 8, 9이면 올려서 나타냅니다.

	일의 자리까지	소수 첫째 자리까지	소수 둘째 자리까지
원주율			

4 지름이 3 cm인 원의 원주와 가장 비슷한 길이를 찾아 기호를 써 보세요.

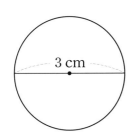

㉠ ├─ 1 cm ─┼───┼───┤

㉡ ├───┼───┼───┼───┼───┼───┤

㉢ ├───┼───┼───┼───┼───┼───┼───┼───┼───┤

(   )

개념 ③ 원주와 지름 구하기

- 지름을 알 때 원주를 구하는 방법

  (원주율)＝(원주)÷(지름)

  ➡ (원주)＝(지름)×(원주율)

  예
  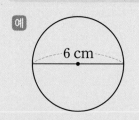

  원주율: 3.1

  (원주)＝6×3.1＝18.6 (cm)

- 원주를 알 때 지름을 구하는 방법

  (원주율)＝(원주)÷(지름)

  ➡ (지름)＝(원주)÷(원주율)

  예
  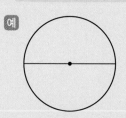

  원주: 15.7 cm

  원주율: 3.14

  (지름)＝15.7÷3.14＝5 (cm)

개념 ④ 원의 넓이 어림하기

- 정사각형으로 원의 넓이 어림하기

  예 반지름이 10 cm인 원의 넓이 어림하기

  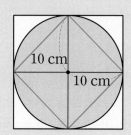 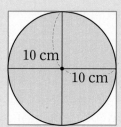

  (원 안에 있는 정사각형의 넓이)
  └➡ 정사각형은 마름모입니다.

  ＝20×20÷2＝200 (cm²)
  └➡ (한 대각선의 길이)×(다른 대각선의 길이)÷2

  (원 밖에 있는 정사각형의 넓이)

  ＝20×20＝400 (cm²)

  200 cm²＜(반지름이 10 cm인 원의 넓이)

  (반지름이 10 cm인 원의 넓이)＜400 cm²

- 모눈종이를 이용하여 원의 넓이 어림하기

  예 반지름이 10 cm인 원의 넓이 어림하기

  노란색 모눈의 수: 69칸
  빨간색 선 안쪽 모눈의 수: 86칸

  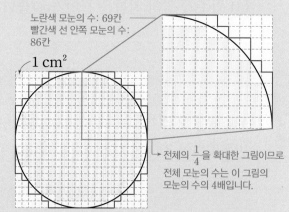

  └➡ 전체의 ¼을 확대한 그림이므로 전체 모눈의 수는 이 그림의 모눈의 수의 4배입니다.

  노란색 모눈의 수: 276칸 →69×4＝276

  빨간색 선 안쪽 모눈의 수: 344칸 →86×4＝344

  276 cm²＜(반지름이 10 cm인 원의 넓이)

  (반지름이 10 cm인 원의 넓이)＜344 cm²

개념 Check

🎓 맞으면 ○표, 틀리면 ✕표 하세요.

원주는 반지름과 원주율의 곱으로 구합니다.

1 원주를 구하려고 합니다. ☐ 안에 알맞은 수를 써넣으세요.

(1)

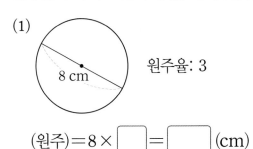

원주율: 3

(원주)＝8×☐＝☐(cm)

(2)

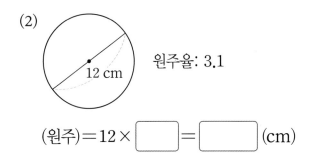

원주율: 3.1

(원주)＝12×☐＝☐(cm)

2 원주가 다음과 같을 때 ☐ 안에 알맞은 수를 써넣으세요.

(1)

☐ cm

원주: 42 cm
원주율: 3

(지름)＝42÷☐＝☐(cm)

(2)

☐ cm

원주: 50.24 cm
원주율: 3.14

(지름)＝50.24÷☐＝☐(cm)

5 단원

3 반지름이 4 cm인 원의 넓이는 얼마인지 어림해 보려고 합니다. ☐ 안에 알맞은 수를 써넣으세요.

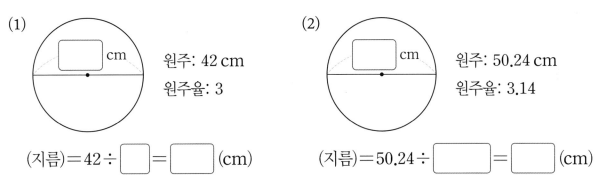

• (원 안에 있는 정사각형의 넓이)＝8×☐÷2＝☐(cm²)

• (원 밖에 있는 정사각형의 넓이)＝☐×☐＝☐(cm²)

➡ ☐ cm²＜(반지름이 4 cm인 원의 넓이)＜☐ cm²

4 반지름이 5 cm인 원의 넓이는 얼마인지 어림해 보려고 합니다. ☐ 안에 알맞은 수를 써넣으세요.

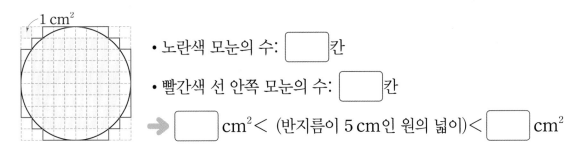

1 cm²

• 노란색 모눈의 수: ☐ 칸

• 빨간색 선 안쪽 모눈의 수: ☐ 칸

➡ ☐ cm²＜(반지름이 5 cm인 원의 넓이)＜☐ cm²

교과서 개념 play · 구멍 막기

준비물 붙임딱지

공사장 구멍에 있는 쥐들을 안 보이게 하려고 합니다. 구멍에 있는 문제의 답이 써 있는 뚜껑 붙임딱지를 붙여 구멍을 막아 보세요.

지름이 15 cm인
원의 원주는?
(원주율: 3)

지름이 19 cm인
원의 원주는?
(원주율: 3.1)

지름이 21 cm인
원의 원주는?
(원주율: 3.14)

지름이 29 cm인
원의 원주는?
(원주율: 3)

반지름이 7 cm인
원의 원주는?
(원주율: 3.1)

반지름이 11 cm인
원의 원주는?
(원주율: 3.14)

반지름이 13 cm인
원의 원주는?
(원주율: 3)

반지름이 15 cm인
원의 원주는?
(원주율: 3.1)

반지름이 17 cm인
원의 원주는?
(원주율: 3.14)

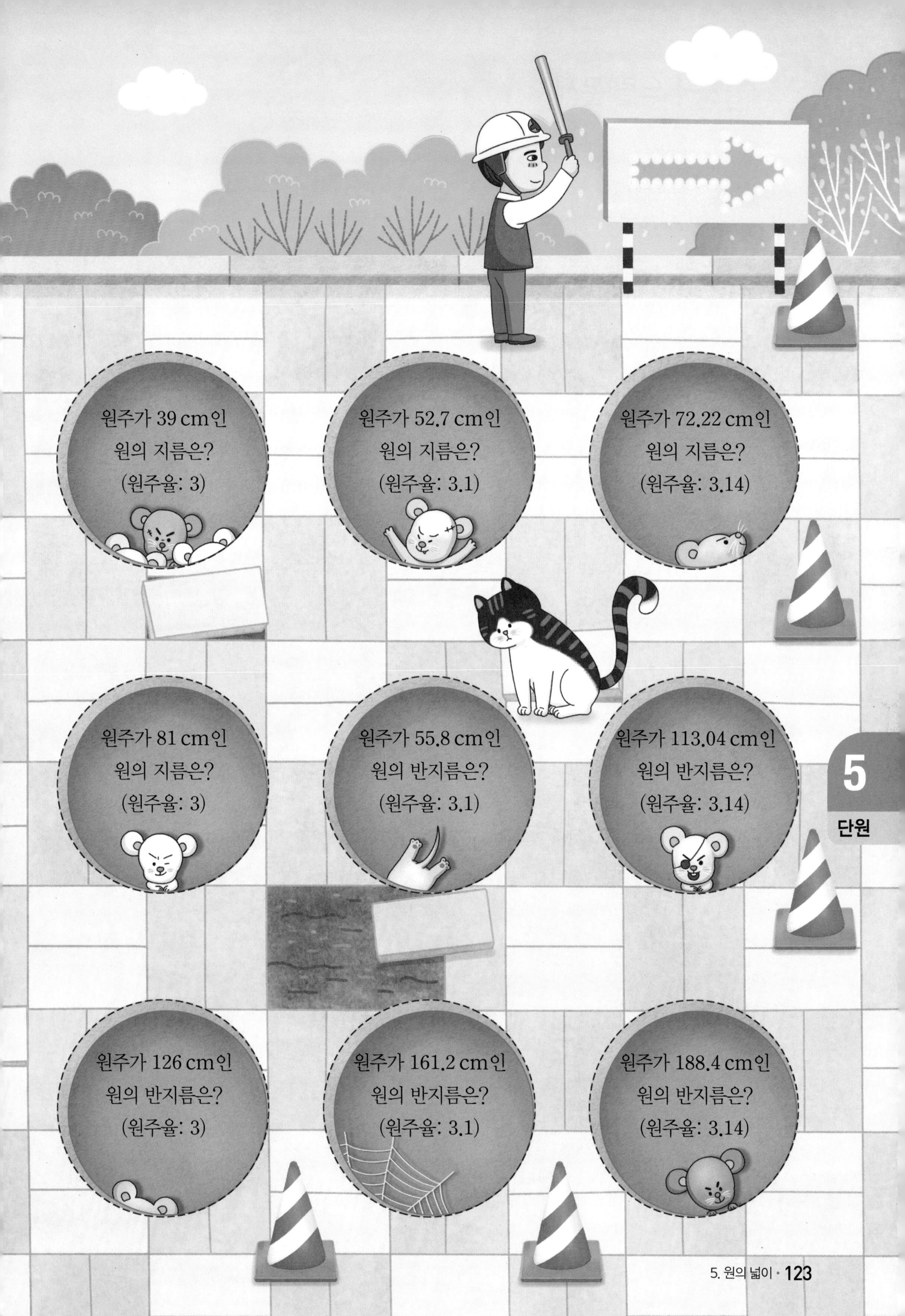

원주가 39 cm인
원의 지름은?

(원주율: 3)

원주가 52.7 cm인
원의 지름은?

(원주율: 3.1)

원주가 72.22 cm인
원의 지름은?

(원주율: 3.14)

원주가 81 cm인
원의 지름은?

(원주율: 3)

원주가 55.8 cm인
원의 반지름은?

(원주율: 3.1)

원주가 113.04 cm인
원의 반지름은?

(원주율: 3.14)

5

단원

원주가 126 cm인
원의 반지름은?

(원주율: 3)

원주가 161.2 cm인
원의 반지름은?

(원주율: 3.1)

원주가 188.4 cm인
원의 반지름은?

(원주율: 3.14)

[1~4] 원주를 구해 보세요.

1 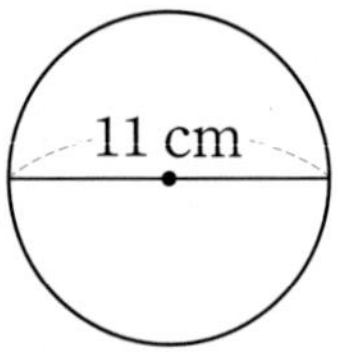
11 cm
원주율: 3

( )

2 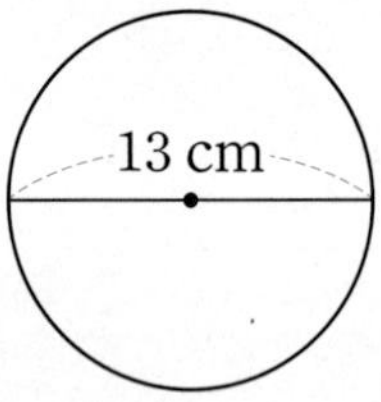
13 cm
원주율: 3.1

( )

3 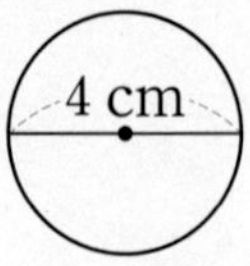
4 cm
원주율: 3.14

( )

4 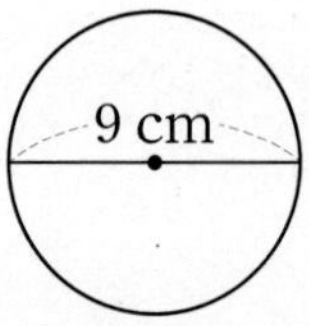
9 cm
원주율: 3.14

( )

[5~8] 원주를 구해 보세요.

5 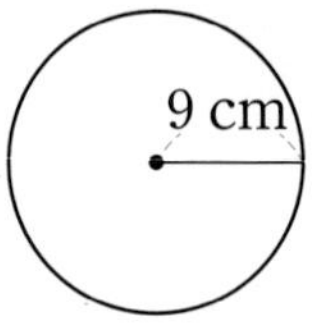
9 cm
원주율: 3

( )

6 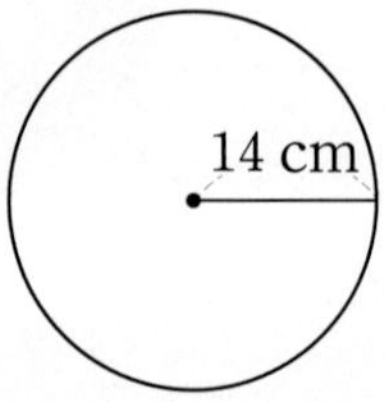
14 cm
원주율: 3.1

( )

7 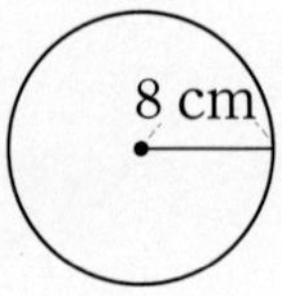
8 cm
원주율: 3.14

( )

8 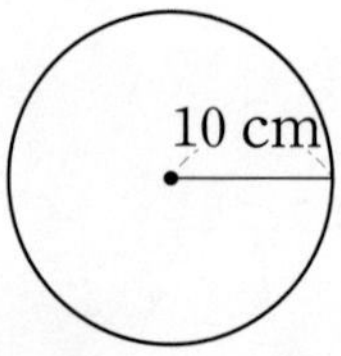
10 cm
원주율: 3.14

( )

[9~12] 원의 지름을 구해 보세요.

9

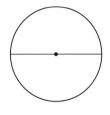

원주: 48 cm

원주율: 3

(   )

10

원주: 43.4 cm

원주율: 3.1

(   )

11

원주: 37.68 cm

원주율: 3.14

(   )

12

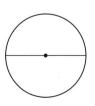

원주: 47.1 cm

원주율: 3.14

(   )

[13~16] 원의 반지름을 구해 보세요.

13

원주: 36 cm

원주율: 3

(   )

14

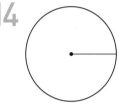

원주: 74.4 cm

원주율: 3.1

(   )

15

원주: 56.52 cm

원주율: 3.14

(   )

16

원주: 69.08 cm

원주율: 3.14

(   )

1 원의 지름과 원주를 표시해 보세요.

2 지름이 다른 두 원에서 항상 같은 것을 찾아 기호를 써 보세요.

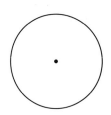

(   )

3 지름이 5 cm인 원판을 만들고 자 위에서 한 바퀴 굴렸습니다. 원판의 원주가 얼마쯤 될지 자에 표시해 보세요.

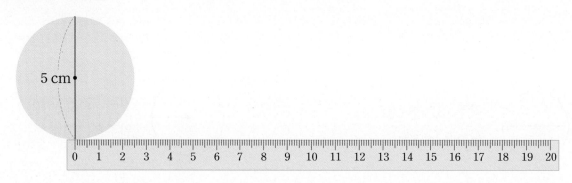

4 그림과 같이 한 변의 길이가 12 cm인 정사각형에 지름이 12 cm인 원을 그리고 1 cm 간격으로 모눈을 그렸습니다. 모눈을 세어 원의 넓이를 어림해 보세요.

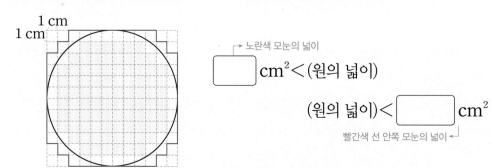

5 원주를 구해 보세요.

(1)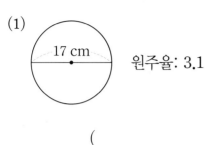
원주율: 3.1

(   )

(2)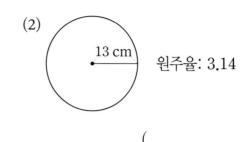
원주율: 3.14

(   )

6 원의 지름을 구해 보세요.

(1)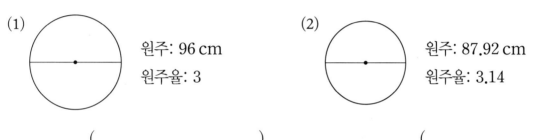
원주: 96 cm
원주율: 3

(   )

(2)
원주: 87.92 cm
원주율: 3.14

(   )

7 민준이는 오른쪽과 같이 시계의 원주와 지름을 재어 보았습니다. 물음에 답하세요.

원주: 40.84 cm
지름: 13 cm

(1) (원주)÷(지름)을 반올림하여 주어진 자리까지 나타내어 보세요.

반올림하여 소수 첫째 자리까지	
반올림하여 소수 둘째 자리까지	

(2) 원주율을 3, 3.1, 3.14와 같이 어림하여 사용하는 이유를 써 보세요.

이유 _____

_____

8 동전의 반지름은 몇 mm인지 구해 보세요. (원주율: 3.14)

(1)  원주: 75.36 mm

( )

(2)  원주: 83.21 mm

( )

9 큰 원의 원주를 구해 보세요. (원주율: 3.1)

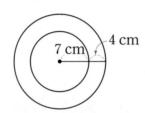

( )

10 두 원의 원주의 차를 구해 보세요. (원주율: 3.14)

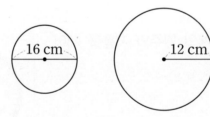

( )

11 색칠한 도형의 둘레를 구해 보세요. (원주율: 3)

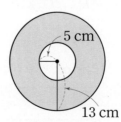

( )

12 두 원을 이어 붙여서 만든 도형입니다. 작은 원의 원주를 구해 보세요. (원주율: 3.1)

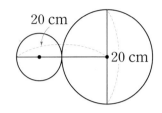

(   )

13 지름이 0.8 m인 원 모양의 바퀴 자를 사용하여 집에서 학교까지의 거리를 알아보려고 합니다. 바퀴가 100바퀴 돌았다면 집에서 학교까지의 거리는 몇 m인지 구해 보세요. (원주율: 3)

(   )

14 가장 큰 원과 가장 작은 원의 지름의 차를 구해 보세요. (원주율: 3.14)

| 반지름이 18 cm인 원 | 지름이 24 cm인 원 | 원주가 62.8 cm인 원 |

(   )

15 지름이 75 cm인 굴렁쇠를 몇 바퀴 굴려서 간 거리가 23.25 m입니다. 굴렁쇠를 몇 바퀴 굴린 것인지 구해 보세요. (원주율: 3.1)

(   )

개념 **5** 원의 넓이 구하는 방법 알아보기

원을 자르는 횟수가 많을수록 점점 직사각형 모양이 됩니다.

• 원을 다른 도형으로 바꾸기

 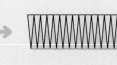 

8등분   16등분

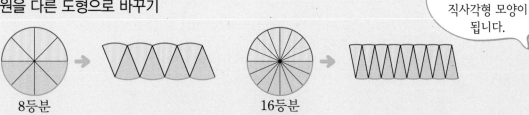

32등분   64등분

➡ 원을 한없이 잘라서 이어 붙이면 점점 직사각형에 가까워집니다.

• 원의 넓이 구하는 방법 알아보기

원의 넓이는 직사각형의 넓이를 구하는 방법을 이용하여 구할 수 있습니다.

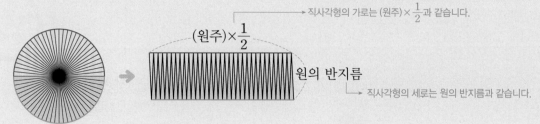

$\rightarrow$ 직사각형의 가로는 (원주)$\times\dfrac{1}{2}$과 같습니다.

(원주)$\times\dfrac{1}{2}$

원의 반지름

$\rightarrow$ 직사각형의 세로는 원의 반지름과 같습니다.

(원의 넓이)$=$(원주)$\times\dfrac{1}{2}\times$(반지름)

$\qquad\quad=$(원주율)$\times$(지름)$\times\dfrac{1}{2}\times$(반지름)

$\qquad\quad=$(원주율)$\times$(반지름)$\times$(반지름)

참고
• (직사각형의 넓이)$=$(가로)$\times$(세로)
• (원주)$=$(원주율)$\times$(지름)
• (지름)$\times\dfrac{1}{2}=$(반지름)

(원의 넓이)$=$(반지름)$\times$(반지름)$\times$(원주율)

개념 Check

 원의 넓이를 구하는 방법을 바르게 쓴 사람에게 ◯표 하세요.

(원의 넓이)
$=$(지름)$\times$(지름)$\times$(원주율)

(원의 넓이)
$=$(반지름)$\times$(반지름)$\times$(원주율)

1 원을 한없이 잘라서 이어 붙여 직사각형을 만들었습니다. □ 안에 알맞은 수를 써넣으세요.

(원주율: 3)

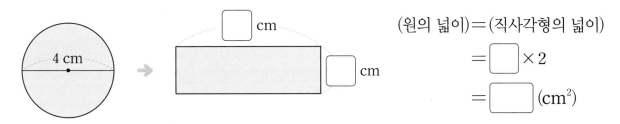

(원의 넓이)=(직사각형의 넓이)

$= \boxed{} \times 2$

$= \boxed{} (\text{cm}^2)$

2 원의 넓이를 구하려고 합니다. □ 안에 알맞은 수를 써넣으세요. (원주율: 3)

(1)

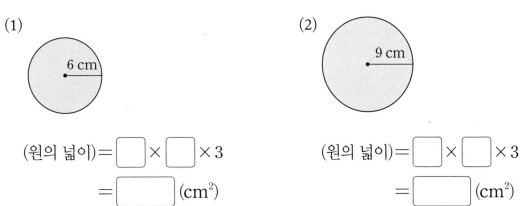

(원의 넓이)$= \boxed{} \times \boxed{} \times 3$

$= \boxed{} (\text{cm}^2)$

(2)

(원의 넓이)$= \boxed{} \times \boxed{} \times 3$

$= \boxed{} (\text{cm}^2)$

3 주어진 원의 지름을 이용하여 빈칸에 알맞게 써넣으세요. (원주율: 3.1)

지름(cm)	반지름(cm)	원의 넓이를 구하는 식	원의 넓이(cm²)
10	5	$5 \times 5 \times 3.1$	
18			

4 원의 넓이를 구해 보세요. (원주율: 3.14)

(1)

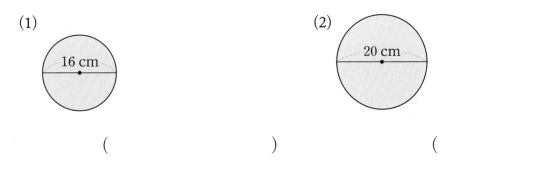

(　　　　　　　　)

(2)

(　　　　　　　　)

⑥ 여러 가지 원의 넓이 구하기

- 반지름에 따른 원의 넓이 비교하기(원주율: 3)

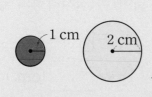 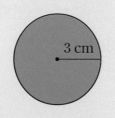 

> 반지름이 길어지면 원의 넓이도 넓어집니다.

원	빨간색 원	노란색 원	초록색 원
반지름(cm)	1	2	3
넓이(cm²)	3	12	27

- 반지름이 2배가 되면 넓이는 $2 \times 2 = 4$(배)가 됩니다.
- 반지름이 3배가 되면 넓이는 $3 \times 3 = 9$(배)가 됩니다.
➡ 반지름이 ■배가 되면 넓이는 (■×■)배가 됩니다.

- 색칠한 부분의 넓이 구하기

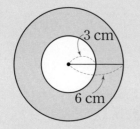

3 cm
6 cm
원주율: 3

(색칠한 부분의 넓이)
= (큰 원의 넓이)−(작은 원의 넓이)
= $6 \times 6 \times 3 - 3 \times 3 \times 3$
= $108 - 27 = 81$ (cm²)

- 반원의 넓이 구하기

┌ 원을 반으로 나눈 것

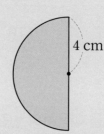

4 cm
원주율: 3

(반원의 넓이)
= (원의 넓이)÷2
= $4 \times 4 \times 3 \div 2$
= 24 (cm²)

 개념 Check

🎓 원의 넓이에 대하여 바르게 설명을 한 사람에게 ◯표 하세요.

 반지름이 4배가 되면 넓이는 8배가 됩니다.

 반지름이 4배가 되면 넓이는 16배가 됩니다.

1 색칠한 부분의 넓이를 구하려고 합니다. ☐ 안에 알맞은 수를 써넣으세요.(원주율: 3)

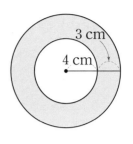

(1) 색칠한 부분의 넓이는 반지름이 ☐ cm인 원의 넓이에서 반지름이 ☐ cm인 원의 넓이를 뺀 값입니다.

(2) (색칠한 부분의 넓이)＝☐×☐×3－☐×☐×3

＝☐－☐＝☐ (cm²)

2 색칠한 부분의 넓이를 구하려고 합니다. ☐ 안에 알맞은 수를 써넣으세요.(원주율: 3.1)

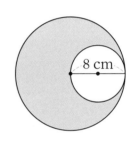

(1) 색칠한 부분의 넓이는 반지름이 ☐ cm인 원의 넓이에서 반지름이 ☐ cm인 원의 넓이를 뺀 값입니다.

(2) (색칠한 부분의 넓이)＝☐×☐×3.1－☐×☐×3.1

＝☐－☐＝☐ (cm²)

3 색칠한 부분의 넓이를 구하려고 합니다. ☐ 안에 알맞은 수를 써넣으세요.(원주율: 3.14)

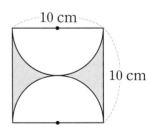

(1) 색칠한 부분의 넓이는 한 변의 길이가 ☐ cm인 정사각형의 넓이에서 반지름이 ☐ cm인 원의 넓이를 뺀 값입니다.

(2) (색칠한 부분의 넓이)＝☐×☐－☐×☐×3.14

＝☐－☐＝☐ (cm²)

준비물 붙임딱지

잼을 팔려면 원 모양의 뚜껑이 있어야 합니다. 병에 있는 반지름, 지름과 원주율을 보고 알맞은 원의 넓이가 써 있는 뚜껑 붙임딱지를 붙여 뚜껑을 닫아 보세요.

반지름: 5 cm
원주율: 3

반지름: 6 cm
원주율: 3.1

반지름: 8 cm
원주율: 3.14

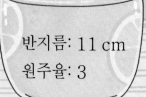

반지름: 11 cm
원주율: 3

반지름: 14 cm
원주율: 3.1

반지름: 17 cm
원주율: 3.14

반지름: 19 cm
원주율: 3

반지름: 23 cm
원주율: 3.1

반지름: 30 cm
원주율: 3.14

지름: 4 cm
원주율: 3

지름: 6 cm
원주율: 3.1

지름: 14 cm
원주율: 3.14

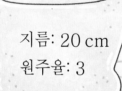

지름: 20 cm
원주율: 3

지름: 24 cm
원주율: 3.1

지름: 30 cm
원주율: 3.14

지름: 36 cm
원주율: 3

지름: 40 cm
원주율: 3.1

지름: 50 cm
원주율: 3.14

집중! 드릴 문제

[1~4] 원의 넓이를 구해 보세요.

1

7 cm   원주율: 3

(   )

2

9 cm   원주율: 3.1

(   )

3

5 cm   원주율: 3.14

(   )

4
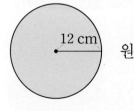
12 cm   원주율: 3.14

(   )

[5~8] 원의 넓이를 구해 보세요.

5

12 cm   원주율: 3

(   )

6
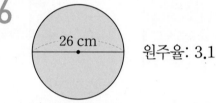
26 cm   원주율: 3.1

(   )

7
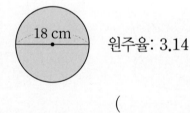
18 cm   원주율: 3.14

(   )

8
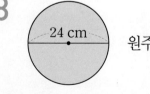
24 cm   원주율: 3.14

(   )

[9~12] 색칠한 부분의 넓이를 구해 보세요.

9

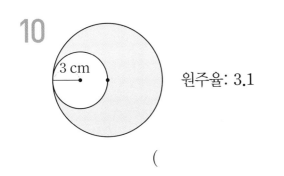

원주율: 3

(   )

10

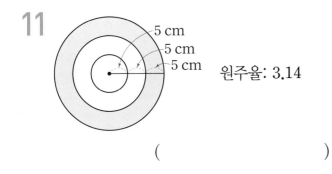

원주율: 3.1

(   )

11

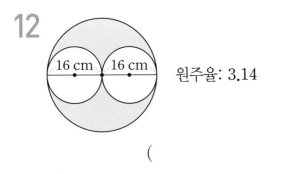

원주율: 3.14

(   )

12

16 cm 16 cm

원주율: 3.14

(   )

[13~16] 색칠한 부분의 넓이를 구해 보세요.

13

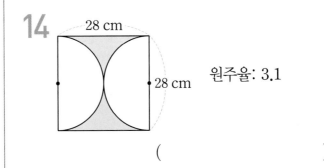

원주율: 3

(   )

14

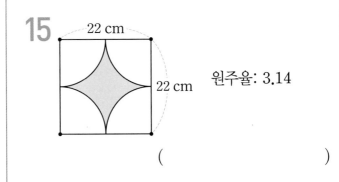

원주율: 3.1

(   )

15

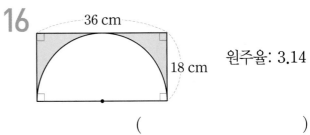

원주율: 3.14

(   )

16

36 cm

18 cm

원주율: 3.14

(   )

1 원을 한없이 잘라서 이어 붙여 직사각형을 만들었습니다. 물음에 답하세요.

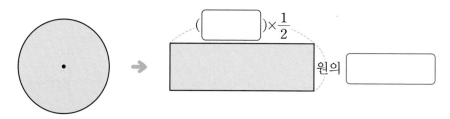

(1) 위 그림의 ☐ 안에 알맞은 말을 써넣으세요.

(2) ☐ 안에 알맞은 말을 보기 에서 골라 써넣으세요.

> 보기
>
> 원주   반지름   지름   원주율

$$(\text{원의 넓이})=(\boxed{})\times\frac{1}{2}\times(\boxed{})$$

$$=(\boxed{})\times(\boxed{})\times\frac{1}{2}\times(\boxed{})$$

$$=(\boxed{})\times(\boxed{})\times(\boxed{})$$

2 원의 넓이를 구해 보세요. (원주율: 3.1)

(1)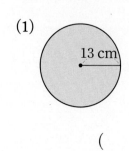
13 cm

(   )

(2)
21 cm

(   )

3 원의 넓이를 구해 보세요. (원주율: 3.14)

(1)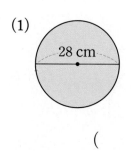
28 cm

(   )

(2)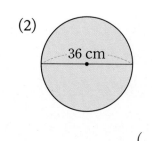
36 cm

(   )

4 원의 반지름을 구해 보세요. (원주율: 3)

(1)
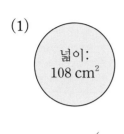
넓이:
108 cm²

(　　　　　　　　)

(2)
넓이:
243 cm²

(　　　　　　　　)

5 오른쪽 그림과 같이 컴퍼스를 벌려 원을 그렸습니다. 원의 넓이를 구해 보세요. (원주율: 3.14)

(　　　　　　　　)

6 반원의 넓이를 구해 보세요. (원주율: 3)

(1)
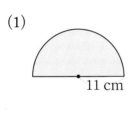
11 cm

(　　　　　　　　)

(2)
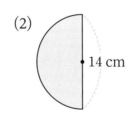
14 cm

(　　　　　　　　)

7 호준이는 엄마와 함께 딸기잼을 만들고 원기둥 모양의 병에 옮겨 담았습니다. 이 병을 원 모양의 뚜껑으로 닫을 때 뚜껑 윗부분의 넓이를 구해 보세요. (원주율: 3.14)

8 cm

(　　　　　　　　)

8 색칠한 부분의 넓이를 구해 보세요. (원주율: 3.14)

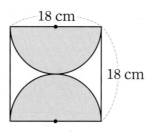

(   )

9 한 변의 길이가 24 cm인 정사각형 안에 들어갈 수 있는 가장 큰 원의 넓이를 구해 보세요.

(원주율: 3.1)

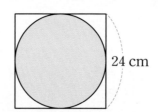

(   )

10 두 원의 넓이의 합을 구해 보세요. (원주율: 3)

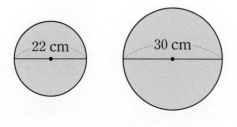

(   )

11 색칠한 부분의 넓이를 구해 보세요. (원주율: 3.1)

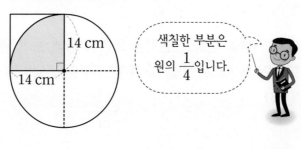

색칠한 부분은 원의 $\frac{1}{4}$입니다.

(   )

12 색칠한 부분의 넓이를 구해 보세요. (원주율: 3)

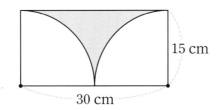

15 cm

30 cm

(   )

13 원의 일부분입니다. 도형의 넓이를 구해 보세요. (원주율: 3)

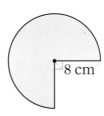

8 cm

(   )

14 미술 시간에 종이를 오려서 부채를 만들었습니다. 부채의 넓이를 구해 보세요. (원주율: 3)

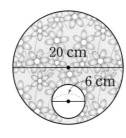

20 cm

6 cm

(   )

15 색칠한 부분의 넓이를 구해 보세요. (원주율: 3)

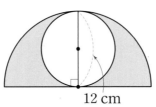

12 cm

(   )

5

단원

5. 원의 넓이 · **141**

1 ☐ 안에 알맞은 말을 써넣으세요.

(1) 원의 둘레를 [   ](이)라고 합니다.

(2) 원의 지름에 대한 원주의 비율을 [   ](이)라고 합니다.

(3) (원주율)＝([   ])÷(지름), (원주)＝([   ])×(원주율)

(4) (원의 넓이)＝(반지름)×([   ])×(원주율)

2 한 변의 길이가 1 cm인 정육각형, 지름이 2 cm인 원, 한 변의 길이가 2 cm인 정사각형을 보고 물음에 답하세요.

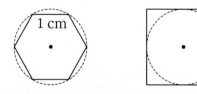

(1) 정육각형의 둘레, 정사각형의 둘레를 수직선에 표시해 보세요.

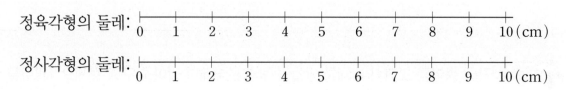

(2) 원주가 얼마쯤 될지 수직선에 표시해 보고, ☐ 안에 알맞은 수를 써넣으세요.

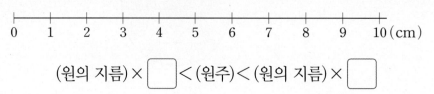

(원의 지름)×[   ]＜(원주)＜(원의 지름)×[   ]

3 정육각형의 넓이를 이용하여 원의 넓이를 어림하려고 합니다. 삼각형 ㄱㅇㄷ의 넓이가 4 cm² 이고, 삼각형 ㄹㅇㅂ의 넓이가 3 cm²라면 원의 넓이는 얼마인지 어림해 보려고 합니다. ☐ 안에 알맞은 수를 써넣으세요.

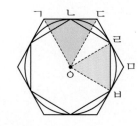

• (원 안에 있는 정육각형의 넓이)＝[   ]×6＝[   ](cm²)

• (원 밖에 있는 정육각형의 넓이)＝[   ]×6＝[   ](cm²)

➡ [   ](cm²)＜(원의 넓이)＜[   ](cm²)

4 원주를 구해 보세요.

(1)
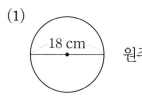
18 cm 원주율: 3.1

(   )

(2)
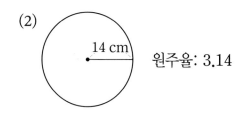
14 cm 원주율: 3.14

(   )

5 원의 넓이를 구해 보세요.

(1)
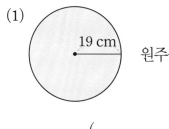
19 cm 원주율: 3

(   )

(2)
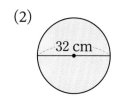
32 cm 원주율: 3.14

(   )

6 원의 반지름을 구해 보세요.

(1)
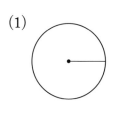
원주: 94.2 cm
원주율: 3.14

(   )

(2)
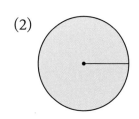
넓이: 907.46 cm^2
원주율: 3.14

(   )

7 길이가 93 cm인 종이띠를 겹치지 않게 붙여서 원을 만들었습니다. 만들어진 원의 지름을 구해 보세요. (원주율: 3.1)

93 cm →

(   )

8 연서는 바퀴의 지름이 58 cm인 자전거를 타고 집에서 학교까지 갔습니다. 집에서 학교까지 가는 데 바퀴가 150바퀴 돌았다면 집에서 학교까지의 거리는 몇 m인지 구해 보세요. (원주율: 3)

(   )

9 다음 직사각형 안에 들어가는 가장 큰 원의 넓이를 구해 보세요. (원주율: 3.14)

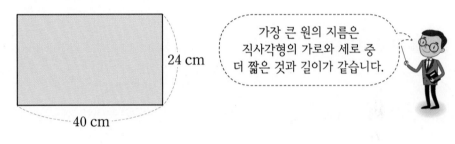

가장 큰 원의 지름은 직사각형의 가로와 세로 중 더 짧은 것과 길이가 같습니다.

(   )

10 색칠한 부분의 넓이를 구해 보세요. (원주율: 3.1)

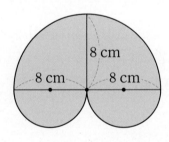

(   )

11 큰 원부터 순서대로 기호를 써 보세요. (원주율: 3)

㉠ 반지름이 8 cm인 원	㉡ 지름이 20 cm인 원
㉢ 원주가 90 cm인 원	㉣ 넓이가 432 cm^{2}인 원

(   )

6 원기둥, 원뿔, 구

학습 계획표

내용	쪽수	날짜		확인
교과서 **개념** 잡기	146~149쪽	월	일	
교과서 **개념 play** / **집중!** 드릴 문제	150~153쪽	월	일	
교과서 **개념 확인** 문제	154~157쪽	월	일	
교과서 **개념** 잡기	158~161쪽	월	일	
교과서 **개념 play** / **집중!** 드릴 문제	162~165쪽	월	일	
교과서 **개념 확인** 문제	166~169쪽	월	일	
개념 확인평가	170~172쪽	월	일	

① 원기둥 알아보기

, 등과 같은 입체도형을 원기둥이라고 합니다.

원기둥의 특징

① 두 면은 평평한 원입니다.
② 두 면은 서로 평행하고 합동입니다.
③ 옆을 둘러싼 면은 굽은 면입니다.
④ 굴리면 잘 굴러갑니다.

원기둥에서 서로 평행하고 합동인 두 면을 밑면이라 하고, 두 밑면과 만나는 면을 옆면이라고 합니다. 또, 두 밑면에 수직인 선분의 길이를 높이라고 합니다.

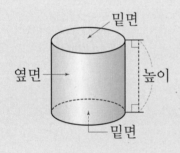
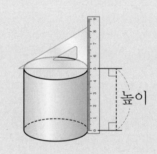
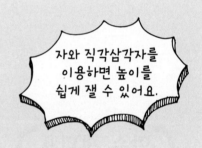

자와 직각삼각자를 이용하면 높이를 쉽게 잴 수 있어요.

한 변을 기준으로 직사각형 모양의 종이를 돌리면 원기둥이 됩니다.

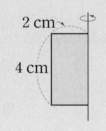

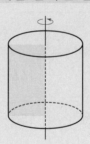

밑면의 지름: 4 cm ──→ 밑면의 반지름: 2 cm
높이: 4 cm

 개념 Check

원기둥이면 ○표, 아니면 ✕표 하세요.

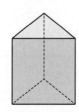

1 원기둥을 찾아 기호를 써 보세요.

가  나 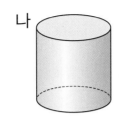 다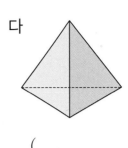

(   )

2 보기 에서 □ 안에 알맞은 말을 찾아 써넣으세요.

보기

밑면   높이   옆면

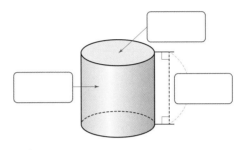

3 한 변을 기준으로 직사각형 모양의 종이를 돌렸을 때 만들어지는 입체도형의 이름을 써 보세요.

(   )

6

단원

4 한 변을 기준으로 직사각형 모양의 종이를 돌려 만든 입체도형의 높이를 구해 보세요.

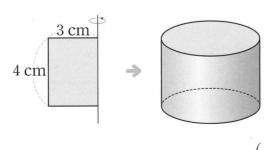

(   )

개념 **2** 원기둥의 전개도 알아보기

원기둥을 잘라서 펼쳐 놓은 그림을 원기둥의 전개도라고 합니다.

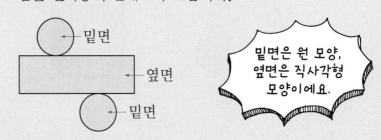

밑면은 원 모양,
옆면은 직사각형
모양이에요.

• 원기둥의 전개도가 아닌 경우 알아보기

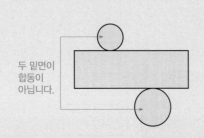

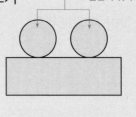

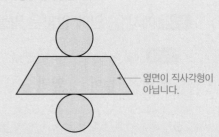

• 전개도의 각 부분의 길이 알아보기

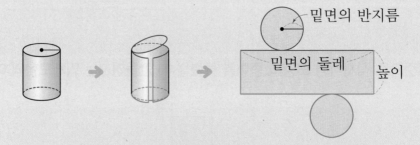

(옆면의 가로)=(밑면의 둘레)

　　　　　　=(밑면의 지름)×(원주율)

　　　　　　=(밑면의 반지름)×2×(원주율)

(옆면의 세로)=(원기둥의 높이)

개념 Check

🎓 맞으면 ○표, 틀리면 ✕표 하세요.

> 원기둥의 전개도에서 옆면은 직사각형 모양입니다.

1 ☐ 안에 알맞은 말을 써넣으세요.

> 원기둥의 전개도에서 옆면의 세로는 원기둥의 ☐ 와 같습니다.

2 원기둥의 전개도에서 밑면의 둘레와 길이가 같은 선분을 빨간색 선으로 모두 표시해 보세요.

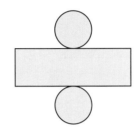

3 원기둥의 전개도가 맞으면 ○표, 틀리면 ✕표 하세요.

(1)

(   )

(2)

(   )

4 원기둥과 전개도를 보고 ☐ 안에 알맞은 수를 써넣으세요. (원주율: 3)

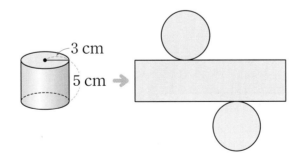

(밑면의 반지름)= ☐ cm

(옆면의 가로)=(밑면의 반지름)× ☐ ×(원주율)= ☐ (cm)

(옆면의 세로)=(원기둥의 높이)= ☐ cm

한 변을 기준으로 직사각형 모양의 종이를 돌렸을 때 만들어지는 원기둥을
붙이고 전개도를 그려 보세요. (원주율: 3)

준비물 붙임딱지

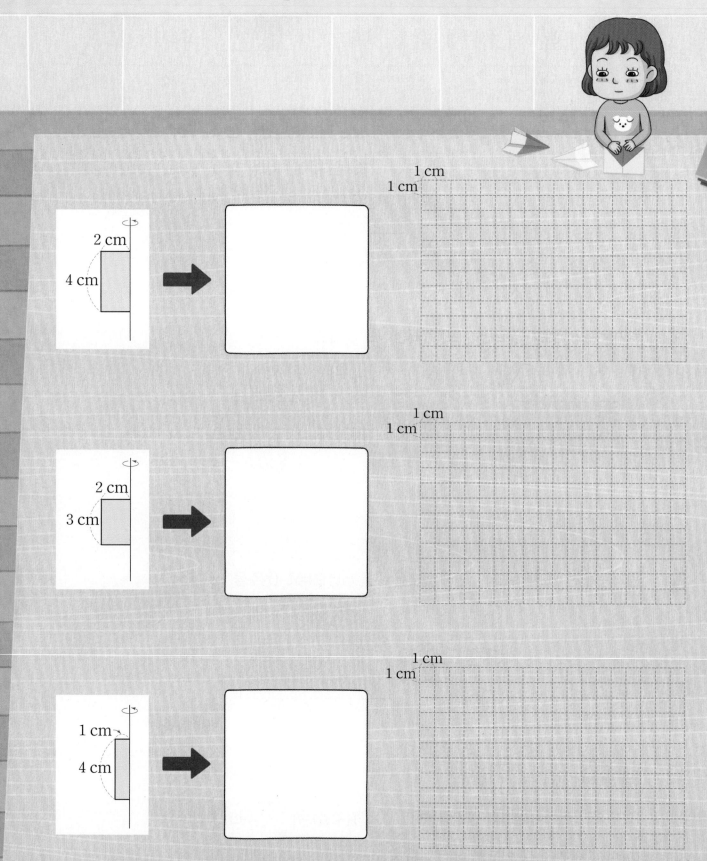

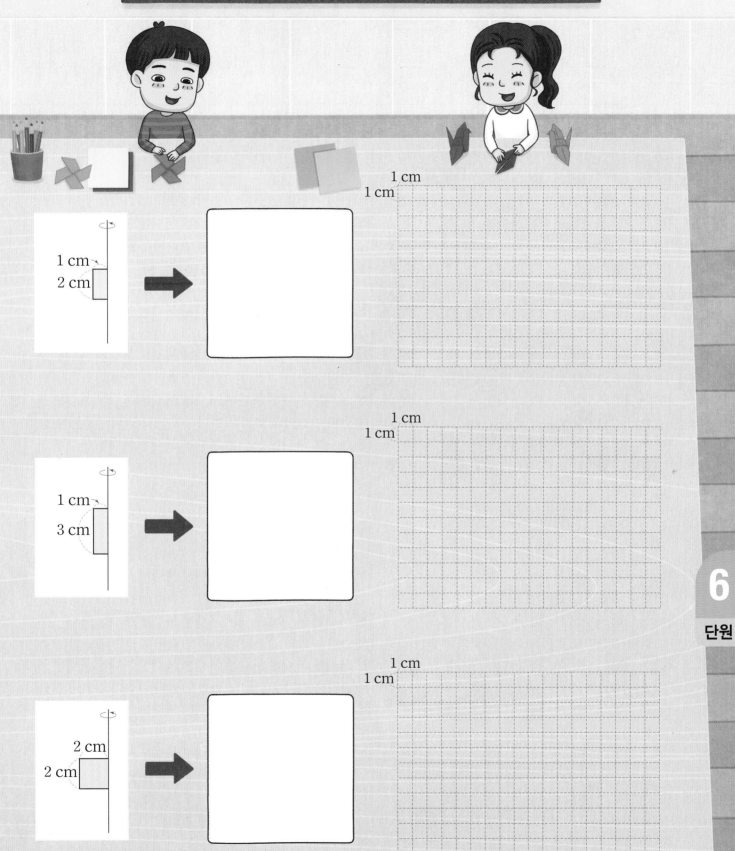

[1~5] 원기둥이면 ○표, 아니면 ×표 하세요.

1

(   )

2
(   )

3
(   )

4
(   )

5
(   )

[6~10] 원기둥에 대한 설명으로 맞으면 ○표,
틀리면 ×표 하세요.

6
밑면의 모양이 원입니다.

(   )

7
옆면이 평평한 면입니다.

(   )

8
꼭짓점이 있습니다.

(   )

9
두 밑면은 합동입니다.

(   )

10
한 변을 기준으로 직각삼각형 모양의
종이를 돌리면 원기둥이 됩니다.

(   )

[11~15] 원기둥의 전개도이면 ○표, 아니면 ✕ 표 하세요.

11
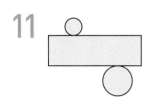
(   )

12
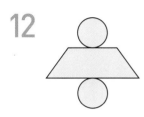
(   )

13
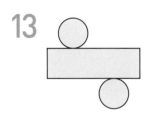
(   )

14
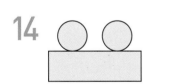
(   )

15
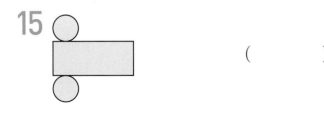
(   )

[16~19] 원기둥과 원기둥의 전개도를 보고 각 부분의 길이를 구해 보세요. (원주율: 3)

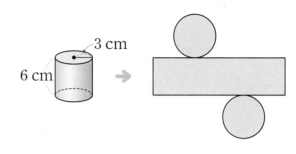

16
밑면의 반지름
(   )

17
밑면의 둘레
(   )

18
옆면의 가로
(   )

6
단원

19
옆면의 세로
(   )

1 원기둥 모양을 모두 찾아 기호를 써 보세요.

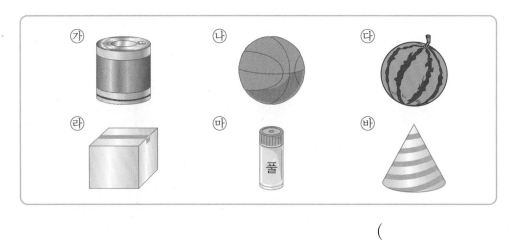

(   )

2 원기둥을 보고 □ 안에 각 부분의 이름을 써넣으세요.

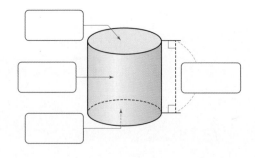

3 원기둥의 밑면을 모두 찾아 색칠해 보세요.

(1)

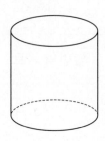

(2)

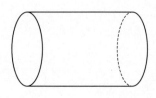

4 원기둥의 전개도를 찾아 기호를 써 보세요.

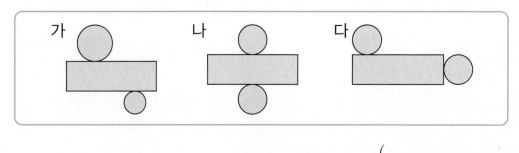

(   )

5 □ 안에 알맞은 말을 써넣으세요.

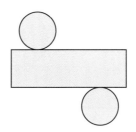

원기둥의 전개도에서 밑면은 □ 모양이고, 옆면은 □ 모양입니다.

6 다음과 같이 한 변을 기준으로 직사각형 모양의 종이를 한 바퀴 돌렸을 때 만들어지는 입체도형을 찾아 기호를 써 보세요.

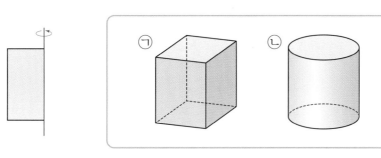

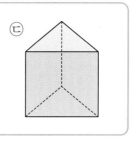

( )

7 원기둥의 높이는 몇 cm인지 구해 보세요.

(1)

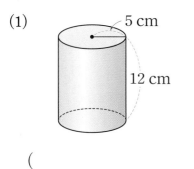

(2)

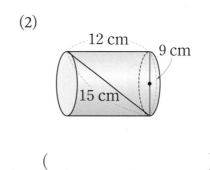

( )   ( )

8 원기둥의 밑면의 둘레는 전개도의 어떤 선분과 길이가 같은지 모두 써 보세요.

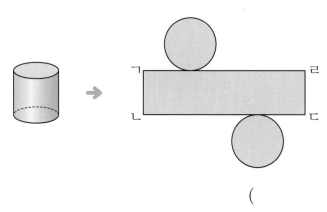

(   )

9 다음 그림이 원기둥의 전개도가 <u>아닌</u> 이유를 써 보세요.

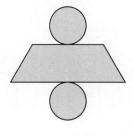

이유 _____

_____

10 원기둥과 원기둥의 전개도를 보고 ☐ 안에 알맞은 수를 써넣으세요. (원주율: 3.14)

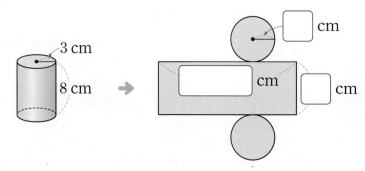

11 원기둥을 관찰하며 나눈 대화를 보고 밑면의 지름과 높이를 구해 보세요.

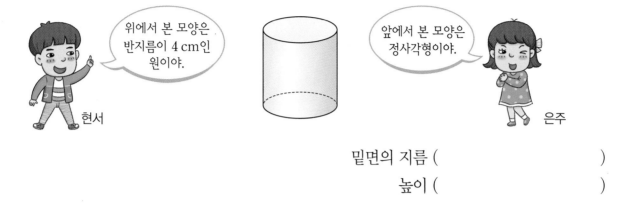

현서: 위에서 본 모양은 반지름이 4 cm인 원이야.

은주: 앞에서 본 모양은 정사각형이야.

밑면의 지름 (   )

높이 (   )

12 원기둥의 전개도를 그려 보세요. (원주율: 3)

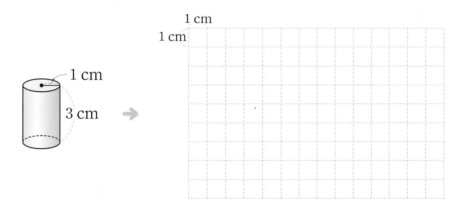

1 cm
3 cm

1 cm
1 cm

13 원기둥과 각기둥의 공통점을 찾아 기호를 써 보세요.

> ㉠ 밑면의 수
> ㉡ 밑면의 모양
> ㉢ 옆면의 수
> ㉣ 옆면의 모양

(   )

6
단원

원뿔 알아보기

, 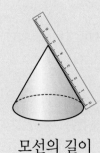,  등과 같은 입체도형을 원뿔이라고 합니다.

- 원뿔에서 평평한 면을 밑면, 옆을 둘러싼 굽은 면을 옆면이라고 합니다.
- 원뿔에서 뾰족한 부분의 점을 원뿔의 꼭짓점이라고 합니다.
- 원뿔에서 원뿔의 꼭짓점과 밑면인 원의 둘레의 한 점을 이은 선분을 모선이라고 합니다. →모선은 무수히 많습니다.
- 원뿔의 꼭짓점에서 밑면에 수직인 선분의 길이를 높이라고 합니다.

원뿔의 꼭짓점

높이   옆면

모선

밑면

- 원뿔의 높이, 모선의 길이, 밑면의 지름 재는 방법 알아보기

| 높이 | 모선의 길이 | 밑면의 지름 |

한 변을 기준으로 직각삼각형 모양의 종이를 돌리면 원뿔이 됩니다.

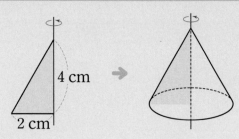

4 cm
2 cm

밑면의 지름: 4 cm —→ 밑면의 반지름: 2 cm
높이: 4 cm

🎮 **개념 Check** ○

🎓 입체도형을 보고 이름을 찾아 ○표 하세요.

　 원뿔　 원기둥

1 원뿔을 찾아 기호를 써 보세요.

가 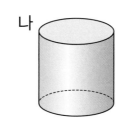　　나 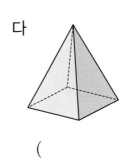　　다

(　　　　　　　　)

2 보기 에서 ☐ 안에 알맞은 말을 찾아 써넣으세요.

보기

원뿔의 꼭짓점　모선　높이

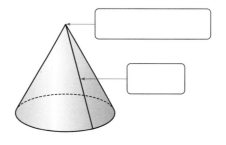

3 다음 그림은 원뿔의 무엇을 재는 것인지 ○표 하세요.

(높이 , 모선의 길이 , 밑면의 지름)

6

단원

4 한 변을 기준으로 직각삼각형 모양의 종이를 돌렸을 때 만들어지는 입체도형의 이름을 써 보세요.

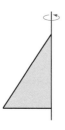

(　　　　　　　　)

개념 ④ 구 알아보기

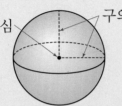, 등과 같은 입체도형을 구라고 합니다.

구의 중심 ⟍   구의 반지름

구에서 가장 안쪽에 있는 점을 구의 중심이라고 합니다. 구의 중심에서 구의 겉면의 한 점을 이은 선분을 구의 반지름이라고 합니다.
└─ 무수히 많습니다.

지름을 기준으로 반원 모양의 종이를 돌리면 구가 됩니다.

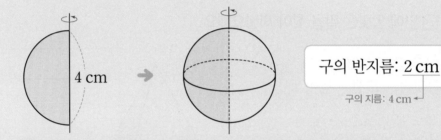

4 cm →

구의 반지름: 2 cm
└─ 구의 지름: 4 cm

개념 ⑤ 여러 가지 모양 만들기

• 원기둥, 원뿔, 구를 위, 앞, 옆에서 본 모양 알아보기

입체도형	위에서 본 모양	앞에서 본 모양	옆에서 본 모양
원기둥	○	□	□ 직사각형
원뿔	○	△	△ 이등변 삼각형
구	○	○	○

개념 Check

🎓 설명이 맞으면 ◯표, 틀리면 ✕표 하세요.

구를 앞에서 본 모양은 원입니다.

1 구를 찾아 기호를 써 보세요.

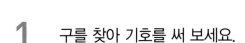

가   나   다

(   )

2 ☐ 안에 알맞은 말을 써넣으세요.

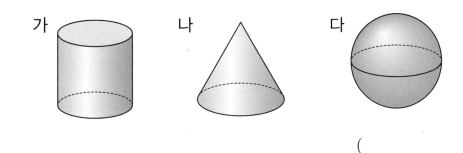

3 지름을 기준으로 반원 모양의 종이를 돌렸을 때 만들어지는 입체도형의 이름을 써 보세요.

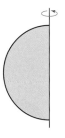

(   )

6

단원

4 ☐ 안에 알맞은 말을 써넣으세요.

> 원기둥, 원뿔, 구를 위에서 본 모양은 모두 ☐입니다.

손님이 찾는 물건을 찾아 알맞은 붙임딱지를 붙여 보세요.

준비물 붙임딱지

집중! 드릴 문제

[1~5] 원뿔이면 ◯표, 아니면 ✕표 하세요.

1

(   )

2

(   )

3

(   )

4
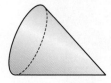
(   )

5

(   )

[6~8] 원뿔의 모선의 길이, 높이, 밑면의 지름을 각각 구해 보세요.

6
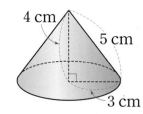

4 cm 5 cm 3 cm

모선의 길이 (   )

높이 (   )

밑면의 지름 (   )

7
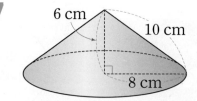

6 cm 10 cm 8 cm

모선의 길이 (   )

높이 (   )

밑면의 지름 (   )

8
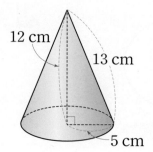

12 cm 13 cm 5 cm

모선의 길이 (   )

높이 (   )

밑면의 지름 (   )

[9~13] 구 모양이면 ◯표, 아니면 ✕표 하세요.

9

(   )

10

(   )

11

(   )

12

(   )

13

(   )

[14~19] 입체도형을 보고 알맞은 모양에 ◯표 하세요.

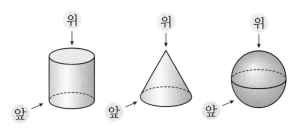

14 원기둥을 위에서 본 모양

15 원기둥을 앞에서 본 모양

16 원뿔을 위에서 본 모양

17 원뿔을 앞에서 본 모양

18 구를 위에서 본 모양

(◯ , △ , ▢)

19 구를 앞에서 본 모양

1 구 모양의 물건에 ◯표 하세요.

(   )   (   )   (   )

2 입체도형을 이용하여 다음 모양을 만들었습니다. 각각의 입체도형을 몇 개 사용하였는지 구해 보세요.

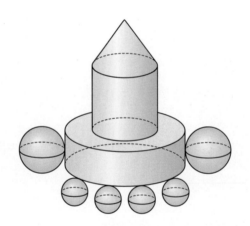

원기둥 (   )

원뿔 (   )

구 (   )

3 밑면의 지름은 몇 cm인지 구해 보세요.

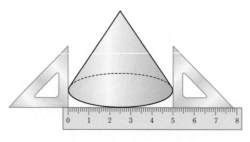

(   )

정답과 풀이 p.42

4 원뿔의 밑면에 색칠해 보세요.

(1)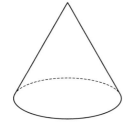

(2)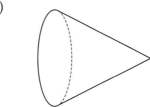

5 입체도형을 위, 앞, 옆에서 본 모양을 보기 에서 골라 그려 보세요.

보기

입체도형	위에서 본 모양	앞에서 본 모양	옆에서 본 모양
(구)			
(원뿔)			

6 구의 반지름을 구해 보세요.

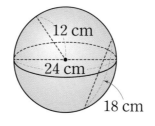

12 cm
24 cm
18 cm

(   )

6
단원

7 원뿔의 무엇을 재는 그림인지 알맞게 선으로 이어 보세요.

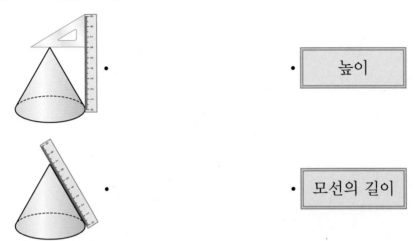

높이

모선의 길이

8 한 변을 기준으로 직각삼각형 모양의 종이를 돌려 만든 입체도형을 보고, 높이와 밑면의 지름을 구해 보세요.

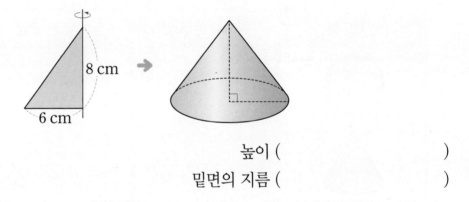

높이 ( )

밑면의 지름 ( )

9 지름을 기준으로 반원 모양의 종이를 한 바퀴 돌렸을 때 만들어지는 입체도형의 반지름은 몇 cm인지 구해 보세요.

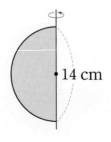

14 cm

( )

정답과 풀이 p.42

10 입체도형을 보고 빈칸에 알맞은 말이나 수를 써넣으세요.

입체도형	위↓ 앞↗	위↓ 앞↗
밑면의 모양	삼각형	
밑면의 수(개)		
위에서 본 모양		
앞에서 본 모양		

11 밑면의 수가 많은 순서대로 기호를 써 보세요.

> ㉠ 원기둥　　　㉡ 원뿔　　　㉢ 구

(　　　　　　　)

12 구를 옆에서 본 모양의 둘레는 몇 cm인지 구해 보세요. (원주율: 3)

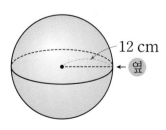

12 cm ← 옆

(　　　　　　　)

[1~4] 도형을 보고 물음에 답하세요.

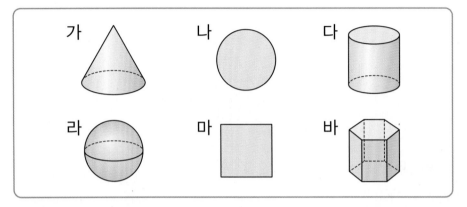

1 입체도형을 모두 찾아 기호를 써 보세요.

( )

2 원기둥을 찾아 기호를 써 보세요.

( )

3 원뿔을 찾아 기호를 써 보세요.

( )

4 구를 찾아 기호를 써 보세요.

( )

5 알맞은 말에 ◯표 하세요.

1개의 구에서 구의 반지름은 모두 (같습니다 , 다릅니다).

6 원기둥의 밑면의 반지름을 구해 보세요.

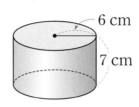

(   )

7 원뿔에서 모선의 길이는 몇 cm인지 구해 보세요.

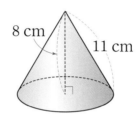

(   )

8 구의 반지름을 구해 보세요.

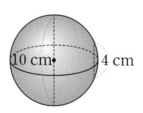

(   )

9 다음 모양의 종이를 한 바퀴 돌려서 만들어진 입체도형으로 알맞은 것끼리 선으로 이어 보세요.

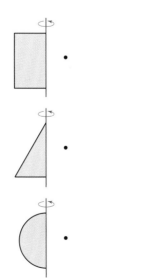

 구

 원뿔

원기둥

10 원기둥과 원기둥의 전개도를 보고 ☐ 안에 알맞은 수를 써넣으세요. (원주율: 3)

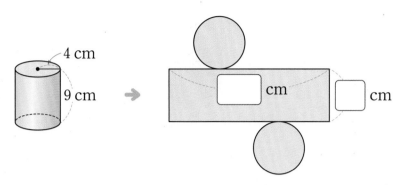

11 입체도형을 보고 표를 채워 보세요.

입체도형	밑면의 모양	밑면의 수(개)	앞에서 본 모양
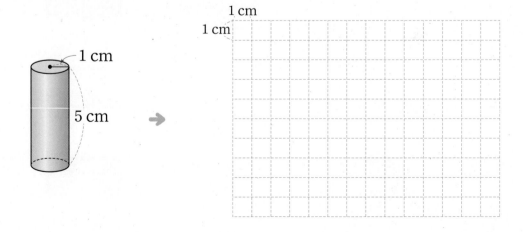			

12 원기둥의 전개도를 완성해 보세요. (원주율: 3)

10~11쪽

3	8	$1\frac{4}{5}$	$\frac{7}{11}$	$1\frac{15}{16}$
6	$\frac{10}{13}$	5	$1\frac{6}{7}$	$2\frac{1}{3}$	9
$\frac{14}{15}$	7	$\frac{7}{12}$	4	$\frac{16}{25}$	2

22~23쪽

9	8	$1\frac{3}{4}$	$\frac{7}{10}$
$6\frac{3}{7}$	$\frac{10}{21}$	$\frac{2}{3}$	$4\frac{4}{5}$	$2\frac{5}{14}$
$\frac{20}{21}$	20	$5\frac{5}{8}$	$1\frac{4}{5}$	$\frac{21}{22}$
$4\frac{4}{15}$	$1\frac{1}{3}$	$3\frac{1}{4}$	12	$1\frac{5}{7}$

38~39쪽

| 5 | 8 | 16 | 21 | 23 | 24 | 33 | 35 |

| 1.2 | 2.3 | 2.4 | 2.7 | 3.5 | 3.6 | 4.7 | 6.7 |

50~51쪽

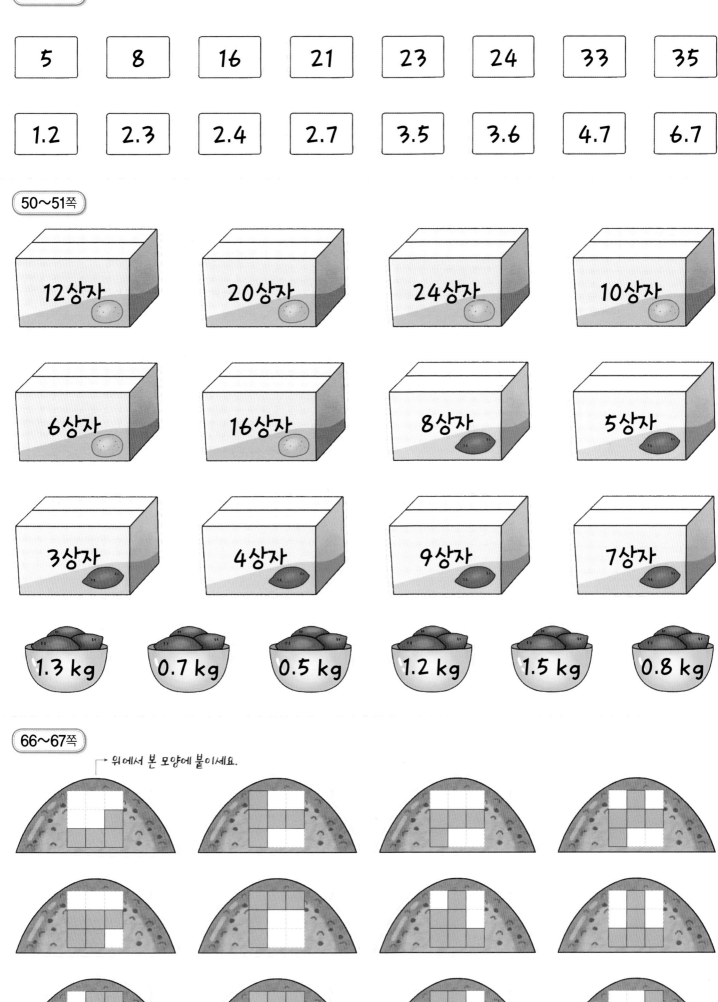

12상자 20상자 24상자 10상자

6상자 16상자 8상자 5상자

3상자 4상자 9상자 7상자

1.3 kg 0.7 kg 0.5 kg 1.2 kg 1.5 kg 0.8 kg

66~67쪽

→ 위에서 본 모양에 붙이세요.

앞에서 본 모양에 붙이세요.

옆에서 본 모양에 붙이세요.

1층 모양에 붙이세요.

앞

2층 모양에 붙이세요.

앞

3층 모양에 붙이세요.

앞

94~95쪽

5 : 4   10 : 7   5 : 8   9 : 10

7 : 3   2 : 5   6 : 7   4 : 7   25 : 21

33 : 107   5 : 1   24 : 5   12 : 25   7 : 2

4 : 3   5 : 7   12 : 7   10 : 3   3 : 5

3 : 4   9 : 4   16 : 5   12 : 5   25 : 28

106쪽

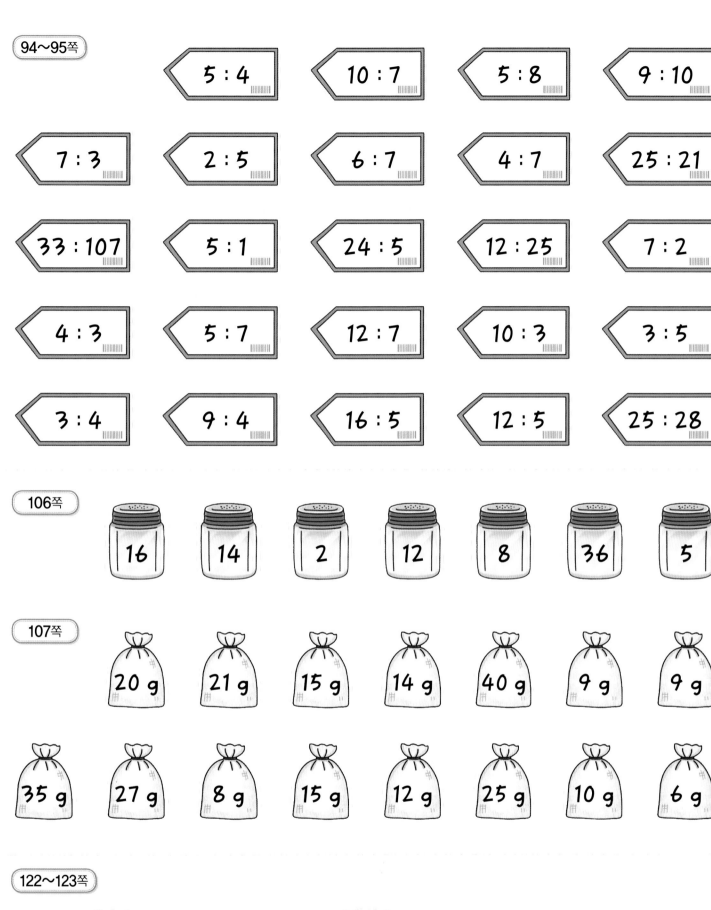

16   14   2   12   8   36   5

107쪽

20 g   21 g   15 g   14 g   40 g   9 g   9 g

35 g   27 g   8 g   15 g   12 g   25 g   10 g   6 g

122~123쪽

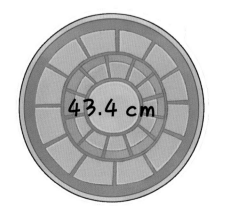
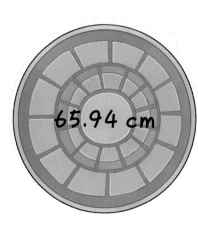
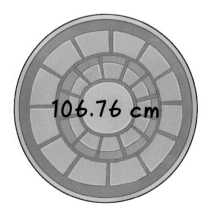

43.4 cm   65.94 cm   106.76 cm

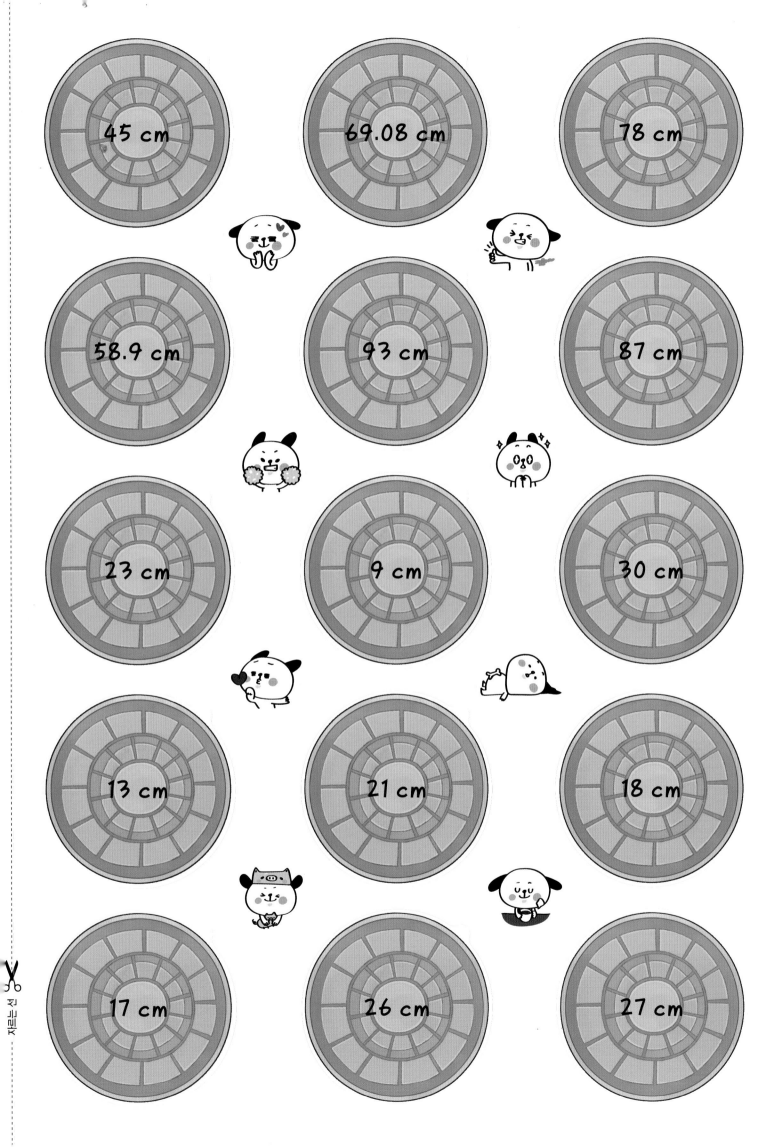

75 cm² · 363 cm² · 111.6 cm²

907.46 cm² · 1639.9 cm² · 607.6 cm² · 1083 cm²

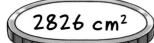

2826 cm² · 27.9 cm² · 153.86 cm² · 12 cm²

446.4 cm² · 972 cm² · 300 cm² · 706.5 cm²

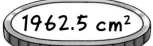

1962.5 cm² · 200.96 cm² · 1240 cm² · 100 cm²

2 cm 3 cm 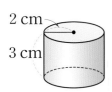 · 2 cm 4 cm  · 2 cm 3 cm · 4 cm 4 cm 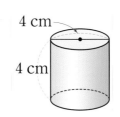 · 4 cm 2 cm 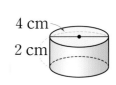 · 1 cm 2 cm

자르는 선

Go!
마쓰

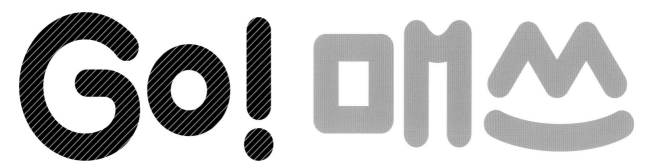

Start
교과서 개념

정답과 풀이 　수학 6-2

열심히
풀었으니까,
한 번 맞춰 볼까?

Go! 매쓰 Start

정답과 풀이

수학 **6**-2

교과서 개념 잡기

정답과 풀이 p.2

개념 ① 분모가 같은 (분수)÷(분수) 알아보기

• (분수)÷(단위분수)

$\frac{3}{4} \div \frac{1}{4}$

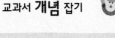

$\frac{3}{4}$에서 $\frac{1}{4}$을 3번 덜어 낼 수 있습니다.

➡ $\frac{3}{4} \div \frac{1}{4} = 3$

• 분자끼리 나누어떨어지는 (분수)÷(분수)

$\frac{6}{7} \div \frac{2}{7}$

$\frac{6}{7}$은 $\frac{1}{7}$이 6개이고 $\frac{2}{7}$는 $\frac{1}{7}$이 2개입니다.

➡ $\frac{6}{7} \div \frac{2}{7} = 6 \div 2 = 3$

• 분자끼리 나누어떨어지지 않는 (분수)÷(분수)

$\frac{5}{7} \div \frac{2}{7}$

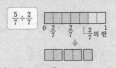

$\frac{5}{7}$를 $\frac{2}{7}$씩 묶으면 $\frac{2}{7}$ 2묶음과 1묶음의 반, 즉 $\frac{1}{2}$묶음이 되므로 $2\frac{1}{2}$입니다.

➡ $\frac{5}{7} \div \frac{2}{7} = 2\frac{1}{2}$

$\frac{5}{7} \div \frac{2}{7}$

$5 \div 2$

$\frac{5}{7}$는 $\frac{1}{7}$이 5개이고 $\frac{2}{7}$는 $\frac{1}{7}$이 2개이므로 $\frac{5}{7} \div \frac{2}{7}$는 5÷2를 계산한 결과와 같습니다.

➡ $\frac{5}{7} \div \frac{2}{7} = 5 \div 2 = \frac{5}{2} = 2\frac{1}{2}$

분모가 같은 분수끼리의 나눗셈은 분자끼리의 나눗셈과 같습니다.

개념 Check

$\frac{4}{5} \div \frac{1}{5}$의 몫을 구하는 과정을 바르게 나타낸 사람에게 ○표 하세요.

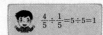 $\frac{4}{5} \div \frac{1}{5} = 5 \div 5 = 1$

 $\frac{4}{5} \div \frac{1}{5} = 4 \div 1 = 4$

6 · Start 6-2

---

1 그림을 보고 □ 안에 알맞은 수를 써넣으세요.

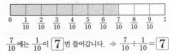

$\frac{7}{10}$에는 $\frac{1}{10}$이 **7**번 들어갑니다. ➡ $\frac{7}{10} \div \frac{1}{10} = $ **7**

2 □ 안에 알맞은 수를 써넣으세요.

$\frac{8}{9}$은 $\frac{1}{9}$이 **8**개이고 $\frac{2}{9}$는 $\frac{1}{9}$이 **2**개이므로 $\frac{8}{9} \div \frac{2}{9} = $ **4** 입니다.

❖ $\frac{8}{9}$은 $\frac{1}{9}$이 8개이고 $\frac{2}{9}$는 $\frac{1}{9}$이 2개이므로 $\frac{8}{9} \div \frac{2}{9}$는 8÷2를 계산한 결과와 같습니다.

3 □ 안에 알맞은 수를 써넣으세요.

(1) $\frac{7}{8} \div \frac{3}{8} = $ **7** $\div$ **3** $= \frac{7}{3} = 2\frac{1}{3}$

(2) $\frac{11}{13} \div \frac{4}{13} = $ **11** $\div$ **4** $= \frac{11}{4} = 2\frac{3}{4}$

❖ 분모가 같은 분수끼리의 나눗셈은 분자끼리의 나눗셈과 같습니다.

4 계산해 보세요.

(1) $\frac{5}{6} \div \frac{1}{6} = 5$

(2) $\frac{10}{11} \div \frac{5}{11} = 2$

(3) $\frac{13}{14} \div \frac{9}{14} = 1\frac{4}{9}$

(4) $\frac{12}{17} \div \frac{5}{17} = 2\frac{2}{5}$

❖ (1) $\frac{5}{6} \div \frac{1}{6} = 5 \div 1 = 5$ (2) $\frac{10}{11} \div \frac{5}{11} = 10 \div 5 = 2$

(3) $\frac{13}{14} \div \frac{9}{14} = 13 \div 9 = \frac{13}{9} = 1\frac{4}{9}$ (4) $\frac{12}{17} \div \frac{5}{17} = 12 \div 5 = \frac{12}{5} = 2\frac{2}{5}$

1. 분수의 나눗셈 · 7

교과서 개념 잡기

정답과 풀이 p.2

개념 ② 분모가 다른 (분수)÷(분수) 알아보기

• 분자끼리 나누어떨어지는 (분수)÷(분수)

$\frac{3}{4} \div \frac{3}{8}$

분모를 같게 통분하면 분모가 같은 (분수)÷(분수)와 같은 방법으로 계산할 수 있습니다.

$\frac{3}{4}$에는 $\frac{3}{8}$이 2번 들어갑니다. ➡ $\frac{3}{4} \div \frac{3}{8} = \frac{6}{8} \div \frac{3}{8} = 6 \div 3 = 2$

• 분자끼리 나누어떨어지지 않는 (분수)÷(분수)

$\frac{1}{2} \div \frac{1}{3}$

분모의 곱이나 최소공배수를 공통분모로 하여 통분합니다.

$\frac{1}{2}$에는 $\frac{1}{3}$이 1번 들어가고 $\frac{1}{3}$의 반 $\left(= \frac{1}{2}\right)$이 남습니다.

➡ $\frac{1}{2} \div \frac{1}{3} = \frac{3}{6} \div \frac{2}{6} = 3 \div 2 = \frac{3}{2} = 1\frac{1}{2}$

분모가 다른 (분수)÷(분수)의 계산
분모를 같게 통분합니다. ➡ 분자끼리의 나눗셈을 계산합니다.

개념 Check

$\frac{2}{3} \div \frac{1}{6}$의 몫을 구하는 과정을 바르게 나타낸 사람에게 ○표 하세요.

 $\frac{2}{3} \div \frac{1}{6} = \frac{4}{6} \div \frac{1}{6} = 4 \div 1 = 4$

$\frac{2}{3} \div \frac{1}{6} = 2 \div 1 = 2$

8 · Start 6-2

---

1 그림을 보고 □ 안에 알맞은 수를 써넣으세요.

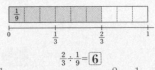

$\frac{2}{3} \div \frac{1}{9} = $ **6**

❖ $\frac{2}{3}$에는 $\frac{1}{9}$이 6번 들어갑니다. 따라서 $\frac{2}{3} \div \frac{1}{9} = 6$입니다.

2 □ 안에 알맞은 수를 써넣으세요.

(1) $\frac{4}{5} \div \frac{2}{15} = \frac{12}{15} \div \frac{2}{15} = $ **12** $\div 2 = $ **6**

(2) $\frac{5}{6} \div \frac{5}{24} = \frac{20}{24} \div \frac{5}{24} = $ **20** $\div 5 = $ **4**

❖ 분모가 다른 (분수)÷(분수)는 분모를 같게 통분하여 계산합니다.

3 보기 와 같이 계산해 보세요.

보기

$\frac{5}{8} \div \frac{2}{5} = \frac{25}{40} \div \frac{16}{40} = 25 \div 16 = \frac{25}{16} = 1\frac{9}{16}$

$\frac{5}{7} \div \frac{4}{9} = \frac{45}{63} \div \frac{28}{63} = 45 \div 28 = \frac{45}{28} = 1\frac{17}{28}$

❖ (1) $\frac{4}{7} \div \frac{1}{14} = \frac{8}{14} \div \frac{1}{14} = 8 \div 1 = 8$

4 계산해 보세요.

(1) $\frac{4}{7} \div \frac{1}{14} = 8$

(2) $\frac{7}{12} \div \frac{7}{36} = 3$

(3) $\frac{2}{5} \div \frac{3}{7} = \frac{14}{15}$

(4) $\frac{9}{10} \div \frac{7}{9} = 1\frac{11}{70}$

(2) $\frac{7}{12} \div \frac{7}{36} = \frac{21}{36} \div \frac{7}{36} = 21 \div 7 = 3$

1. 분수의 나눗셈 · 9

(3) $\frac{2}{5} \div \frac{3}{7} = \frac{14}{35} \div \frac{15}{35} = 14 \div 15 = \frac{14}{15}$

(4) $\frac{9}{10} \div \frac{7}{9} = \frac{81}{90} \div \frac{70}{90} = 81 \div 70 = \frac{81}{70} = 1\frac{11}{70}$

교과서 개념 play · 선글라스 고치기

선글라스 렌즈가 한 개씩 깨졌습니다. 나눗셈의 몫이 써 있는 렌즈 붙임딱지를 붙여서 선글라스를 고쳐 보세요.

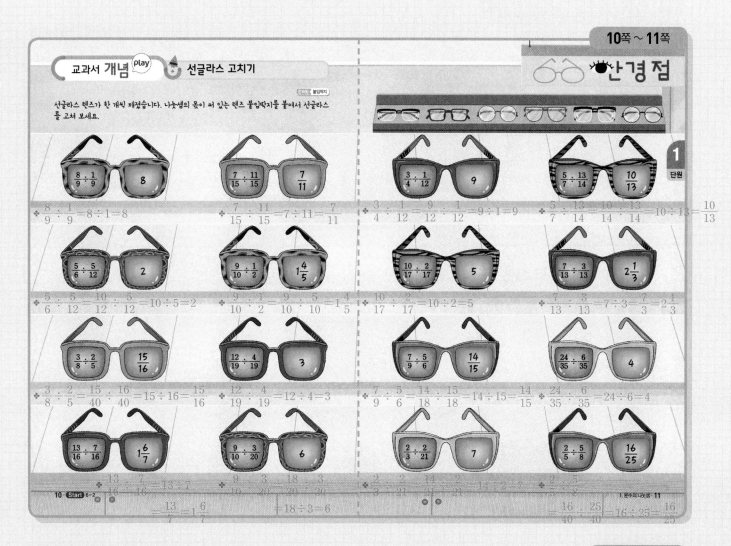

집중! 드릴 문제

정답과 풀이 p.3

[1~5] 계산해 보세요.

1 $\frac{4}{5} \div \frac{2}{5} = 2$

❖ $\frac{4}{5} \div \frac{2}{5} = 4 \div 2 = 2$

2 $\frac{8}{9} \div \frac{4}{9} = 2$

❖ $\frac{8}{9} \div \frac{4}{9} = 8 \div 4 = 2$

3 $\frac{12}{13} \div \frac{3}{13} = 4$

❖ $\frac{12}{13} \div \frac{3}{13} = 12 \div 3 = 4$

4 $\frac{15}{17} \div \frac{5}{17} = 3$

❖ $\frac{15}{17} \div \frac{5}{17} = 15 \div 5 = 3$

5 $\frac{18}{23} \div \frac{6}{23} = 3$

❖ $\frac{18}{23} \div \frac{6}{23} = 18 \div 6 = 3$

[6~10] 계산해 보세요.

6 $\frac{5}{8} \div \frac{3}{8} = 1\frac{2}{3}$

❖ $\frac{5}{8} \div \frac{3}{8} = 5 \div 3 = \frac{5}{3} = 1\frac{2}{3}$

7 $\frac{9}{10} \div \frac{7}{10} = 1\frac{2}{7}$

❖ $\frac{9}{10} \div \frac{7}{10} = 9 \div 7 = \frac{9}{7} = 1\frac{2}{7}$

8 $\frac{13}{14} \div \frac{5}{14} = 2\frac{3}{5}$

❖ $\frac{13}{14} \div \frac{5}{14} = 13 \div 5$
$= \frac{13}{5} = 2\frac{3}{5}$

9 $\frac{13}{19} \div \frac{6}{19} = 2\frac{1}{6}$

❖ $\frac{13}{19} \div \frac{6}{19} = 13 \div 6$
$= \frac{13}{6} = 2\frac{1}{6}$

10 $\frac{20}{27} \div \frac{11}{27} = 1\frac{9}{11}$

❖ $\frac{20}{27} \div \frac{11}{27} = 20 \div 11$
$= \frac{20}{11} = 1\frac{9}{11}$

[11~15] 계산해 보세요.

11 $\frac{3}{5} \div \frac{3}{10} = 2$

❖ $\frac{3}{5} \div \frac{3}{10} = \frac{6}{10} \div \frac{3}{10}$
$= 6 \div 3 = 2$

12 $\frac{4}{7} \div \frac{2}{21} = 6$

❖ $\frac{4}{7} \div \frac{2}{21} = \frac{12}{21} \div \frac{2}{21}$
$= 12 \div 2 = 6$

13 $\frac{2}{3} \div \frac{3}{18} = 4$

❖ $\frac{2}{3} \div \frac{3}{18} = \frac{12}{18} \div \frac{3}{18}$
$= 12 \div 3 = 4$

14 $\frac{8}{14} \div \frac{4}{7} = 1$

❖ $\frac{8}{14} \div \frac{4}{7} = \frac{8}{14} \div \frac{8}{14}$
$= 8 \div 8 = 1$

15 $\frac{18}{33} \div \frac{2}{11} = 3$

❖ $\frac{18}{33} \div \frac{2}{11} = \frac{18}{33} \div \frac{6}{33}$
$= 18 \div 6 = 3$

[16~20] 계산해 보세요.

16 $\frac{2}{5} \div \frac{3}{7} = \frac{14}{15}$

❖ $\frac{2}{5} \div \frac{3}{7} = \frac{14}{35} \div \frac{15}{35}$
$= 14 \div 15 = \frac{14}{15}$

17 $\frac{7}{9} \div \frac{4}{5} = \frac{35}{36}$

❖ $\frac{7}{9} \div \frac{4}{5} = \frac{35}{45} \div \frac{36}{45}$
$= 35 \div 36 = \frac{35}{36}$

18 $\frac{3}{4} \div \frac{2}{3} = 1\frac{1}{8}$

❖ $\frac{3}{4} \div \frac{2}{3} = \frac{9}{12} \div \frac{8}{12}$
$= 9 \div 8 = \frac{9}{8} = 1\frac{1}{8}$

19 $\frac{7}{8} \div \frac{5}{6} = 1\frac{1}{20}$

❖ $\frac{7}{8} \div \frac{5}{6} = \frac{21}{24} \div \frac{20}{24} = 21 \div 20$
$= \frac{21}{20} = 1\frac{1}{20}$

20 $\frac{5}{7} \div \frac{4}{9} = 1\frac{17}{28}$

❖ $\frac{5}{7} \div \frac{4}{9} = \frac{45}{63} \div \frac{28}{63} = 45 \div 28$
$= \frac{45}{28}$
$= 1\frac{17}{28}$

교과서 **개념 확인 문제**

정답과 풀이 p.4

1 □안에 알맞은 수를 써넣으세요.

$\dfrac{15}{19}$는 $\dfrac{1}{19}$이 $\boxed{15}$개이고 $\dfrac{5}{19}$는 $\dfrac{1}{19}$이 $\boxed{5}$개이므로 $\dfrac{15}{19} \div \dfrac{5}{19} = \boxed{3}$입니다.

❖ $\dfrac{15}{19}$는 $\dfrac{1}{19}$이 15개이고 $\dfrac{5}{19}$는 $\dfrac{1}{19}$이 5개이므로 $\dfrac{15}{19} \div \dfrac{5}{19}$는 15÷5를 계산한 결과와 같습니다.

2 □안에 알맞은 수를 써넣으세요.

(1) $\dfrac{8}{9} \div \dfrac{5}{9} = \boxed{8} \div \boxed{5} = \dfrac{\boxed{8}}{\boxed{5}} = 1\dfrac{\boxed{3}}{\boxed{5}}$

(2) $\dfrac{10}{11} \div \dfrac{3}{11} = \boxed{10} \div \boxed{3} = \dfrac{\boxed{10}}{\boxed{3}} = 3\dfrac{\boxed{1}}{\boxed{3}}$

❖ 분모가 같은 분수끼리의 나눗셈은 분자끼리의 나눗셈과 같습니다.

3 관계있는 것끼리 선으로 이어 보세요.

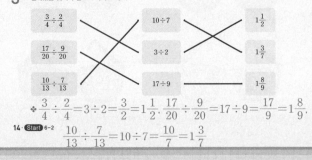

❖ $\dfrac{3}{4} \div \dfrac{2}{4} = 3 \div 2 = \dfrac{3}{2} = 1\dfrac{1}{2}$, $\dfrac{17}{20} \div \dfrac{9}{20} = 17 \div 9 = \dfrac{17}{9} = 1\dfrac{8}{9}$,

$\dfrac{10}{13} \div \dfrac{7}{13} = 10 \div 7 = \dfrac{10}{7} = 1\dfrac{3}{7}$

4 보기와 같이 계산해 보세요.

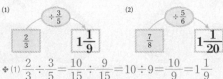
보기
$\dfrac{4}{5} \div \dfrac{2}{15} = \dfrac{12}{15} \div \dfrac{2}{15} = 12 \div 2 = 6$

$\dfrac{2}{3} \div \dfrac{3}{18} = \dfrac{12}{18} \div \dfrac{3}{18} = 12 \div 3 = 4$

❖ 분모가 다른 분수의 나눗셈은 분모를 통분한 후 분자끼리 나누어 계산합니다.

5 계산해 보세요.

(1) $\dfrac{4}{9} \div \dfrac{1}{9} = 4$ (2) $\dfrac{8}{11} \div \dfrac{4}{11} = 2$

(3) $\dfrac{5}{6} \div \dfrac{5}{24} = 4$ (4) $\dfrac{6}{15} \div \dfrac{1}{5} = 2$

❖ (3) $\dfrac{5}{6} \div \dfrac{5}{24} = \dfrac{20}{24} \div \dfrac{5}{24} = 20 \div 5 = 4$

6 빈칸에 알맞은 수를 써넣으세요.

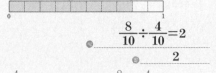

(1) $\boxed{\dfrac{2}{3}} \xrightarrow{\div \frac{3}{5}} \boxed{1\dfrac{1}{9}}$ (2) $\boxed{\dfrac{7}{8}} \xrightarrow{\div \frac{5}{6}} \boxed{1\dfrac{1}{20}}$

❖ (1) $\dfrac{2}{3} \div \dfrac{3}{5} = \dfrac{10}{15} \div \dfrac{9}{15} = 10 \div 9 = \dfrac{10}{9} = 1\dfrac{1}{9}$

7 잘못 계산한 부분을 찾아 바르게 계산해 보세요.

$\dfrac{8}{9} \div \dfrac{5}{6} = 8 \div 5 = \dfrac{8}{5} = 1\dfrac{3}{5}$

예 $\dfrac{8}{9} \div \dfrac{5}{6} = \dfrac{16}{18} \div \dfrac{15}{18} = 16 \div 15 = \dfrac{16}{15} = 1\dfrac{1}{15}$

❖ 분모를 같게 통분하지 않고 분자끼리 나누어 계산하였습니다.

1. 분수의 나눗셈 · **15**

교과서 **개념 확인 문제**

정답과 풀이 p.4

8 가장 큰 수를 가장 작은 수로 나눈 몫을 구해 보세요.

$\dfrac{5}{13}$ $\dfrac{2}{13}$ $\dfrac{9}{13}$ $\dfrac{12}{13}$

(**6**)

❖ $\dfrac{12}{13} > \dfrac{9}{13} > \dfrac{5}{13} > \dfrac{2}{13}$이므로 $\dfrac{12}{13} \div \dfrac{2}{13} = 12 \div 2 = 6$입니다.

9 계산 결과를 비교하여 ○안에 >, =, <를 알맞게 써넣으세요.

$\dfrac{7}{16} \div \dfrac{3}{16}$ ＜ $\dfrac{9}{10} \div \dfrac{3}{10}$

❖ $\dfrac{7}{16} \div \dfrac{3}{16} = 7 \div 3 = \dfrac{7}{3} = 2\dfrac{1}{3}$, $\dfrac{9}{10} \div \dfrac{3}{10} = 9 \div 3 = 3$

➡ $2\dfrac{1}{3} < 3$

10 계산 결과가 다른 하나를 찾아 ○표 하세요.

$\dfrac{5}{6} \div \dfrac{5}{12}$ $\dfrac{4}{5} \div \dfrac{2}{15}$ $\dfrac{8}{14} \div \dfrac{2}{7}$

(   )   (○)   (   )

❖ $\dfrac{5}{6} \div \dfrac{5}{12} = \dfrac{10}{12} \div \dfrac{5}{12} = 10 \div 5 = 2$, $\dfrac{4}{5} \div \dfrac{2}{15} = \dfrac{12}{15} \div \dfrac{2}{15} = 12 \div 2 = 6$,

$\dfrac{8}{14} \div \dfrac{2}{7} = \dfrac{8}{14} \div \dfrac{4}{14} = 8 \div 4 = 2$

11 계산 결과가 1보다 큰 것을 찾아 기호를 써 보세요.

㉠ $\dfrac{2}{5} \div \dfrac{3}{7}$ ㉡ $\dfrac{7}{9} \div \dfrac{4}{5}$ ㉢ $\dfrac{5}{6} \div \dfrac{3}{4}$

(㉢)

❖ ㉠ $\dfrac{2}{5} \div \dfrac{3}{7} = \dfrac{14}{35} \div \dfrac{15}{35} = 14 \div 15 = \dfrac{14}{15} < 1$

㉡ $\dfrac{7}{9} \div \dfrac{4}{5} = \dfrac{35}{45} \div \dfrac{36}{45} = 35 \div 36 = \dfrac{35}{36} < 1$

㉢ $\dfrac{5}{6} \div \dfrac{3}{4} = \dfrac{10}{12} \div \dfrac{9}{12} = 10 \div 9 = \dfrac{10}{9} = 1\dfrac{1}{9} > 1$

12 그림에 알맞은 진분수끼리의 나눗셈식을 만들고 답을 구해 보세요.

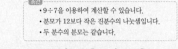

$\dfrac{8}{10} \div \dfrac{4}{10} = 2$

2

❖ $\dfrac{8}{10}$에는 $\dfrac{4}{10}$가 2번 들어갑니다. ➡ $\dfrac{8}{10} \div \dfrac{4}{10} = 2$

13 조건을 만족하는 분수의 나눗셈식을 모두 쓰려고 합니다. □안에 알맞은 수를 써넣으세요.

조건
• 9÷7을 이용하여 계산할 수 있습니다.
• 분모가 12보다 작은 진분수의 나눗셈입니다.
• 두 분수의 분모는 같습니다.

예 $\dfrac{9}{\boxed{10}} \div \dfrac{7}{\boxed{10}}, \dfrac{9}{\boxed{11}} \div \dfrac{7}{\boxed{11}}$

❖ $\dfrac{9}{□} \div \dfrac{7}{□}$에서 □는 12보다 작고 $\dfrac{9}{□}$와 $\dfrac{7}{□}$은 진분수이므로

14 □안에 알맞은 수를 구해 보세요.

$\dfrac{9}{10} \div \dfrac{7}{10}, \dfrac{9}{11} \div \dfrac{7}{11}$입니다.

$\boxed{} \times \dfrac{3}{32} = \dfrac{3}{8}$

(4)

❖ $□ = \dfrac{3}{8} \div \dfrac{3}{32} = \dfrac{12}{32} \div \dfrac{3}{32} = 12 \div 3 = 4$

15 피자 한 판 중 선혜는 $\dfrac{1}{6}$을 먹었고, 재상이는 $\dfrac{5}{8}$를 먹었습니다. 재상이가 먹은 피자의 양은 선혜가 먹은 피자의 양의 몇 배인지 구해 보세요.

($3\dfrac{3}{4}$배)

❖ $\dfrac{5}{8} \div \dfrac{1}{6} = \dfrac{15}{24} \div \dfrac{4}{24} = 15 \div 4 = \dfrac{15}{4} = 3\dfrac{3}{4}$(배)

1. 분수의 나눗셈 · **17**

교과서 **개념** 잡기

정답과 풀이 p.5

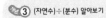

개념 3 (자연수)÷(분수) 알아보기

・ 철근 $\frac{2}{3}$ m의 무게가 6 kg일 때 철근 1 m의 무게 구하기

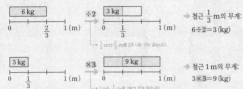

➡ 철근 $\frac{1}{3}$ m의 무게:
$6÷2=3$ (kg)

➡ 철근 1 m의 무게:
$3×3=9$ (kg)

$$6÷\frac{2}{3}=(6÷2)×3=3×3=9$$

$●÷\frac{▲}{■}=(●÷▲)×■$

개념 4 (분수)÷(분수)를 (분수)×(분수)로 나타내기

・ 통의 $\frac{2}{3}$ 를 채운 설탕의 무게가 $\frac{3}{5}$ kg일 때 한 통을 가득 채운 설탕의 무게 구하기

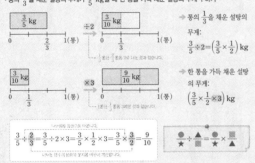

➡ 통의 $\frac{1}{3}$ 을 채운 설탕의 무게:
$\frac{3}{5}÷2=\left(\frac{3}{5}×\frac{1}{2}\right)$ kg

➡ 한 통을 가득 채운 설탕의 무게:
$\left(\frac{3}{5}×\frac{1}{2}×3\right)$ kg

$$\frac{3}{5}÷\frac{2}{3}=\frac{3}{5}÷2×3=\frac{3}{5}×\frac{1}{2}×3=\frac{3}{5}×\frac{3}{2}=\frac{9}{10}$$

$\dfrac{●}{★}÷\dfrac{▲}{■}=\dfrac{●}{★}×\dfrac{■}{▲}$

18 · Start 6-2

---

1 □ 안에 알맞은 수를 써넣으세요.

(1) $4÷\frac{2}{3}=(4÷\boxed{2})×\boxed{3}=\boxed{6}$

(2) $12÷\frac{6}{7}=(12÷\boxed{6})×\boxed{7}=\boxed{14}$

✿ (자연수)÷(분수)를 계산할 때에는 자연수를 분수의 분자로 나눈 결과에 분수의 분모를 곱합니다.

2 □ 안에 알맞은 수를 써넣어 나눗셈식을 곱셈식으로 나타내어 보세요.

(1) $\frac{2}{5}÷\frac{3}{4}=\frac{2}{5}÷\boxed{3}×\boxed{4}=\frac{2}{5}×\frac{1}{\boxed{3}}×\boxed{4}=\frac{2}{5}×\frac{\boxed{4}}{\boxed{3}}$

(2) $\frac{4}{9}÷\frac{5}{7}=\frac{4}{9}÷\boxed{5}×\boxed{7}=\frac{4}{9}×\frac{1}{\boxed{5}}×\boxed{7}=\frac{4}{9}×\frac{\boxed{7}}{\boxed{5}}$

✿ (분수)÷(분수)는 나눗셈을 곱셈으로 바꾸고 나누는 분수의 분모와 분자를 바꾸어 계산합니다.

3 계산해 보세요.

(1) $7÷\frac{7}{8}=8$ (2) $9÷\frac{3}{8}=24$

(3) $10÷\frac{5}{7}=14$ (4) $14÷\frac{7}{13}=26$

✿ (1) $7÷\frac{7}{8}=(7÷7)×8=8$ (2) $9÷\frac{3}{8}=(9÷3)×8=24$

(3) $10÷\frac{5}{7}=(10÷5)×7=14$ (4) $14÷\frac{7}{13}=(14÷7)×13=26$

4 나눗셈식을 곱셈식으로 나타내어 계산해 보세요.

(1) $\frac{5}{7}÷\frac{3}{4}=\frac{5}{7}×\frac{4}{3}=\frac{20}{21}$ (2) $\frac{3}{8}÷\frac{5}{7}=\frac{3}{8}×\frac{7}{5}=\frac{21}{40}$

(3) $\frac{5}{8}÷\frac{2}{3}=\frac{5}{8}×\frac{3}{2}=\frac{15}{16}$ (4) $\frac{6}{13}÷\frac{7}{9}=\frac{6}{13}×\frac{9}{7}=\frac{54}{91}$

✿ $\dfrac{●}{★}÷\dfrac{▲}{■}=\dfrac{●}{★}×\dfrac{■}{▲}$

1. 분수의 나눗셈 · 19

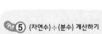 교과서 **개념** 잡기

정답과 풀이 p.5

개념 5 (자연수)÷(분수) 계산하기

・ $2÷\frac{7}{9}$ 의 계산

방법 분수의 곱셈으로 나타내어 계산하기

$$2÷\frac{7}{9}=2×\frac{9}{7}=\frac{18}{7}=2\frac{4}{7}$$

 분수의 곱셈으로 나타내어 계산할 때는 나누는 분수의 분모와 분자를 바꾸는 것을 잊지 않도록 주의합니다.

개념 6 (가분수)÷(분수) 계산하기

・ $\frac{5}{4}÷\frac{5}{7}$ 의 계산

방법1 통분하여 분자끼리 나누기

$$\frac{5}{4}÷\frac{5}{7}=\frac{35}{28}÷\frac{20}{28}=35÷20=\frac{35}{20}=\frac{7}{4}=1\frac{3}{4}$$

방법2 분수의 곱셈으로 나타내어 계산하기

$$\frac{5}{4}÷\frac{5}{7}=\frac{5}{4}×\frac{7}{5}=\frac{7}{4}=1\frac{3}{4}$$

개념 7 (대분수)÷(분수) 계산하기

・ $3\frac{1}{2}÷\frac{3}{4}$ 의 계산

방법1 통분하여 분자끼리 나누기

$$3\frac{1}{2}÷\frac{3}{4}=\frac{7}{2}÷\frac{3}{4}=\frac{14}{4}÷\frac{3}{4}=14÷3=\frac{14}{3}=4\frac{2}{3}$$

방법2 분수의 곱셈으로 나타내어 계산하기

$$3\frac{1}{2}÷\frac{3}{4}=\frac{7}{2}÷\frac{3}{4}=\frac{7}{2}×\frac{4}{3}=\frac{14}{3}=4\frac{2}{3}$$

(대분수)÷(분수)를 계산할 때에는 대분수를 가분수로 나타내어 계산합니다.

개념 Check

◈ 맞으면 ○표, 틀리면 ×표 하세요.

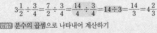 (대분수)÷(분수)를 계산할 때에는 대분수를 가분수로 나타내어 계산합니다. (○)

20 · Start 6-2

---

1 □ 안에 알맞은 수를 써넣으세요.

(1) $6÷\frac{5}{7}=6×\frac{\boxed{7}}{5}=\frac{\boxed{42}}{5}=\boxed{8}\frac{\boxed{2}}{5}$

(2) $8÷\frac{3}{5}=8×\frac{\boxed{5}}{3}=\frac{\boxed{40}}{3}=\boxed{13}\frac{\boxed{1}}{3}$

✿ $●÷\dfrac{▲}{■}=●×\dfrac{■}{▲}$

2 $\frac{9}{5}÷\frac{2}{3}$ 를 두 가지 방법으로 계산하려고 합니다. □ 안에 알맞은 수를 써넣으세요.

방법1 $\frac{9}{5}÷\frac{2}{3}=\frac{\boxed{27}}{15}÷\frac{\boxed{10}}{15}=\boxed{27}÷\boxed{10}=\frac{\boxed{27}}{\boxed{10}}=2\frac{\boxed{7}}{\boxed{10}}$

방법2 $\frac{9}{5}÷\frac{2}{3}=\frac{9}{5}×\frac{\boxed{3}}{\boxed{2}}=\frac{\boxed{27}}{10}=2\frac{\boxed{7}}{\boxed{10}}$

✿ 방법1 은 통분하여 분자끼리 나누어 계산한 것입니다.
방법2 는 분수의 곱셈으로 나타내어 계산한 것입니다.

3 $1\frac{1}{4}÷\frac{2}{5}$ 를 두 가지 방법으로 계산하려고 합니다. □ 안에 알맞은 수를 써넣으세요.

방법1 $1\frac{1}{4}÷\frac{2}{5}=\frac{\boxed{5}}{4}÷\frac{2}{5}=\frac{\boxed{25}}{20}÷\frac{\boxed{8}}{\boxed{20}}=\boxed{25}÷\boxed{8}=\frac{\boxed{25}}{8}=3\frac{\boxed{1}}{8}$

방법2 $1\frac{1}{4}÷\frac{2}{5}=\frac{\boxed{5}}{4}÷\frac{2}{5}=\frac{\boxed{5}}{4}×\frac{\boxed{5}}{\boxed{2}}=\frac{\boxed{25}}{8}=\boxed{3}\frac{\boxed{1}}{8}$

✿ 방법1 은 대분수를 가분수로 나타낸 후 통분하여 분자끼리 나누어 계산한 것입니다.
방법2 는 대분수를 가분수로 나타낸 후 분수의 곱셈으로 나타내어 계산한 것입니다.

4 계산해 보세요.

(1) $7÷\frac{3}{4}=9\frac{1}{3}$ (2) $\frac{5}{3}÷\frac{6}{7}=1\frac{17}{18}$

(3) $2\frac{5}{7}÷\frac{2}{3}=4\frac{1}{14}$ (4) $2\frac{2}{3}÷\frac{5}{9}=5\frac{13}{15}$

✿ (1) $7÷\frac{3}{4}=7×\frac{4}{3}=\frac{28}{3}=9\frac{1}{3}$

(3) $2\frac{5}{7}÷\frac{2}{3}=\frac{19}{7}÷\frac{2}{3}=\frac{19}{7}×\frac{3}{2}=\frac{57}{14}=4\frac{1}{14}$

1. 분수의 나눗셈 · 21

교과서 개념 play 마우스 고치기

정답X 붙임딱지

마우스가 깨졌습니다. 마우스 왼쪽 버튼에 있는 수를 오른쪽 버튼에 있는 수로 나눈 몫이 써 있는 부품 붙임딱지를 붙여서 마우스를 고쳐 보세요.

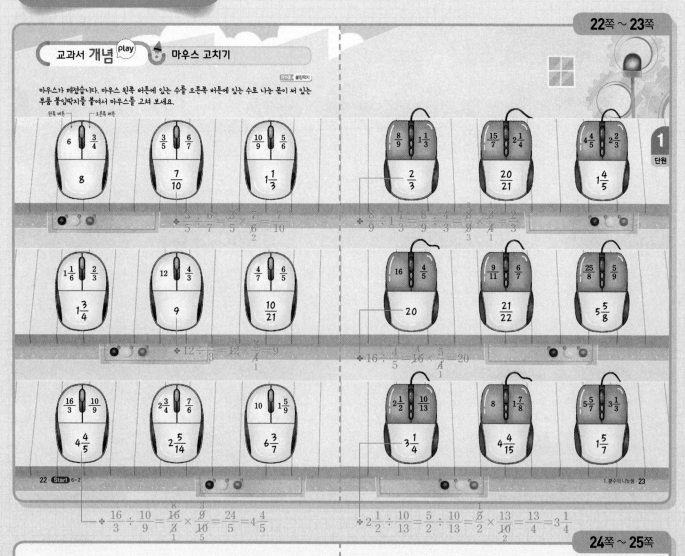

$$\div \frac{3}{5} \div \frac{6}{7} = \frac{3}{5} \times \frac{7}{6} = \frac{7}{10}$$

$$\div \frac{8}{9} \div 1\frac{1}{3} = \frac{8}{9} \div \frac{4}{3} = \frac{8}{9} \times \frac{3}{4} = \frac{2}{3}$$

$$\div 12 \div \frac{4}{3} = 12 \times \frac{3}{4} = 9$$

$$\div 16 \div \frac{4}{5} = 16 \times \frac{5}{4} = 20$$

$$\div \frac{16}{3} \div \frac{10}{9} = \frac{16}{3} \times \frac{9}{10} = \frac{24}{5} = 4\frac{4}{5}$$

$$\div 2\frac{1}{2} \div \frac{10}{13} = \frac{5}{2} \div \frac{10}{13} = \frac{5}{2} \times \frac{13}{10} = \frac{13}{4} = 3\frac{1}{4}$$

22 · Start 6-2

1. 분수의 나눗셈 · 23

집중! 드릴 문제

정답과 풀이 p.6

[1~5] 계산해 보세요.

1 $9 \div \frac{3}{4} = 12$

$\div 9 \div \frac{3}{4} = \overset{3}{9} \times \frac{4}{\underset{1}{3}} = 12$

2 $8 \div \frac{6}{7} = 9\frac{1}{3}$

$\div 8 \div \frac{6}{7} = 8 \times \frac{7}{\underset{3}{6}} = \frac{28}{3}$

$= 9\frac{1}{3}$

3 $18 \div \frac{9}{5} = 10$

$\div 18 \div \frac{9}{5} = \overset{2}{18} \times \frac{5}{\underset{1}{9}} = 10$

4 $6 \div \frac{10}{7} = 4\frac{1}{5}$

$\div 6 \div \frac{10}{7} = \overset{3}{6} \times \frac{7}{\underset{5}{10}} = \frac{21}{5} = 4\frac{1}{5}$

5 $7 \div 3\frac{1}{2} = 2$

$\div 7 \div 3\frac{1}{2} = 7 \div \frac{7}{2}$

$= 7 \times \frac{2}{7} = 2$

[6~10] 계산해 보세요.

6 $\frac{5}{6} \div \frac{4}{7} = 1\frac{11}{24}$

$\div \frac{5}{6} \div \frac{4}{7} = \frac{5}{6} \times \frac{7}{4}$

$= \frac{35}{24} = 1\frac{11}{24}$

7 $\frac{8}{9} \div \frac{2}{3} = 1\frac{1}{3}$

$\div \frac{8}{9} \div \frac{2}{3} = \frac{8}{\underset{3}{9}} \times \frac{3}{\underset{1}{2}} = \frac{4}{3} = 1\frac{1}{3}$

8 $\frac{1}{4} \div \frac{6}{5} = \frac{5}{24}$

$\div \frac{1}{4} \div \frac{6}{5} = \frac{1}{4} \times \frac{5}{6} = \frac{5}{24}$

9 $\frac{7}{8} \div \frac{11}{6} = \frac{21}{44}$

$\div \frac{7}{8} \div \frac{11}{6} = \frac{7}{\underset{4}{8}} \times \frac{6}{11} = \frac{21}{44}$

10 $\frac{3}{4} \div 3\frac{1}{3} = \frac{9}{40}$

$\div \frac{3}{4} \div 3\frac{1}{3} = \frac{3}{4} \div \frac{10}{3}$

$= \frac{3}{4} \times \frac{3}{10} = \frac{9}{40}$

24 · Start 6-2

[11~15] 계산해 보세요.

11 $\frac{7}{2} \div \frac{2}{5} = 8\frac{3}{4}$

$\div \frac{7}{2} \div \frac{2}{5} = \frac{7}{2} \times \frac{5}{2}$

$= \frac{35}{4} = 8\frac{3}{4}$

12 $\frac{10}{7} \div \frac{5}{8} = 2\frac{2}{7}$

$\div \frac{10}{7} \div \frac{5}{8} = \frac{10}{7} \times \frac{8}{\underset{1}{5}}$

$= \frac{16}{7} = 2\frac{2}{7}$

13 $\frac{6}{5} \div \frac{4}{3} = \frac{9}{10}$

$\div \frac{6}{5} \div \frac{4}{3} = \frac{\overset{3}{6}}{5} \times \frac{3}{\underset{2}{4}} = \frac{9}{10}$

14 $\frac{17}{8} \div \frac{9}{4} = \frac{17}{18}$

$\div \frac{17}{8} \div \frac{9}{4} = \frac{17}{\underset{2}{8}} \times \frac{\overset{1}{4}}{9}$

$= \frac{17}{18}$

15 $\frac{8}{3} \div 2\frac{5}{6} = \frac{16}{17}$

$\div \frac{8}{3} \div 2\frac{5}{6} = \frac{8}{3} \div \frac{17}{6}$

$= \frac{8}{\underset{1}{3}} \times \frac{\overset{2}{6}}{17} = \frac{16}{17}$

[16~20] 계산해 보세요.

16 $1\frac{1}{5} \div \frac{2}{3} = 1\frac{4}{5}$

$\div 1\frac{1}{5} \div \frac{2}{3} = \frac{6}{5} \div \frac{2}{3} = \frac{\overset{3}{6}}{5} \times \frac{3}{\underset{1}{2}}$

$= \frac{9}{5} = 1\frac{4}{5}$

17 $2\frac{6}{7} \div \frac{4}{5} = 3\frac{4}{7}$

$\div 2\frac{6}{7} \div \frac{4}{5} = \frac{20}{7} \div \frac{4}{5} = \frac{\overset{5}{20}}{7} \times \frac{5}{\underset{1}{4}}$

$= \frac{25}{7} = 3\frac{4}{7}$

18 $3\frac{3}{5} \div \frac{9}{7} = 2\frac{4}{5}$

$\div 3\frac{3}{5} \div \frac{9}{7} = \frac{18}{5} \div \frac{9}{7} = \frac{\overset{2}{18}}{5} \times \frac{7}{\underset{1}{9}}$

$= \frac{14}{5} = 2\frac{4}{5}$

19 $4\frac{3}{8} \div \frac{7}{4} = 2\frac{1}{2}$

$\div 4\frac{3}{8} \div \frac{7}{4} = \frac{35}{8} \div \frac{7}{4} = \frac{\overset{5}{35}}{\underset{2}{8}} \times \frac{\overset{1}{4}}{\underset{1}{7}}$

$= \frac{5}{2} = 2\frac{1}{2}$

20 $2\frac{7}{9} \div 1\frac{2}{3} = 1\frac{2}{3}$

$\div 2\frac{7}{9} \div 1\frac{2}{3} = \frac{25}{9} \div \frac{5}{3} = \frac{\overset{5}{25}}{\underset{3}{9}} \times \frac{\overset{1}{3}}{\underset{1}{5}}$

$= \frac{5}{3}$

$= 1\frac{2}{3}$

1. 분수의 나눗셈 · 25

교과서 개념 확인 문제

정답과 풀이 p.7

1 무게가 8 kg이고 길이가 $\frac{2}{5}$ m인 쇠막대가 있습니다. 이 쇠막대 1 m의 무게를 구해 보세요.

(1) 쇠막대 $\frac{1}{5}$ m의 무게를 구하려고 합니다. □ 안에 알맞은 수를 써넣으세요.

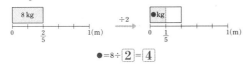

$$● = 8 ÷ \boxed{2} = \boxed{4}$$

(2) 쇠막대 1 m의 무게를 구하려고 합니다. □ 안에 알맞은 수를 써넣으세요.

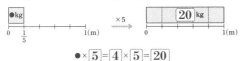

$$● × \boxed{5} = \boxed{4} × 5 = \boxed{20}$$

(3) □ 안에 알맞은 수를 써넣으세요.

$$8 ÷ \frac{2}{5} = (8 ÷ \boxed{2}) × \boxed{5} = \boxed{20}$$

✤ (1) 쇠막대 $\frac{1}{5}$ m의 무게는 $8 ÷ 2 = 4$ (kg)입니다.

(2) 쇠막대 1 m의 무게는 $4 × 5 = 20$ (kg)입니다.

2 □ 안에 알맞은 수를 써넣으세요.

(1) $\frac{5}{9} ÷ \frac{7}{9} = \boxed{5} ÷ \boxed{7} = \frac{\boxed{5}}{7}$

(2) $\frac{5}{9} ÷ \frac{7}{9} = \frac{5}{\cancel{9}} × \frac{\cancel{9}}{7} = \frac{\boxed{5}}{7}$

✤ (1) 분자끼리 나누는 방법입니다.

(2) 분수의 곱셈으로 나타내어 계산하는 방법입니다.

3 ㉠, ㉡, ㉢에 알맞은 수의 합을 구해 보세요.

$$\frac{5}{8} ÷ \frac{2}{3} = \frac{5}{8} × \frac{㉠}{㉡} = \frac{15}{㉢}$$

(**21**)

✤ $\frac{5}{8} ÷ \frac{2}{3} = \frac{5}{8} × \frac{3}{2} = \frac{15}{16}$ 이므로 ㉠=3, ㉡=2, ㉢=16입니다.

따라서 ㉠+㉡+㉢=3+2+16=21입니다.

---

4 [보기]와 같이 계산해 보세요.

> [보기]
> $$4 ÷ \frac{2}{7} = (4 ÷ 2) × 7 = 14$$

$$8 ÷ \frac{4}{9} = (8 ÷ 4) × 9 = 18$$

$$÷ \frac{●}{■} ÷ \frac{▲}{■} = (● ÷ ▲) × ■$$

5 나눗셈식을 곱셈식으로 나타내어 계산해 보세요.

(1) $\frac{4}{5} ÷ \frac{5}{6} = \frac{4}{5} × \frac{6}{5} = \frac{24}{25}$

(2) $\frac{3}{8} ÷ \frac{5}{7} = \frac{3}{8} × \frac{7}{5} = \frac{21}{40}$

(3) $\frac{5}{9} ÷ \frac{7}{8} = \frac{5}{9} × \frac{8}{7} = \frac{40}{63}$

(4) $\frac{6}{11} ÷ \frac{7}{9} = \frac{6}{11} × \frac{9}{7} = \frac{54}{77}$

$$÷ \frac{●}{★} ÷ \frac{▲}{■} = \frac{●}{★} × \frac{■}{▲}$$

6 계산해 보세요.

(1) $\frac{3}{5} ÷ \frac{9}{10} = \frac{2}{3}$

(2) $\frac{20}{3} ÷ \frac{12}{5} = 2\frac{7}{9}$

(3) $4\frac{2}{5} ÷ \frac{11}{12} = 4\frac{4}{5}$

(4) $3\frac{1}{8} ÷ 2\frac{1}{2} = 1\frac{1}{4}$

✤ (3) $4\frac{2}{5} ÷ \frac{11}{12} = \frac{22}{5} ÷ \frac{11}{12} = \frac{\cancel{22}}{5} × \frac{12}{\cancel{11}} = \frac{24}{5} = 4\frac{4}{5}$

7 잘못 계산한 부분을 찾아 바르게 계산해 보세요.

$$2\frac{2}{3} ÷ \frac{5}{6} = 2\frac{2}{3} × \frac{\cancel{6}}{5} = 2\frac{4}{5}$$

> [바른 계산] 예 $2\frac{2}{3} ÷ \frac{5}{6} = \frac{8}{3} ÷ \frac{5}{6} = \frac{8}{\cancel{3}} × \frac{\cancel{6}}{5} = \frac{16}{5} = 3\frac{1}{5}$

✤ 대분수를 가분수로 나타내지 않고 약분하여 계산하였습니다.

1 단원

교과서 개념 확인 문제

정답과 풀이 p.7

8 계산 결과를 비교하여 ○ 안에 >, =, <를 알맞게 써넣으세요.

$$4 ÷ \frac{9}{5} \quad \bigcirc\!< \quad 5 ÷ \frac{10}{7}$$

✤ $4 ÷ \frac{9}{5} = 4 × \frac{5}{9} = \frac{20}{9} = 2\frac{2}{9}$, $5 ÷ \frac{10}{7} = \cancel{5} × \frac{7}{\cancel{10}} = \frac{7}{2} = 3\frac{1}{2}$

→ $2\frac{2}{9} < 3\frac{1}{2}$

9 큰 수를 작은 수로 나눈 몫을 구해 보세요.

$$\frac{3}{2} \qquad \frac{4}{5}$$

(**$1\frac{7}{8}$**)

✤ $\frac{3}{2} = 1\frac{1}{2}$ 이므로 $\frac{3}{2} > \frac{4}{5}$ 입니다.

→ $\frac{3}{2} ÷ \frac{4}{5} = \frac{3}{2} × \frac{5}{4} = \frac{15}{8} = 1\frac{7}{8}$

10 빈칸에 알맞은 수를 써넣으세요.

✤ $\frac{5}{13} ÷ \frac{2}{3} = \frac{5}{13} × \frac{3}{2} = \frac{15}{26}$, $\frac{15}{26} ÷ \frac{10}{13} = \frac{15}{\cancel{26}} × \frac{\cancel{13}}{\cancel{10}} = \frac{3}{4}$

11 집에서 우체국까지의 거리는 집에서 학교까지의 거리의 몇 배인지 구해 보세요.

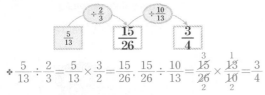

(**3배**)

✤ $3\frac{3}{5} ÷ 1\frac{1}{5} = \frac{18}{5} ÷ \frac{6}{5} = \frac{\cancel{18}}{\cancel{5}} × \frac{\cancel{5}}{\cancel{6}} = 3$ (배)

---

12 무게가 $\frac{5}{6}$ kg이고 길이가 $\frac{2}{3}$ m인 고무관이 있습니다. 이 고무관 1 m의 무게를 구해 보세요.

(**$1\frac{1}{4}$ kg**)

✤ $\frac{5}{6} ÷ \frac{2}{3} = \frac{5}{\cancel{6}} × \frac{\cancel{3}}{2} = \frac{5}{4} = 1\frac{1}{4}$ (kg)

13 빵 한 개를 만드는 데 밀가루 $\frac{5}{8}$ 컵이 필요합니다. 밀가루 $8\frac{3}{4}$ 컵으로 만들 수 있는 빵은 몇 개인지 식을 쓰고 답을 구해 보세요.

식 $8\frac{3}{4} ÷ \frac{5}{8} = 14$

답 14개

✤ $8\frac{3}{4} ÷ \frac{5}{8} = \frac{35}{4} ÷ \frac{5}{8} = \frac{\cancel{35}}{\cancel{4}} × \frac{\cancel{8}}{\cancel{5}} = 14$ (개)

14 □ 안에 들어갈 수 있는 자연수를 모두 구해 보세요.

$$2\frac{1}{2} ÷ \frac{5}{9} > \boxed{}$$

(**1, 2, 3, 4**)

✤ $2\frac{1}{2} ÷ \frac{5}{9} = \frac{5}{2} ÷ \frac{5}{9} = \frac{\cancel{5}}{2} × \frac{9}{\cancel{5}} = \frac{9}{2} = 4\frac{1}{2}$ 이므로 $4\frac{1}{2} > □$ 입니다.

따라서 □ 안에 들어갈 수 있는 자연수는 1, 2, 3, 4입니다.

15 □ 안에 알맞은 수를 구해 보세요.

$$\frac{9}{10} ÷ \frac{3}{4} = \frac{4}{5} × \boxed{}$$

(**$1\frac{1}{2}$**)

✤ $\frac{9}{10} ÷ \frac{3}{4} = \frac{\cancel{9}}{\cancel{10}} × \frac{\cancel{4}}{\cancel{3}} = \frac{6}{5} = 1\frac{1}{5}$ 이므로

$1\frac{1}{5} = \frac{4}{5} × □$ 입니다.

따라서 $□ = 1\frac{1}{5} ÷ \frac{4}{5} = \frac{6}{5} ÷ \frac{4}{5} = \frac{\cancel{6}}{\cancel{5}} × \frac{\cancel{5}}{4} = \frac{3}{2} = 1\frac{1}{2}$ 입니다.

1 단원

개념 확인평가  1. 분수의 나눗셈

맞은 개수

정답과 풀이 p.8

1 □ 안에 알맞은 수를 써넣으세요.

$$\frac{5}{7}-\frac{1}{7}-\frac{1}{7}-\frac{1}{7}-\frac{1}{7}-\frac{1}{7}=0 \Rightarrow \frac{5}{7}\div\frac{1}{7}=\boxed{5}$$

$$\boxed{5}번$$

❖ $\frac{5}{7}$에서 $\frac{1}{7}$을 5번 덜어 낼 수 있으므로 $\frac{5}{7}\div\frac{1}{7}=5$입니다.

2 그림을 보고 □ 안에 알맞은 수를 써넣으세요.

$$\frac{7}{9}\div\frac{2}{9}=\boxed{3}\boxed{\frac{1}{2}}$$

❖ $\frac{7}{9}$에는 $\frac{2}{9}$가 3번과 $\frac{1}{2}$번이 들어갑니다.

따라서 $\frac{7}{9}\div\frac{2}{9}=3\frac{1}{2}$입니다.

3 □ 안에 알맞은 수를 써넣으세요.

(1) $\frac{4}{5}\div\frac{4}{15}=\frac{\boxed{12}}{15}\div\frac{4}{15}=\boxed{12}\div 4=\boxed{3}$

(2) $\frac{5}{9}\div\frac{3}{4}=\frac{\boxed{20}}{36}\div\frac{\boxed{27}}{36}=\boxed{20}\div\boxed{27}=\frac{\boxed{20}}{\boxed{27}}$

❖ 분수를 통분하여 분자끼리 계산합니다.

(1) 분자끼리의 계산이 나누어떨어지면 몫은 자연수가 됩니다.

(2) 분자끼리의 계산이 나누어떨어지지 않으면 몫은 분수가 됩니다.

4 계산해 보세요.

(1) $8\div\frac{2}{7}=28$

(2) $\frac{5}{12}\div\frac{5}{7}=\frac{7}{12}$

(3) $\frac{7}{3}\div\frac{5}{6}=2\frac{4}{5}$

(4) $1\frac{3}{4}\div\frac{7}{9}=2\frac{1}{4}$

30 · Start 6-2

❖ (1) $8\div\frac{2}{7}=\overset{4}{8}\times\frac{7}{\underset{1}{2}}=28$ (2) $\frac{5}{12}\div\frac{5}{7}=\frac{\overset{1}{5}}{12}\times\frac{7}{\underset{1}{5}}=\frac{7}{12}$

(3) $\frac{7}{3}\div\frac{5}{6}=\frac{7}{\underset{1}{3}}\times\frac{\overset{2}{6}}{5}=\frac{14}{5}=2\frac{4}{5}$

5 잘못 계산한 부분을 찾아 바르게 계산해 보세요.

$$1\frac{2}{3}\div\frac{3}{4}=1\frac{2}{3}\times\frac{4}{3}=1\frac{8}{9}$$

바른 계산 예 $1\frac{2}{3}\div\frac{3}{4}=\frac{5}{3}\div\frac{3}{4}=\frac{5}{3}\times\frac{4}{3}=\frac{20}{9}=2\frac{2}{9}$

❖ 대분수를 가분수로 나타내지 않고 나눗셈을 곱셈으로 나타내어 계산하였습니다.

6 빈칸에 알맞은 수를 써넣으세요.

(1) $\frac{9}{10}$ ÷$\frac{5}{6}$ $1\frac{2}{25}$

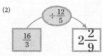

(2) $\frac{16}{3}$ ÷$\frac{12}{5}$ $2\frac{2}{9}$

❖ (1) $\frac{9}{10}\div\frac{5}{6}=\frac{9}{\underset{5}{10}}\times\frac{\overset{3}{6}}{5}=\frac{27}{25}=1\frac{2}{25}$

7 $2\frac{1}{6}\div\frac{2}{3}$를 두 가지 방법으로 계산해 보세요.

방법1 예 $2\frac{1}{6}\div\frac{2}{3}=\frac{13}{6}\div\frac{2}{3}=\frac{13}{6}\div\frac{4}{6}=13\div 4=\frac{13}{4}=3\frac{1}{4}$

방법2 예 $2\frac{1}{6}\div\frac{2}{3}=\frac{13}{6}\div\frac{2}{3}=\frac{13}{\underset{2}{6}}\times\frac{\overset{1}{3}}{2}=\frac{13}{4}=3\frac{1}{4}$

❖ 방법1 은 통분하여 분자끼리 나누어 계산한 것입니다.

방법2 는 분수의 곱셈으로 나타내어 계산한 것입니다.

8 계산 결과가 큰 것부터 순서대로 기호를 써 보세요.

| ㉠ $16\div\frac{2}{5}$ | ㉡ $15\div\frac{5}{9}$ | ㉢ $18\div\frac{3}{8}$ |

(㉢, ㉠, ㉡)

1. 분수의 나눗셈 · 31

❖ ㉠ $16\div\frac{2}{5}=\overset{8}{16}\times\frac{5}{\underset{1}{2}}=40$

㉡ $15\div\frac{5}{9}=\overset{3}{15}\times\frac{9}{\underset{1}{5}}=27$ ㉢ $18\div\frac{3}{8}=\overset{6}{18}\times\frac{8}{\underset{1}{3}}=48$

➡ $48>40>27$이므로 ㉢, ㉠, ㉡입니다.

개념 확인평가 1. 분수의 나눗셈

정답과 풀이 p.8

9 □ 안에 알맞은 수를 구해 보세요.

$$□\times\frac{4}{5}=\frac{7}{10}$$

($\frac{7}{8}$)

❖ $□=\frac{7}{10}\div\frac{4}{5}=\frac{7}{\underset{2}{10}}\times\frac{\overset{1}{5}}{4}=\frac{7}{8}$

10 넓이가 $\frac{13}{14}$ m²인 직사각형이 있습니다. 세로가 $\frac{4}{7}$ m일 때 가로는 몇 m인지 구해 보세요.

$\frac{13}{14}$ m² $\frac{4}{7}$ m

($1\frac{5}{8}$ m)

❖ (가로)=(직사각형의 넓이)÷(세로)

$=\frac{13}{14}\div\frac{4}{7}=\frac{13}{\underset{2}{14}}\times\frac{\overset{1}{7}}{4}=\frac{13}{8}=1\frac{5}{8}$ (m)

11 휘발유 $\frac{7}{8}$ L로 $10\frac{8}{9}$ km를 가는 자동차가 있습니다. 이 자동차는 휘발유 1 L로 몇 km를 갈 수 있는지 구해 보세요.

($12\frac{4}{9}$ km)

❖ $10\frac{8}{9}\div\frac{7}{8}=\frac{98}{9}\div\frac{7}{8}=\frac{\overset{14}{98}}{9}\times\frac{8}{\underset{1}{7}}=\frac{112}{9}=12\frac{4}{9}$ (km)

12 ㉠은 ㉡의 몇 배인지 구해 보세요.

| ㉠ $4\frac{3}{8}\div\frac{7}{10}$ | ㉡ $2\frac{2}{9}\div\frac{4}{5}$ |

($2\frac{1}{4}$ 배)

32 · Start 6-2

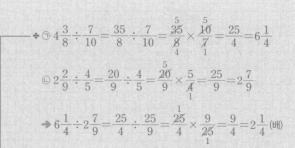

❖ ㉠ $4\frac{3}{8}\div\frac{7}{10}=\frac{35}{8}\div\frac{7}{10}=\frac{\overset{5}{35}}{\underset{4}{8}}\times\frac{\overset{5}{10}}{\underset{1}{7}}=\frac{25}{4}=6\frac{1}{4}$

㉡ $2\frac{2}{9}\div\frac{4}{5}=\frac{20}{9}\div\frac{4}{5}=\frac{\overset{5}{20}}{9}\times\frac{5}{\underset{1}{4}}=\frac{25}{9}=2\frac{7}{9}$

➡ $6\frac{1}{4}\div 2\frac{7}{9}=\frac{25}{4}\div\frac{25}{9}=\frac{\overset{1}{25}}{4}\times\frac{9}{\underset{1}{25}}=\frac{9}{4}=2\frac{1}{4}$ (배)

[GO! 매쓰]
여기까지 1단원 내용입니다.
다음부터는 2단원 내용이
시작합니다.

정답과 풀이 p.9

개념 ① 자연수의 나눗셈을 이용하여 (소수)÷(소수) 계산하기

• 126÷6을 이용하여 12.6÷0.6과 1.26÷0.06 계산하기

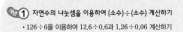

나눗셈에서 나누어지는 수와 나누는 수에 똑같이 10배 또는 100배를 하여
(자연수)÷(자연수)로 계산해도 몫은 같습니다.

개념 ② 자릿수가 같은 (소수)÷(소수) 알아보기

• 2.5÷0.5 계산하기

① 분수의 나눗셈으로 계산하기

$2.5 \div 0.5 = \frac{25}{10} \div \frac{5}{10} = 25 \div 5 = 5$

② 세로로 계산하기

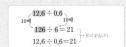

2.5÷0.5는 2.5와 0.5의 소수점을 똑같이 옮긴 25÷5와 몫이 같습니다.

• 1.64÷0.41 계산하기

① 분수의 나눗셈으로 계산하기

$1.64 \div 0.41 = \frac{164}{100} \div \frac{41}{100} = 164 \div 41 = 4$

② 세로로 계산하기

1.64÷0.41은 1.64와 0.41의 소수점을 똑같이 옮긴 164÷41과 몫이 같습니다.

나누는 수와 나누어지는 수의 소수점을 똑같이 옮겨서 자연수의 나눗셈을 이용해 계산합니다.

---

1 □ 안에 알맞은 수를 써넣으세요.

$$0.48 \div 0.08$$
$$100배 \quad 100배$$
$$48 \div 8 = \boxed{6}$$
$$0.48 \div 0.08 = \boxed{6}$$

❖ 나누어지는 수와 나누는 수에 똑같이 100배를 해도 몫은 같습니다.

2 소수의 나눗셈을 분수의 나눗셈으로 계산하려고 합니다. □ 안에 알맞은 수를 써넣으세요.

$$3.5 \div 0.7 = \frac{\boxed{35}}{10} \div \frac{\boxed{7}}{10} = \boxed{35} \div \boxed{7} = \boxed{5}$$

❖ 분모가 10인 분수의 나눗셈으로 계산할 수 있습니다.

3 □ 안에 알맞은 수를 써넣으세요.

(1)

```
        1 4
0.3) 4 . 2
     3
     1 2
     1 2
        0
```

(2)

```
         1 2
0.09) 1 0 . 8
      9
      1 8
      1 8
         0
```

❖ (1) 소수점을 각각 오른쪽으로 한 자리씩 옮깁니다.
(2) 소수점을 각각 오른쪽으로 두 자리씩 옮깁니다.

4 계산해 보세요.

(1)

```
        3
0.9) 2.7
     2 7
        0
```

(2)

```
          7
0.18) 1.2 6
      1 2 6
          0
```

❖ 나누는 수와 나누어지는 수의 소수점을 똑같이 옮겨서 계산합니다.

2단원

 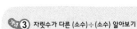

정답과 풀이 p.9

개념 ③ 자릿수가 다른 (소수)÷(소수) 알아보기

• 3.75÷2.5 계산하기

방법1 나누어지는 수와 나누는 수를 각각 100배씩 하여 계산하기

$$3.75 \div 2.5 = 1.5 \qquad 375 \div 250 = 1.5$$

몫의 소수점은 옮긴 소수점의 위치에서 찍습니다.

방법2 나누어지는 수와 나누는 수를 각각 10배씩 하여 계산하기

$$3.75 \div 2.5 = 1.5 \qquad 37.5 \div 25 = 1.5$$

```
2.5) 3.75  →  2.5) 3.7 5  →  25) 37.5
                                   2 5
                                   1 2 5
                                   1 2 5
                                       0
```

나누는 수와 나누어지는 수의 소수점을 각각 오른쪽으로 한 자리씩 옮기거나 두 자리씩 옮겨서 계산합니다.

개념 Check

❖ 504÷360=1.4를 이용하여 5.04÷3.6의 몫을 바르게 나타낸 사람에게 ○표 하세요.

---

1 □ 안에 알맞은 수를 써넣으세요.

3.48÷1.2는 3.48과 1.2를 $\boxed{10}$배씩 하여 계산하면
34.8÷$\boxed{12}$=2.9입니다.

❖ 나누어지는 수와 나누는 수에 똑같이 10을 곱하여 계산할 수 있습니다.

2 □ 안에 알맞은 수를 써넣으세요.

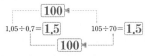

❖ 1.05와 0.7을 각각 100배씩 하면 105÷70=1.5이므로 1.05÷0.7=1.5입니다.

3 나누어지는 수와 나누는 수를 각각 100배씩 하여 계산해 보세요.

(1)

```
            2.6
1.20) 3.1 2.0
      2 4 0
      7 2 0
      7 2 0
          0
```

(2)

```
            1.4
2.40) 3.3 6.0
      2 4 0
      9 6 0
      9 6 0
          0
```

❖ 소수점을 각각 두 자리씩 옮기고 옮겨진 소수점의 위치에 맞추어 몫에 소수점을 찍습니다.

4 나누어지는 수와 나누는 수를 각각 10배씩 하여 계산해 보세요.

(1)

```
          1.2
2.1) 2.5 2
     2 1
     4 2
     4 2
       0
```

(2)

```
          2.1
3.5) 7.3 5
     7 0
     3 5
     3 5
       0
```

❖ 소수점을 각각 한 자리씩 옮기고 옮겨진 소수점의 위치에 맞추어 몫에 소수점을 찍습니다.

2단원

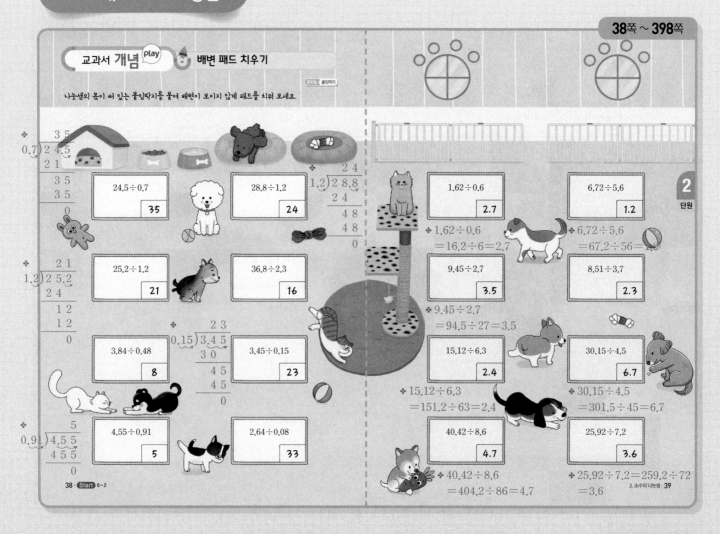

교과서 **개념** play · 배변 패드 치우기

나눗셈의 몫이 써 있는 붙임딱지를 붙여 배변이 보이지 않게 패드를 치워 보세요.

$$\begin{array}{r} 3\ 5 \\ 0.7{\overline{)}2\ 4.5} \\ 2\ 1 \\ \hline 3\ 5 \\ 3\ 5 \\ \hline 0 \end{array}$$

24.5÷0.7 = **35**

$$\begin{array}{r} 2\ 4 \\ 1.2{\overline{)}2\ 8.8} \\ 2\ 4 \\ \hline 4\ 8 \\ 4\ 8 \\ \hline 0 \end{array}$$

28.8÷1.2 = **24**

$$\begin{array}{r} 2\ 1 \\ 1.2{\overline{)}2\ 5.2} \\ 2\ 4 \\ \hline 1\ 2 \\ 1\ 2 \\ \hline 0 \end{array}$$

25.2÷1.2 = **21**

36.8÷2.3 = **16**

3.84÷0.48 = **8**

$$\begin{array}{r} 2\ 3 \\ 0.15{\overline{)}3.4\ 5} \\ 3\ 0 \\ \hline 4\ 5 \\ 4\ 5 \\ \hline 0 \end{array}$$

3.45÷0.15 = **23**

$$\begin{array}{r} 5 \\ 0.91{\overline{)}4.5\ 5} \\ 4\ 5\ 5 \\ \hline 0 \end{array}$$

4.55÷0.91 = **5**

2.64÷0.08 = **33**

1.62÷0.6 = **2.7**

÷1.62÷0.6
=16.2÷6=2.7

6.72÷5.6 = **1.2**

÷6.72÷5.6
=67.2÷56=

9.45÷2.7 = **3.5**

÷9.45÷2.7
=94.5÷27=3.5

8.51÷3.7 = **2.3**

15.12÷6.3 = **2.4**

÷15.12÷6.3
=151.2÷63=2.4

30.15÷4.5 = **6.7**

÷30.15÷4.5
=301.5÷45=6.7

40.42÷8.6 = **4.7**

÷40.42÷8.6
=404.2÷86=4.7

25.92÷7.2 = **3.6**

÷25.92÷7.2=259.2÷72
=3.6

2 단원

집중! 드릴 문제

정답과 풀이 p.10

[1~5] □안에 알맞은 수를 써넣으세요.

1 $3.2÷0.4=\dfrac{\boxed{32}}{10}÷\dfrac{\boxed{4}}{10}$
$=\boxed{32}÷\boxed{4}=\boxed{8}$
❖ 소수 한 자리 수는 분모가 10인 분수로 바꾸어 계산합니다.

2 $8.4÷2.8=\dfrac{\boxed{84}}{10}÷\dfrac{\boxed{28}}{10}$
$=\boxed{84}÷\boxed{28}=\boxed{3}$

3 $1.28÷0.16=\dfrac{\boxed{128}}{100}÷\dfrac{\boxed{16}}{100}$
$=\boxed{128}÷\boxed{16}=\boxed{8}$
❖ 소수 두 자리 수는 분모가 100인 분수로 바꾸어 계산합니다.

4 $2.34÷0.18=\dfrac{\boxed{234}}{100}÷\dfrac{\boxed{18}}{100}$
$=\boxed{234}÷\boxed{18}$
$=\boxed{13}$

[5~8] 계산해 보세요.

5 $\begin{array}{r}\bf{4}\\0.9{\overline{)}3.6}\end{array}$
$\begin{array}{r}4\\0.9{\overline{)}3.6}\\3\ 6\\\hline 0\end{array}$
❖ 소수점을 각각 오른쪽으로 한 자리씩 옮깁니다.

6 $\begin{array}{r}\bf{9}\\1.5{\overline{)}1\ 3.5}\end{array}$
$\begin{array}{r}9\\1.5{\overline{)}1\ 3.5}\\1\ 3\ 5\\\hline 0\end{array}$

7 $\begin{array}{r}\bf{16}\\0.09{\overline{)}1.4\ 4}\end{array}$
$\begin{array}{r}1\ 6\\0.09{\overline{)}1.4\ 4}\\9\\\hline 5\ 4\\5\ 4\\\hline 0\end{array}$
❖ 소수점을 각각 오른쪽으로 두 자리씩 옮깁니다.

8 $\begin{array}{r}\bf{16}\\0.27{\overline{)}4.3\ 2}\end{array}$
$\begin{array}{r}1\ 6\\0.27{\overline{)}4.3\ 2}\\2\ 7\\\hline 1\ 6\ 2\\1\ 6\ 2\\\hline 0\end{array}$

[9~14] □안에 알맞은 수를 써넣으세요.

9 $8.64÷1.6=\boxed{864}÷160=\boxed{5.4}$
❖ 나누어지는 수와 나누는 수를 각각 100배씩 하여 계산합니다.

10 $6.72÷2.1=\boxed{672}÷210=\boxed{3.2}$

11 $2.16÷2.7=216÷\boxed{270}=\boxed{0.8}$

12 $3.64÷1.4=\boxed{36.4}÷14=\boxed{2.6}$
❖ 나누어지는 수와 나누는 수를 각각 10배씩 하여 계산합니다.

13 $7.56÷1.8=\boxed{75.6}÷18=\boxed{4.2}$

14 $19.05÷1.5=190.5÷\boxed{15}=\boxed{12.7}$

[15~18] 계산해 보세요.

15 $\begin{array}{r}\bf{1.9}\\2.5{\overline{)}4.7\ 5}\end{array}$
$\begin{array}{r}1.9\\2.5{\overline{)}4.7\ 5}\\2\ 5\\\hline 2\ 2\ 5\\2\ 2\ 5\\\hline 0\end{array}$
❖ 소수점을 각각 한 자리씩 옮기거나 두 자리씩 옮겨서 계산합니다.

16 $\begin{array}{r}\bf{3.4}\\4.6{\overline{)}1\ 5.6\ 4}\end{array}$
$\begin{array}{r}3.4\\4.6{\overline{)}1\ 5.6\ 4}\\1\ 3\ 8\\\hline 1\ 8\ 4\\1\ 8\ 4\\\hline 0\end{array}$

17 $\begin{array}{r}\bf{2.8}\\3.6{\overline{)}1\ 0.0\ 8}\end{array}$
$\begin{array}{r}2.8\\3.6{\overline{)}1\ 0.0\ 8}\\7\ 2\\\hline 2\ 8\ 8\\2\ 8\ 8\\\hline 0\end{array}$

18 $\begin{array}{r}\bf{3.3}\\2.4{\overline{)}7.9\ 2}\end{array}$
$\begin{array}{r}3.3\\2.4{\overline{)}7.9\ 2}\\7\ 2\\\hline 7\ 2\\7\ 2\\\hline 0\end{array}$

2 단원

교과서 개념 확인 문제

정답과 풀이 p.11

1 12.8÷0.4를 자연수의 나눗셈을 이용하여 계산해 보세요.

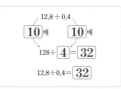

❖ 나누어지는 수와 나누는 수에 똑같이 10배를 하여 자연수의 나눗셈으로 계산합니다.

2 보기 와 같이 분수의 나눗셈으로 바꾸어 계산해 보세요.

$$4.8÷0.8=\frac{48}{10}÷\frac{8}{10}=48÷8=6$$

(1) $1.5÷0.3=\dfrac{15}{10}÷\dfrac{3}{10}=15÷3=5$

(2) $6.65÷0.07=\dfrac{665}{100}÷\dfrac{7}{100}=665÷7=95$

❖ 소수 한 자리 수는 분모가 10인 분수로, 소수 두 자리 수는 분모가 100인 분수로 바꾸어 계산합니다.

3 □안에 알맞은 수를 써넣으세요.

(1)
```
        1.4
2.2)3. 0 8
      2 2
        8 8
        8 8
          0
```

(2)
```
        2.5
3.5)8. 7 5
      7 0
      1 7 5
      1 7 5
          0
```

❖ 나누는 수와 나누어지는 수의 소수점을 똑같이 옮겨 계산하고, 몫의 소수점은 나누어지는 수의 옮긴 소수점의 위치에 맞추어 찍습니다.

4 빈칸에 알맞은 수를 써넣으세요.

❖ $6.88÷4.3=68.8÷43=1.6$
$6.88÷3.2=68.8÷32=2.15$

5 큰 수를 작은 수로 나눈 몫을 빈칸에 써넣으세요.

(1)

3.44	0.43
8	

(2)

1.6	6.72
4.2	

❖ (1) $3.44>0.43 ➡ 3.44÷0.43=344÷43=8$
(2) $1.6<6.72 ➡ 6.72÷1.6=67.2÷16=4.2$

6 계산 결과를 비교하여 ○ 안에 >, =, <를 알맞게 써넣으세요.

$$6.72÷0.28 \;\;>\;\; 674.1÷32.1$$

❖ $6.72÷0.28=24, 674.1÷32.1=21$
➡ $24>21$

7 빈칸에 알맞은 수를 써넣으세요.

❖ $0.21÷0.5=21÷50=0.42,$
$0.42÷0.4=42÷40=1.05$

교과서 개념 확인 문제

정답과 풀이 p.11

8 계산 결과를 찾아 선으로 이어 보세요.

4.75÷1.9		2.5
6.15÷0.41		3.2
14.72÷4.6		15

❖ · $4.75÷1.9=475÷190=2.5$
· $6.15÷0.41=615÷41=15$
· $14.72÷4.6=1472÷460=3.2$

9 □안에 알맞은 수를 써넣으세요.

(1) $\boxed{2.8}×2.2=6.16$

곱셈과 나눗셈의 관계를 생각해 보세요.

(2) $1.2×\boxed{2.4}=2.88$

❖ (1) □$=6.16÷2.2=61.6÷22=2.8$
(2) □$=2.88÷1.2=28.8÷12=2.4$

10 잘못 계산한 곳을 찾아 바르게 계산해 보세요.

```
     0.1 6              1.6
4.2)6.7 2    ➡    4.2)6.7 2
    4 2                 42
    2 5 2               252
    2 5 2               252
        0                 0
```

❖ 소수점을 옮겨서 계산한 경우 몫의 소수점은 나누어지는 수의 옮긴 소수점의 위치에 맞추어 찍어야 합니다.

11 주스 5.6 L를 한 사람에게 0.4 L씩 나누어 주려고 합니다. 주스를 몇 명에게 나누어 줄 수 있는지 식을 쓰고 답을 구해 보세요.

식 $5.6÷0.4=14$

답 14명

❖ (주스를 나누어 줄 수 있는 사람 수)
=(전체 주스의 양)÷(한 사람에게 나누어 줄 주스의 양)
=$5.6÷0.4=14$(명)

12 평행사변형의 넓이가 98.8 cm²입니다. 이 평행사변형의 밑변의 길이가 7.6 cm일 때, 높이는 몇 cm인지 구해 보세요.

넓이: 98.8 cm²
7.6 cm

(**13 cm**)

❖ (높이)=(평행사변형의 넓이)÷(밑변의 길이)
➡ $98.8÷7.6=13$(cm)

13 집에서 학교까지의 거리는 9.88 km이고 집에서 마트까지의 거리는 2.6 km입니다. 집에서 학교까지의 거리는 집에서 마트까지의 거리의 몇 배인지 구해 보세요.

집
9.88 km
2.6 km
마트
학교

(**3.8배**)

❖ 집에서 학교까지의 거리는 9.88 km, 집에서 마트까지의 거리는 2.6 km이므로 9.88÷2.6을 계산합니다.
$9.88÷2.6=98.8÷26=3.8$(배)

교과서 개념 잡기

개념④ (자연수)÷(소수) 알아보기

• 15÷2.5의 계산

① 분수의 나눗셈으로 계산하기

$$15 \div 2.5 = \frac{150}{10} \div \frac{25}{10} = 150 \div 25 = 6$$

② 자연수의 나눗셈으로 계산하기

10배

$$15 \div 2.5 = 6 \qquad 150 \div 25 = 6$$

10배

③ 세로로 계산하기

나누어지는 수와 나누는 수의 소수점을 오른쪽으로 한 자리씩 옮겨 계산합니다.

• 7÷1.75의 계산

① 분수의 나눗셈으로 계산하기

$$7 \div 1.75 = \frac{700}{100} \div \frac{175}{100} = 700 \div 175 = 4$$

② 자연수의 나눗셈으로 계산하기

100배

$$7 \div 1.75 = 4 \qquad 700 \div 175 = 4$$

100배

③ 세로로 계산하기

나누어지는 수와 나누는 수의 소수점을 오른쪽으로 두 자리씩 옮겨 계산합니다.

정답과 풀이 p.12

1 720÷2.4를 분수의 나눗셈으로 계산하려고 합니다. □ 안에 알맞은 수를 써넣으세요.

$$720 \div 2.4 = \frac{\boxed{7200}}{10} \div \frac{24}{10} = \boxed{7200} \div 24 = \boxed{300}$$

❖ 분모가 10인 분수의 나눗셈으로 계산합니다.

2 □안에 알맞은 수를 써넣으세요.

$\boxed{100}$ 배

$$36 \div 0.18 = 200 \qquad 3600 \div 18 = \boxed{200}$$

$\boxed{100}$ 배

❖ 나눗셈에서 나누어지는 수와 나누는 수에 같은 수를 곱하여도 몫은 변하지 않습니다.

3 □안에 알맞은 수를 써넣으세요.

(1) $\boxed{15}$ (2) $\boxed{48}$

❖ (1) 나누는 수와 나누어지는 수의 소수점을 오른쪽으로 한 자리씩 옮겨서 계산합니다.

(2) 나누는 수와 나누어지는 수의 소수점을 오른쪽으로 두 자리씩 옮겨서 계산합니다.

4 계산해 보세요.

(1) $\boxed{40}$ (2) $\boxed{40}$

❖ 나누는 수와 나누어지는 수의 소수점을 똑같이 옮겨서 계산합니다.

교과서 개념 잡기

개념⑤ 몫을 반올림하여 나타내기

• 26÷7의 몫을 반올림하여 나타내기

$$26 \div 7 = 3.714\cdots$$

• 몫을 반올림하여 일의 자리까지 나타내기

3.7⋯ → 4

• 몫을 반올림하여 소수 첫째 자리까지 나타내기

3.71⋯ → 3.7

• 몫을 반올림하여 소수 둘째 자리까지 나타내기

3.714⋯ → 3.71

몫을 반올림하여 나타낼 때에는 구하려는 자리 바로 아래에서 반올림합니다.

개념⑥ 나누어 주고 남는 양 알아보기

• 끈 7.1 m를 한 사람에 2 m씩 나누어 줄 때 나누어 줄 수 있는 사람 수와 남는 끈의 길이 구하기

① 뺄셈식으로 알아보기

$$7.1 - 2 - 2 - 2 = 1.1$$

7.1에서 2를 3번 뺄 수 있으므로 3명에게 나누어 줄 수 있고 1.1이 남으므로 남는 끈의 길이는 1.1 m입니다.

② 세로로 계산하기

세로로 계산하면 3명에게 나누어 줄 수 있고 남는 끈의 길이는 1.1 m입니다.

개념 Check

22÷6=3.66⋯⋯의 몫을 반올림하여 소수 첫째 자리까지 바르게 나타낸 사람에게 ○표 하세요.

 3.6   3.7

정답과 풀이 p.12

❖ (1) 소수 첫째 자리 숫자가 9이므로 반올림하여 일의 자리까지 나타내면 2입니다.

(2) 소수 둘째 자리 숫자가 2이므로 반올림하여 소수 첫째 자리까지 나타내면 1.9입니다.

1 식의 몫을 보고 □ 안에 알맞은 수를 써넣으세요.

$$25 \div 13 = 1.923\cdots$$

(1) 몫을 반올림하여 일의 자리까지 나타내면 $\boxed{2}$ 입니다.

(2) 몫을 반올림하여 소수 첫째 자리까지 나타내면 $\boxed{1.9}$ 입니다.

(3) 몫을 반올림하여 소수 둘째 자리까지 나타내면 $\boxed{1.92}$ 입니다.

(3) 소수 셋째 자리 숫자가 3이므로 반올림하여 소수 둘째 자리까지 나타내면 1.92입니다.

2 끈 27.9 m를 한 사람에 3 m씩 나누어 줄 때 나누어 줄 수 있는 사람 수와 남는 끈의 길이를 구해 보세요.

나누어 줄 수 있는 사람 수 (9명)
남는 끈의 길이 (0.9 m)

❖ 9 → 나누어 줄 수 있는 사람 수
0.9 → 남는 끈의 길이

3 23.7÷9의 몫을 소수 둘째 자리까지 구하고 반올림하여 소수 첫째 자리까지 나타내어 보세요.

2.63 → (2.6)

❖ 소수 둘째 자리 숫자가 3이므로 반올림하여 소수 첫째 자리까지 나타내면 2.6입니다.

교과서 개념 play · 상자에 나누어 담기

나눗셈의 몫이 써 있는 붙임딱지를 붙여 담을 수 있는 상자 수를 구해 보세요.

나눗셈의 몫과 나머지가 써 있는 붙임딱지를 붙여 담을 수 있는 상자 수와 남는 양을 구해 보세요.

채소

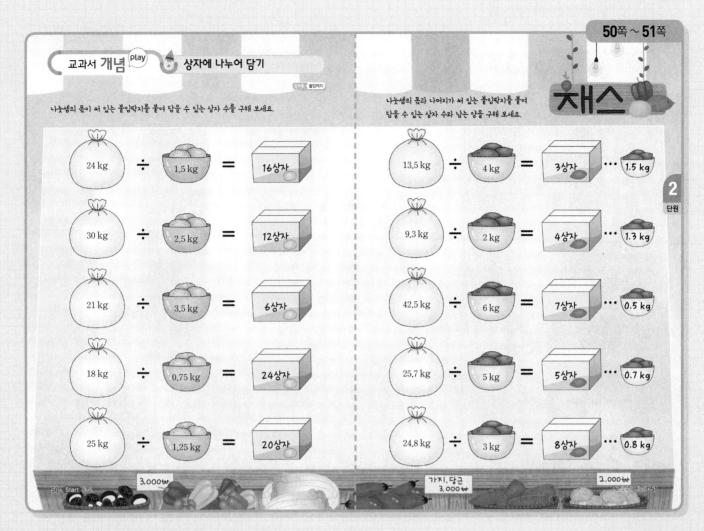

24 kg ÷ 1.5 kg =	16상자	
30 kg ÷ 2.5 kg =	12상자	
21 kg ÷ 3.5 kg =	6상자	
18 kg ÷ 0.75 kg =	24상자	
25 kg ÷ 1.25 kg =	20상자	

13.5 kg ÷ 4 kg =	3상자	…	1.5 kg
9.3 kg ÷ 2 kg =	4상자	…	1.3 kg
42.5 kg ÷ 6 kg =	7상자	…	0.5 kg
25.7 kg ÷ 5 kg =	5상자	…	0.7 kg
24.8 kg ÷ 3 kg =	8상자	…	0.8 kg

3,000원

가지, 당근 3,000원

2,000원

2 단원

집중! 드릴 문제

정답과 풀이 p.13

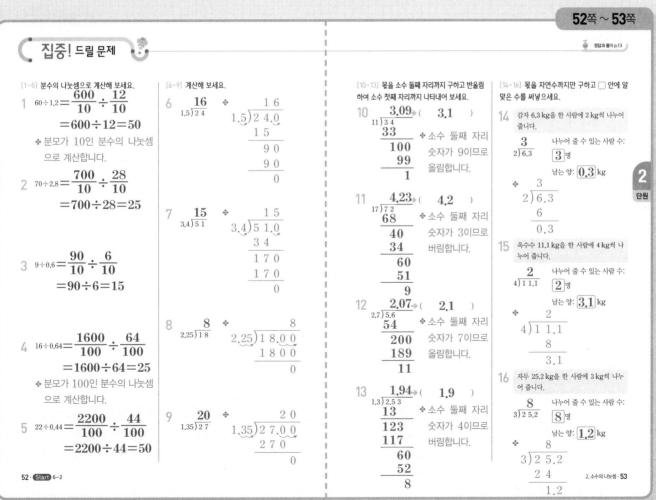

[1~5] 분수의 나눗셈으로 계산해 보세요.

1 $60 \div 1.2 = \dfrac{600}{10} \div \dfrac{12}{10}$
$= 600 \div 12 = 50$
❖ 분모가 10인 분수의 나눗셈으로 계산합니다.

2 $70 \div 2.8 = \dfrac{700}{10} \div \dfrac{28}{10}$
$= 700 \div 28 = 25$

3 $9 \div 0.6 = \dfrac{90}{10} \div \dfrac{6}{10}$
$= 90 \div 6 = 15$

4 $16 \div 0.64 = \dfrac{1600}{100} \div \dfrac{64}{100}$
$= 1600 \div 64 = 25$
❖ 분모가 100인 분수의 나눗셈으로 계산합니다.

5 $22 \div 0.44 = \dfrac{2200}{100} \div \dfrac{44}{100}$
$= 2200 \div 44 = 50$

[6~9] 계산해 보세요.

6 $1.5\overline{)2\ 4}$ 에서 16

$1.5\,\overline{)2\ 4.0}$
  $1\ 5$
  $\ \ 9\ 0$
  $\ \ 9\ 0$
  $\ \ \ \ \ 0$

7 $3.4\overline{)5\ 1}$ 에서 15

$3.4\,\overline{)5\ 1.0}$
  $3\ 4$
  $1\ 7\ 0$
  $1\ 7\ 0$
  $\ \ \ \ \ 0$

8 $2.25\overline{)1\ 8}$ 에서 8

$2.25\,\overline{)1\ 8.0\ 0}$
  $1\ 8\ 0\ 0$
  $\ \ \ \ \ \ \ \ 0$

9 $1.35\overline{)2\ 7}$ 에서 20

$1.35\,\overline{)2\ 7.0\ 0}$
  $2\ 7\ 0$
  $\ \ \ \ \ \ 0$

[10~13] 몫을 소수 둘째 자리까지 구하고 반올림하여 소수 첫째 자리까지 나타내어 보세요.

10 $\dfrac{3.09}{11\,\overline{)3\ 4}}$ (**3.1**)
  $3\ 3$
  $1\ 0\ 0$
  $\ \ 9\ 9$
  $\ \ \ \ \ 1$
❖ 소수 둘째 자리 숫자가 9이므로 올림합니다.

11 $\dfrac{4.23}{17\,\overline{)7\ 2}}$ (**4.2**)
  $6\ 8$
  $4\ 0$
  $3\ 4$
  $6\ 0$
  $5\ 1$
  $\ \ 9$
❖ 소수 둘째 자리 숫자가 3이므로 버림합니다.

12 $\dfrac{2.07}{2.7\,\overline{)5\ 6}}$ (**2.1**)
  $5\ 4$
  $2\ 0\ 0$
  $1\ 8\ 9$
  $\ \ 1\ 1$
❖ 소수 둘째 자리 숫자가 7이므로 올림합니다.

13 $\dfrac{1.94}{1.3\,\overline{)2\ 5.3}}$ (**1.9**)
  $1\ 3$
  $1\ 2\ 3$
  $1\ 1\ 7$
  $\ \ 6\ 0$
  $\ \ 5\ 2$
  $\ \ \ \ 8$
❖ 소수 둘째 자리 숫자가 4이므로 버림합니다.

[14~16] 몫을 자연수까지만 구하고 □ 안에 알맞은 수를 써넣으세요.

14 감자 6.3 kg을 한 사람에 2 kg씩 나누어 줍니다.

$\dfrac{3}{2\,\overline{)6.3}}$ 나누어 줄 수 있는 사람 수: **3** 명

❖ $2\,\overline{)6.3}$
  6
  0.3
남는 양: **0.3** kg

15 옥수수 11.1 kg을 한 사람에 4 kg씩 나누어 줍니다.

$\dfrac{2}{4\,\overline{)1\ 1.1}}$ 나누어 줄 수 있는 사람 수: **2** 명

❖ $4\,\overline{)1\ 1.1}$
  8
  3.1
남는 양: **3.1** kg

16 자두 25.2 kg을 한 사람에 3 kg씩 나누어 줍니다.

$\dfrac{8}{3\,\overline{)2\ 5.2}}$ 나누어 줄 수 있는 사람 수: **8** 명

❖ $3\,\overline{)2\ 5.2}$
  $2\ 4$
  $\ \ 1.2$
남는 양: **1.2** kg

2 단원

교과서 개념 확인 문제

정답과 풀이 p.14

1 보기 와 같이 계산해 보세요.

보기
$$21 \div 3.5 = \frac{210}{10} \div \frac{35}{10} = 210 \div 35 = 6$$

(1) $12 \div 2.4 = \dfrac{120}{10} \div \dfrac{24}{10} = 120 \div 24 = 5$

(2) $16 \div 0.25 = \dfrac{1600}{100} \div \dfrac{25}{100} = 1600 \div 25 = 64$

❖ (1) 나누는 수가 소수 한 자리 수이므로 분모가 10인 분수로 바꾸어 계산합니다.

(2) 나누는 수가 소수 두 자리 수이므로 분모가 100인 분수로 바꾸어 계산합니다.

2 계산해 보세요.

(1) $0.8)\overline{4}$ 의 몫은 **5**

❖ (1)
```
      5
0.8)4.0
    4 0
      0
```

(2) $0.35)\overline{1\,4}$ 의 몫은 **40**

(2)
```
       4 0
0.35)1 4.0 0
     1 4 0
         0
```

(3) $40 \div 2.5 = $ **16**

(4) $11 \div 0.22 = $ **50**

(3) $40 \div 2.5 = \dfrac{400}{10} \div \dfrac{25}{10} = 400 \div 25 = 16$

(4) $11 \div 0.22 = \dfrac{1100}{100} \div \dfrac{22}{100} = 1100 \div 22 = 50$

3 다음 나눗셈의 몫을 반올림하여 주어진 자리까지 나타내어 보세요.

$2.8 \div 1.3$

소수 첫째 자리까지 (**2.2**)
소수 둘째 자리까지 (**2.15**)

❖ $2.8 \div 1.3 = 2.153\cdots$

몫의 소수 둘째 자리 숫자가 5이므로 반올림하여 소수 첫째 자리까지 나타내면 2.2입니다.

몫의 소수 셋째 자리 숫자가 3이므로 반올림하여 소수 둘째 자리까지 나타내면 2.15입니다.

4 □ 안에 알맞은 수를 써넣으세요.

(1) $54 \div 6 = $ **9**
$54 \div 0.6 = $ **90**
$54 \div 0.06 = $ **900**

(2) $3.15 \div 0.07 = $ **45**
$31.5 \div 0.07 = $ **450**
$315 \div 0.07 = $ **4500**

❖ (1) 나누는 수가 $\dfrac{1}{10}$ 배, $\dfrac{1}{100}$ 배가 되면 몫은 10배, 100배가 됩니다.

(2) 나누어지는 수가 10배, 100배가 되면 몫도 10배, 100배가 됩니다.

5 계산 결과를 비교하여 ○ 안에 >, =, <를 알맞게 써넣으세요.

$18 \div 1.2$ ＞ $49 \div 3.5$

❖ $18 \div 1.2 = 15$, $49 \div 3.5 = 14$
➡ $15 > 14$

6 몫을 반올림하여 주어진 자리까지 나타내어 보세요.

(1) 소수 첫째 자리
```
         3.56 → 3.6
2.6)9.2 7 0
    7 8
    1 4 7
    1 3 0
      1 7 0
      1 5 6
        1 4
```
(**3.6**)

(2) 소수 둘째 자리
```
          3.571 → 3.57
0.7)2.5 0 0 0
    2 1
      4 0
      3 5
        5 0
        4 9
          1 0
            7
            3
```
(**3.57**)

교과서 개념 확인 문제

정답과 풀이 p.14

7 나눗셈의 몫을 자연수 부분까지 구하여 □ 안에 쓰고, 나머지를 ○ 안에 써넣으세요.

÷			
29.5	3	**9**	**2.5**
24.6	6	**4**	**0.6**

❖
```
      9
3)2 9.5
  2 7
    2.5
```
```
      4
6)2 4.6
  2 4
    0.6
```

8 잘못 계산한 곳을 찾아 바르게 계산해 보세요.

```
       1 4
3.3)4 6 2
    3 3
    1 3 2
    1 3 2
        0
```
→
```
      1 4 0
3.3)4 6 2
    3 3
    1 3 2
    1 3 2
        0
```

❖ 소수점을 옮겨서 계산한 경우, 몫의 소수점은 옮긴 위치에 찍어야 합니다.

9 계산 결과를 비교하여 ○ 안에 >, =, <를 알맞게 써넣으세요.

(1) 3.5÷3의 몫을 반올림하여 소수 첫째 자리까지 나타낸 수 ＞ 3.5÷3

(2) 45÷7의 몫을 반올림하여 일의 자리까지 나타낸 수 ＜ 45÷7

❖ (1) $3.5 \div 3 = 1.16\cdots$, 몫의 소수 둘째 자리 숫자가 6이므로 올림합니다. 그러므로 3.5÷3의 몫을 반올림하여 소수 첫째 자리까지 나타낸 수는 3.5÷3보다 큽니다.

(2) $45 \div 7 = 6.4\cdots$, 몫의 소수 첫째 자리 숫자가 4이므로 버림합니다. 그러므로 45÷7의 몫을 반올림하여 일의 자리까지 나타낸 수는 45÷7보다 작습니다.

10 끈 18.6 m를 한 사람에게 5 m씩 나누어 주려고 합니다. 나누어 줄 수 있는 사람 수와 남는 끈의 길이를 구해 보세요.

나누어 줄 수 있는 사람 수 (**3명**)
남는 끈의 길이 (**3.6 m**)

❖
```
      3 → 나누어 줄 수 있는 사람 수
5)1 8.6
  1 5
    3.6 → 남는 끈의 길이
```

11 닭의 무게는 3.1 kg이고 병아리의 무게는 0.6 kg입니다. 닭의 무게는 병아리의 무게의 몇 배인지 반올림하여 소수 첫째 자리까지 나타내어 보세요.

(**5.2배**)

❖ $3.1 \div 0.6 = 5.16\cdots$이고 몫의 소수 둘째 자리가 6이므로 반올림하여 소수 첫째 자리까지 나타내면 5.2입니다.
따라서 닭의 무게는 병아리의 무게의 5.2배입니다.

12 물 28.8 L를 한 명에 3 L씩 나누어 주려고 합니다. 나누어 줄 수 있는 사람 수와 남는 물의 양을 두 가지 방법으로 구해 보세요.

(1) 뺄셈으로 구하기

예
$28.8 - 3 - 3 - 3$
$- 3 - 3 - 3 - 3$
$- 3 - 3$
$= 1.8$

나누어 줄 수 있는 사람 수: **9** 명
남는 물의 양: **1.8** L

(2) 나눗셈으로 구하기

예
```
      9
3)2 8.8
  2 7
    1.8
```

나누어 줄 수 있는 사람 수: **9** 명
남는 물의 양: **1.8** L

❖ 28.8에서 3씩 덜어 내는 방법과 28.8÷3의 몫을 자연수까지만 계산하는 방법이 있습니다.

 개념 **확인평가** 2. 소수의 나눗셈

정답과 풀이 p.15

1 □ 안에 알맞은 수를 써넣으세요.

$$2.7 \div 0.3 = \frac{\boxed{27}}{10} \div \frac{3}{10} = \boxed{27} \div 3 = \boxed{9}$$

❖ 분모가 10인 분수의 나눗셈으로 계산할 수 있습니다.

2 쌀 15.8 kg을 한 봉지에 3 kg씩 나누어 담으려고 합니다. 나누어 담을 수 있는 봉지 수와 남는 쌀은 몇 kg인지 알아보려고 다음과 같이 계산했습니다. 물음에 답하세요.

$$15.8 - 3 - 3 - 3 - 3 - 3 = \boxed{0.8}$$

(1) □ 안에 알맞은 수를 써넣으세요.

(2) 계산식을 보고 쌀을 몇 봉지에 나누어 담을 수 있는지 구해 보세요.

(**5봉지**)

(3) 계산식을 보고 봉지에 나누어 담고 남는 쌀의 양을 구해 보세요.

(**0.8 kg**)

❖ 15.8에서 3을 5번 뺄 수 있으므로 쌀을 5봉지에 나누어 담을 수 있고 0.8이 남으므로 남는 쌀의 양은 0.8 kg입니다.

3 □ 안에 알맞은 수를 써넣으세요.

(1) 216÷6= **36**
216÷0.6= **360**
216÷0.06= **3600**

(2) 2.25÷0.45= **5**
22.5÷0.45= **50**
225÷0.45= **500**

❖ (1) 나누는 수가 $\frac{1}{10}$배, $\frac{1}{100}$배가 되면 몫은 10배, 100배가 됩니다.
(2) 나누어지는 수가 10배, 100배가 되면 몫도 10배, 100배가 됩니다.

4 몫을 반올림하여 소수 첫째 자리까지 나타내어 보세요.

$$36 \div 17 = 2.11\cdots\cdots$$

(**2.1**)

❖ 몫의 소수 둘째 자리 숫자가 1이므로 반올림하여 소수 첫째 자리까지 나타내면 2.1입니다.

5 가장 큰 수를 가장 작은 수로 나눈 몫을 구해 보세요.

| 5.8 | 1.7 | 13.6 |

(**8**)

❖ 가장 큰 수는 13.6, 가장 작은 수는 1.7입니다.
따라서 가장 큰 수를 가장 작은 수로 나눈 몫은 13.6÷1.7=8
입니다.

6 계산 결과를 비교하여 ○ 안에 >, =, <를 알맞게 써넣으세요.

(1) 3.08÷1.4 **<** 3.45÷1.5   (2) 6÷0.15 **<** 7÷0.14

❖ (1) 3.08÷1.4=30.8÷14=2.2.
3.45÷1.5=34.5÷15=2.3 ➡ 2.2<2.3
(2) 6÷0.15=600÷15=40.
7÷0.14=700÷14=50 ➡ 40<50

7 밀가루 32.8 kg을 한 봉지에 2 kg씩 나누어 담으려고 합니다. □ 안에 알맞은 수를 써넣으세요.

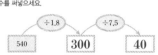

나누어 담을 수 있는 봉지 수: **16** 봉지
남는 밀가루의 양: **0.8** kg

8 빈칸에 알맞은 수를 써넣으세요.

| 540 | ÷1.8 → | **300** | ÷7.5 → | 40 |

❖ 540÷1.8=5400÷18=300
300÷7.5=3000÷75=40

 개념 **확인평가** 2. 소수의 나눗셈

정답과 풀이 p.15

9 어느 자동차가 1시간 30분 동안 130.5 km를 달렸습니다. 같은 빠르기로 자동차가 1시간 동안 달린 거리는 몇 km인지 구해 보세요.

(**87 km**)

❖ 1시간 30분=1.5시간이므로
$130.5 \div 1.5 = \frac{1305}{10} \div \frac{15}{10} = 1305 \div 15 = 87$ (km)입니다.

10 넓이가 15.12 cm²인 직사각형이 있습니다. 가로가 6.3 cm일 때 세로는 몇 cm인지 구해 보세요.

(**2.4 cm**)

❖ (가로)×(세로)=(직사각형의 넓이)
➡ (세로)=(직사각형의 넓이)÷(가로)
15.12÷6.3=151.2÷63=2.4 (cm)

11 수 카드 2, 4, 6, 9 중 2장을 골라 가장 큰 소수 한 자리 수를 만들고 남은 수 카드로 가장 작은 소수 한 자리를 만들었을 때, 몫은 얼마인지 구해 보세요.

(**4**)

❖ 만들 수 있는 가장 큰 소수 한 자리 수: 9.6
만들 수 있는 가장 작은 소수 한 자리 수: 2.4
$9.6 \div 2.4 = \frac{96}{10} \div \frac{24}{10} = 96 \div 24 = 4$

12 사각형의 넓이는 삼각형의 넓이의 몇 배인지 반올림하여 소수 첫째 자리까지 나타내어 보세요.

2.2 cm
3.2 cm
4 cm
2.4 cm

(**1.5배**)

❖ (사각형의 넓이)=3.2×2.2=7.04 (cm²)
(삼각형의 넓이)=2.4×4÷2=4.8 (cm²)
7.04÷4.8=1.46…… ➡ 1.5배

[GO! 매쓰]
여기까지 2단원 내용입니다.
다음부터는 3단원 내용이
시작합니다.

교과서 개념 잡기

정답과 풀이 p.16

개념 ① 어느 방향에서 보았는지 알아보기

• 각 사진은 어느 방향에서 찍은 것인지 알아보기

건물 뒷면이 보입니다.

건물 옆면과 자동차가 보입니다.

자동차가 왼쪽에 있고 나무는 오른쪽에 있습니다.

나무와 건물 옆면이 보입니다.

➡ 보는 위치와 방향에 따라 보이는 대상과 모양이 달라질 수 있습니다.

개념 ② 쌓은 모양과 쌓기나무의 개수 알아보기(1)

• 쌓은 모양과 위에서 본 모양을 보고 쌓기나무의 개수 구하기

위에서 본 모양

〈보이지 않는 부분이 1개인 경우〉

1층에 4개, 2층에 3개, 3층에 3개이므로 모두 10개입니다.

뒤에서 본 모양

〈보이지 않는 부분이 2개인 경우〉

1층에 4개, 2층에 4개, 3층에 3개이므로 모두 11개입니다.

뒤에서 본 모양

참고

쌓은 모양에서 보이는 위의 면들과 위에서 본 모양이 다른 경우에는 쌓은 모양과 쌓기나무의 개수가 여러 가지 있을 수 있습니다.

62 · Start 6-2

---

1 보기와 같이 컵을 놓았을 때 찍을 수 없는 사진을 찾아 기호를 써 보세요.

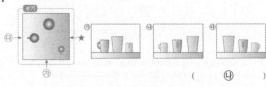

(㉯)

❖ ㉯의 컵 순서대로 찍을 수 있는 사진이 되려면 ★ 방향에서 찍은 것이므로 빨간색 컵의 손잡이가 보이지 않아야 합니다.

2 쌓기나무를 보기와 같은 모양으로 쌓았습니다. 돌렸을 때 보기와 같은 모양을 만들 수 있는 경우를 찾아 기호를 써 보세요.

가   나   다

(나)

❖ 나를 돌려서 보기와 같은 모양을 만들 수 있습니다.
  가와 다는 돌려도 1층에 있는 쌓기나무가 모두 숨겨지지 않습니다.

3 오른쪽 건물 모양을 쌓기나무로 쌓은 것입니다. 주어진 모양과 똑같이 쌓는 데 필요한 쌓기나무는 몇 개인지 구해 보세요.

(1)

위에서 본 모양

(**5개**)

(2)

위에서 본 모양

(**6개**)

보이지 않는 부분에 쌓기나무가 1개 있습니다.

❖ (1) 1층에 4개, 2층에 1개 ➡ 5개
  (2) 1층에 5개, 2층에 1개 ➡ 6개

3. 공간과 입체 · 63

교과서 개념 잡기

정답과 풀이 p.16

개념 ③ 쌓은 모양과 쌓기나무의 개수 알아보기(2)

3단원에서 옆 모양은 오른쪽 옆에서 본 모양으로 합니다.

• 쌓기나무로 쌓은 모양을 보고, 위, 앞, 옆에서 본 모양 그리기

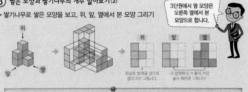

위

앞   옆

• 쌓은 모양을 위에서 본 모양은 1층의 모양과 같습니다.
• 쌓은 모양을 앞과 옆에서 본 모양은 각 방향에서 각 줄의 가장 높은 층의 모양과 같습니다.

• 위, 앞, 옆에서 본 모양을 보고, 쌓은 모양 알아보고 쌓기나무의 개수 구하기

위   앞   옆

2 1 3   3 2

보기

위, 앞, 옆에서 본 모양이 같더라도 쌓은 모양은 다를 수 있습니다.

① 위에서 본 모양을 보고 1층 쌓기

위

앞   옆

② 앞에서 본 모양은 왼쪽에서부터 2층, 1층, 3층

③ 옆에서 본 모양은 왼쪽에서부터 3층, 2층

④ 완성된 모양 ➡ 2가지

(8개)

(9개)

개념 Check

❖ 맞으면 ○표, 틀리면 ×표 하세요.

앞과 옆에서 본 모양은 각 방향에서 각 줄의 가장 낮은 층의 모양과 같습니다.

64 · Start 6-2

---

1 쌓기나무로 쌓은 모양과 위에서 본 모양입니다. 앞에서 본 모양을 그려 보세요.

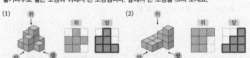

(1)   (2)

위   위   앞

❖ (1) 왼쪽에서부터 2층, 3층, 1층으로 보입니다.
  (2) 왼쪽에서부터 1층, 2층, 3층으로 보입니다.

2 쌓기나무로 쌓은 모양과 위에서 본 모양입니다. 옆에서 본 모양을 그려 보세요.

(1)   (2)

위   옆   위   옆

❖ (1) 위에서 본 모양을 보면 뒤에 보이지 않는 쌓기나무가 없습니다.
  옆에서 보면 왼쪽에서부터 2층, 3층으로 보입니다.
  (2) 위에서 본 모양을 보면 뒤에 보이지 않는 쌓기나무가 1개 있습니다.
  옆에서 보면 왼쪽에서부터 2층, 3층, 1층으로 보입니다.

3 쌓기나무로 쌓은 모양을 위, 앞, 옆에서 본 모양입니다. 물음에 답하세요.

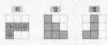

위   앞   옆

(1) 앞에서 본 모양을 보면 ㉢ 부분과 ㉣ 부분은 쌓기나무가 각각 **2** 개, **1** 개입니다.

옆에서 본 모양을 보면 ㉠ 부분과 ㉤ 부분은 쌓기나무가 각각 **3** 개, **1** 개입니다.

(2) 쌓은 모양으로 알맞은 것에 ○표 하고, 필요한 쌓기나무의 개수를 구해 보세요.

(   )   (○)

(**7개**)

❖ 1층에 4개, 2층에 2개, 3층에 1개 ➡ 7개

3. 공간과 입체 · 65

교과서 개념 play ⭐ 막대 아이스크림 완성하기

나무 막대에 있는 쌓기나무를 위, 앞, 옆에서 본 모양이 있는 아이스크림 붙임딱지를 붙여 보세요. (쌓기나무 옆에 있는 개수는 그 모양을 쌓는 데 사용한 쌓기나무의 개수입니다.)

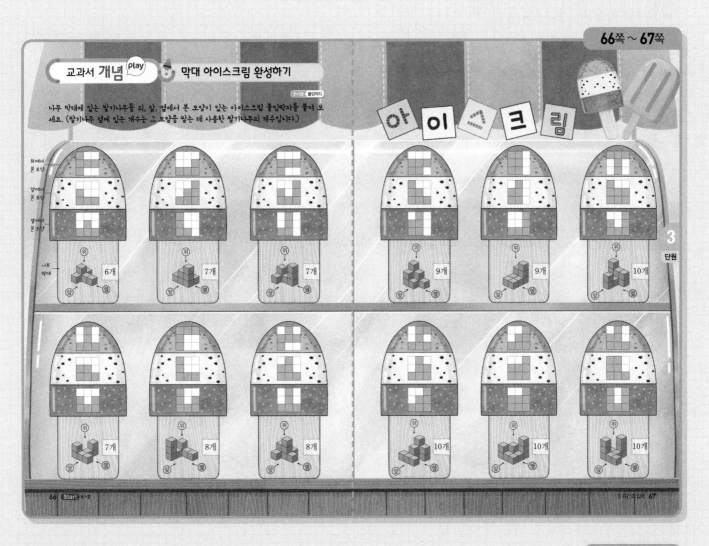

집중! 드릴 문제

정답과 풀이 p.17

[1~4] 주어진 모양과 똑같이 쌓는 데 필요한 쌓기나무의 개수를 구해 보세요.

1
(**9개**)
✤ 1층에 5개, 2층에 3개, 3층에 1개 ➡ 9개

2
(**10개**)
✤ 1층에 6개, 2층에 3개, 3층에 1개 ➡ 10개

3
(**12개**)
✤ 1층에 6개, 2층에 4개, 3층에 2개 ➡ 12개

4
(**13개**)
✤ 1층에 7개, 2층에 4개, 3층에 2개 ➡ 13개

[5~8] 쌓기나무로 쌓은 모양과 위에서 본 모양입니다. 앞에서 본 모양을 그려 보세요.

5
✤ 왼쪽에서부터 2층, 3층, 1층으로 보입니다.

6
✤ 왼쪽에서부터 1층, 2층, 3층으로 보입니다.

7
✤ 왼쪽에서부터 3층, 1층, 2층으로 보입니다.

8
✤ 왼쪽에서부터 1층, 3층, 2층으로 보입니다.

[9~12] 쌓기나무로 쌓은 모양과 위에서 본 모양입니다. 옆에서 본 모양을 그려 보세요.

9
✤ 왼쪽에서부터 3층, 1층, 2층으로 보입니다.

10
✤ 왼쪽에서부터 1층, 2층, 3층으로 보입니다.

11
✤ 왼쪽에서부터 1층, 3층, 2층으로 보입니다.

12
✤ 왼쪽에서부터 2층, 1층, 3층으로 보입니다.

[13~15] 쌓기나무로 쌓은 모양을 위, 앞, 옆에서 본 모양입니다. 쌓은 모양으로 가능한 모양을 찾아 ○표 하세요.

13
✤ 오른쪽 모양을 앞에서 본 모양:

14
✤ 왼쪽 모양을 옆에서 본 모양:

15
✤ 왼쪽 모양을 위에서 본 모양:

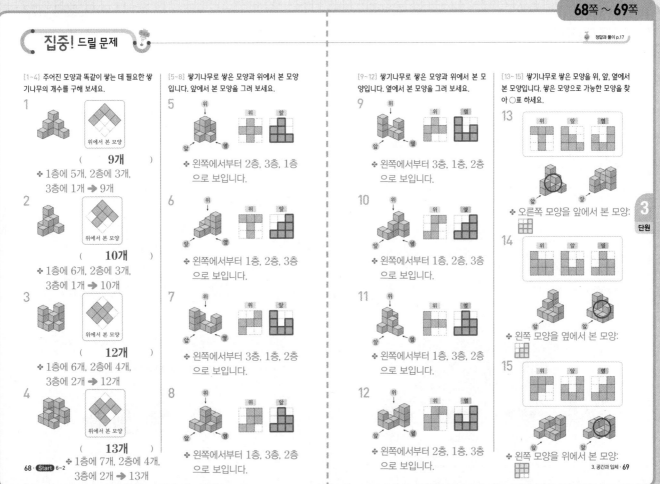

❖ (1) 뒤에 보이지 않는 쌓기나무가 있는지 없는지 알 수 없기 때문에 쌓기나무의 개수를 정확히 알 수 없습니다.

교과서 개념 확인 문제

정답과 풀이 p.18

1 오른쪽 모양과 똑같이 쌓는 데 필요한 쌓기나무의 개수를 구하려고 합니다. 물음에 답하세요.

(1) 쌓기나무의 개수를 정확히 알 수 있습니까, 알 수 없습니까?

(예) **알 수 없습니다.**)

(2) 위에서 본 모양이 오른쪽과 같을 때 쌓기나무의 개수를 구해 보세요.

(2) 1층에 6개, 2층에 5개, 3층에 2개 ➡ 13개

(**13개**) 위에서 본 모양

❖ • 위에서 보면 1층의 모양과 같습니다.

2 쌓기나무 8개로 쌓은 모양을 위, 앞, 옆에서 본 모양을 보기 에서 찾아 기호를 써 보세요.

위 (**나**), 앞(**다**), 옆(**가**)

• 앞에서 보면 왼쪽에서부터 3층, 1층, 1층으로 보입니다.
• 옆에서 보면 왼쪽에서부터 1층, 3층, 1층으로 보입니다.

3 쌓기나무로 쌓은 모양을 보고 위에서 본 모양을 그렸습니다. 관계있는 것끼리 선으로 이어 보세요.

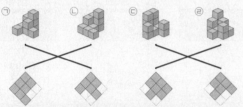

❖ ㉠ 1층이 위에서부터 2개, 3개, 1개가 연결된 모양입니다.
㉡ 1층이 위에서부터 2개, 2개, 3개가 연결된 모양입니다.
㉢ 1층이 위에서부터 3개, 2개, 1개가 연결된 모양입니다.
㉣ 1층이 위에서부터 3개, 3개, 1개가 연결된 모양입니다.

4 주어진 모양과 똑같이 쌓는 데 필요한 쌓기나무의 개수를 구해 보세요.

(1)   위에서 본 모양

(2)   위에서 본 모양

(**10개**)   (**11개**)

❖ (1) 1층에 6개, 2층에 3개, 3층에 1개 ➡ 10개
(2) 1층에 6개, 2층에 3개, 3층에 2개 ➡ 11개

5 쌓기나무 8개로 쌓은 모양입니다. 옆에서 본 모양을 그려 보세요.

(1)

(2)

❖ (1) 뒤에 보이지 않는 쌓기나무가 없습니다. 옆에서 보면 왼쪽에서부터 1층, 3층으로 보입니다.

(2) 뒤에 보이지 않는 쌓기나무가 1개 있습니다. 옆에서 보면 왼쪽에서부터 3층, 1층으로 보입니다.

6 왼쪽 모양을 위에서 내려다보면 어떤 모양인지 찾아 기호를 써 보세요.

(**다**)

❖ 왼쪽 모양을 위에서 내려다보면 직육면체의 윗면과 빨간색 사각형이 보이므로 나와 라는 답이 아닙니다.
직육면체의 모서리와 빨간색 사각형의 변은 가장 가까운 변끼리 평행하므로 다입니다.

7 쌓기나무로 쌓은 모양과 위에서 본 모양입니다. 앞과 옆에서 본 모양을 각각 그려 보세요.

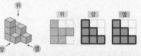

❖ • 앞에서 보면 왼쪽에서부터 3층, 2층, 1층으로 보입니다.
• 위에서 본 모양을 보면 뒤에 보이지 않는 쌓기나무가 1개 있습니다.
따라서 옆에서 보면 왼쪽에서부터 3층, 2층, 1층으로 보입니다.

70 · Start 6-2

3. 공간과 입체 · 71

교과서 개념 확인 문제

정답과 풀이 p.18

8 쌓기나무로 쌓은 모양을 위, 앞, 옆에서 본 모양입니다. 똑같은 모양으로 쌓는 데 필요한 쌓기나무의 개수를 구해 보세요.

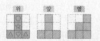

(**8개**)

❖ 위에서 본 모양을 보면 1층은 5개, 앞에서 본 모양을 보면 △ 부분은 1개, 옆에서 본 모양을 보면 ○, ☆, ♡ 부분은 각각 3개, 2개, 1개입니다. 따라서 1층에 5개, 2층에 2개, 3층에 1개이므로 8개입니다.

9 쌓기나무 7개로 쌓은 모양을 위와 앞에서 본 모양입니다. 옆에서 본 모양을 그려 보세요.

❖ 앞에서 본 모양을 보면 △ 부분은 쌓기나무가 2개, ○ 부분은 쌓기나무가 1개입니다. 옆에서 보면 왼쪽에서부터 2층, 1층, 2층으로 보입니다.

10 배를 타고 여러 방향에서 사진을 찍었습니다. 각 사진은 어느 배에서 찍은 것인지 찾아 기호를 써 보세요.

(1) (2) (3) (4)

(**다**) (**가**) (**마**) (**나**)

❖ (1) 나무 줄기가 집에 가려 보이지 않으므로 다에서 찍은 사진입니다.
(2) 나무가 왼쪽에 있으므로 가에서 찍은 사진입니다.
(3) 나무가 오른쪽에 있으므로 마에서 찍은 사진입니다.
(4) 나무가 두 집 사이에 있으므로 나에서 찍은 사진입니다.

11 쌓기나무 9개로 쌓은 모양입니다. 위, 앞, 옆에서 본 모양을 각각 그려 보세요.

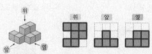

❖ 2층에 2개가 쌓여 있으므로 1층에 있는 쌓기나무는 9−2=7(개)입니다. 따라서 보이지 않는 쌓기나무가 1개 있습니다.

12 쌓기나무로 쌓은 모양을 위, 앞, 옆에서 본 모양입니다. 쌓은 모양으로 가능한 모양을 모두 찾아 기호를 써 보세요.

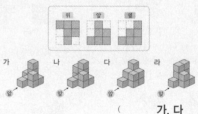

(**가, 다**)

❖ • 나를 앞에서 본 모양: • 라를 옆에서 본 모양:

13 쌓기나무로 쌓은 모양과 위에서 본 모양입니다. 앞에서 본 모양이 될 수 있는 모양을 2가지 그려 보세요.

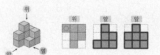

❖ ○ 부분은 쌓기나무가 1개 또는 2개 쌓여 있습니다.

72 · Start 6-2

3. 공간과 입체 · 73

교과서 개념 잡기

정답과 풀이 p.19

개념 ④ 쌓은 모양과 쌓기나무의 개수 알아보기(3)

• 쌓기나무로 쌓은 모양을 위에서 본 모양에 수를 쓰는 방법으로 나타내기

위에서 본 모양의 각 자리에 쌓기나무가 각각 몇 개씩 쌓여 있는지 알아보면 ㉠ 3개, ㉡ 2개, ㉢ 1개, ㉣ 2개, ㉤ 1개입니다.

위에서 본 모양의 각 자리에 쌓은 쌓기나무의 개수를 쓰면 왼쪽과 같습니다. 따라서 똑같은 모양으로 쌓는 데 필요한 쌓기나무는 3+2+1+2+1=9(개)입니다.

• 위에서 본 모양에 수를 쓴 것을 보고 앞과 옆에서 본 모양 그리기

• 위에서 본 모양에 수를 쓴 것을 보고 쌓은 모양 만들기

① 위에서 본 모양에 맞게 1층 쌓기

② 개수에 맞게 쌓기나무 쌓기

참고 위에서 본 모양에 수를 쓴 것을 보고 만든 쌓기나무의 모양은 한 가지만 나옵니다.

➕➕ 개념 Check

🎓 맞으면 〇표, 틀리면 ×표 하세요.

똑같은 모양으로 쌓는 데 필요한 쌓기나무의 개수는 위에서 본 모양에 쓰인 수를 모두 더하면 됩니다. （〇）

---

1 쌓기나무로 쌓은 모양을 보고 위에서 본 모양의 각 자리에 수를 써넣으세요.

(1) (2)

✽ 위에서 본 모양의 각 자리에 쌓인 쌓기나무의 개수를 세어 위에서 본 모양에 수를 씁니다.

2 쌓기나무로 쌓은 모양을 보고 위에서 본 모양에 수를 썼습니다. 똑같은 모양으로 쌓는 데 필요한 쌓기나무의 개수를 구해 보세요.

(1) (2)

(**12개**) (**14개**)

✽ (1) 각 자리에 쌓인 쌓기나무의 개수를 모두 더합니다.
➡ 3+2+3+1+1+2=12(개)
(2) 3+2+3+2+3+1=14(개)

3 쌓기나무로 쌓은 모양을 보고 위에서 본 모양에 수를 썼습니다. 앞에서 본 모양을 그려 보세요.

(1)   (2)

✽ (1) 앞에서 보면 왼쪽에서부터 2층, 3층, 1층으로 보입니다.
(2) 앞에서 보면 왼쪽에서부터 3층, 2층, 2층으로 보입니다.

4 쌓기나무로 쌓은 모양을 보고 위에서 본 모양에 수를 썼습니다. 옆에서 본 모양을 그려 보세요.

(1) (2)

✽ (1) 옆에서 보면 왼쪽에서부터 2층, 1층, 3층으로 보입니다.
(2) 옆에서 보면 왼쪽에서부터 3층, 2층, 3층으로 보입니다.

3 단원

교과서 개념 잡기

정답과 풀이 p.19

개념 ⑤ 쌓은 모양과 쌓기나무의 개수 알아보기(4)

• 쌓기나무로 쌓은 모양을 층별로 나타낸 모양으로 표현하기

1층을 기준으로 하여 같은 위치에 쌓인 쌓기나무는 같은 자리에 그려야 합니다.

• 층별로 나타낸 모양을 위에서 본 모양에 수를 쓰는 방법으로 나타내기

3층인 자리에 3을 쓰고, 남은 자리 중 2층인 자리에 2를 쓰고, 나머지 자리에 1을 씁니다.

개념 ⑥ 여러 가지 모양 만들기

• 쌓기나무 4개로 만들 수 있는 서로 다른 모양 찾기

방법 쌓기나무 3개로 만들 수 있는 모양에 쌓기나무를 1개 더 붙여서 만들어 봅니다.

➡ 3가지

➡ 7가지

쌓기나무 4개로 만들 수 있는 서로 다른 모양은 3+7−2=8(가지)입니다.

➕➕ 개념 Check

🎓 맞으면 〇표, 틀리면 ×표 하세요.

모양과 모양은 서로 다른 모양입니다. （×）

✽ (1) 1층에는 쌓기나무 4개가 ⊞ 와 같은 모양으로 있습니다.
쌓인 모양을 보고 2층에 쌓기나무 2개를 위치에 맞게 그립니다.

1 쌓기나무로 쌓은 모양을 보고 1층과 2층 모양을 각각 그려 보세요.

(1)

(2) 1층에는 쌓기나무 5개가 ⊞ 와 같은 모양으로 있습니다.
쌓인 모양을 보고 2층에 쌓기나무 1개를 위치에 맞게 그립니다.

2 보기 의 모양에 쌓기나무 1개를 더 붙여서 만들 수 있는 모양에 〇표 하세요.

(1)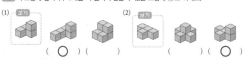

(〇) ( )

(2) 보기

( ) (〇)

✽ (1) 1층 모양에서 나의 ×표 한 자리에는 쌓기나무가 없으므로 나는 2층으로 알맞은 모양이 될 수 없습니다.

3 쌓기나무로 1층 위에 2층을 쌓으려고 합니다. 1층 모양을 보고 2층 모양으로 알맞은 것을 찾아 기호를 써 보세요.

(1)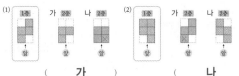

(**가**) (**나**)

(2) 1층 모양에서 가의 ×표 한 자리에는 쌓기나무가 없으므로 가는 2층으로 알맞은 모양이 될 수 없습니다.

4 쌓기나무 4개로 만든 모양입니다. 다른 모양 하나를 찾아 기호를 써 보세요.

(1) 가 나 다 (2) 가 나 다

(**나**) (**가**)

✽ (1) 가 모양을 돌리거나 뒤집으면 다 모양이 됩니다.
(2) 나 모양을 돌리거나 뒤집으면 다 모양이 됩니다.

3 단원

교과서 개념 play 컵 아이스크림 완성하기

컵에 있는 위에서 본 모양 또는 쌓기나무를 보고 각 층의 모양이 있는 아이스크림 붙임딱지를 붙여 보세요. (쌓기나무 옆에 있는 개수는 그 모양을 쌓는 데 사용한 쌓기나무의 개수입니다.)

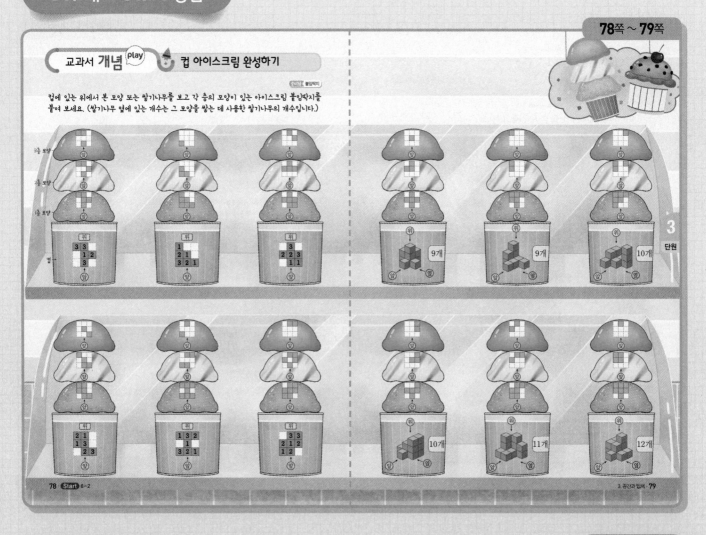

집중! 드릴 문제

정답과 풀이 p.20

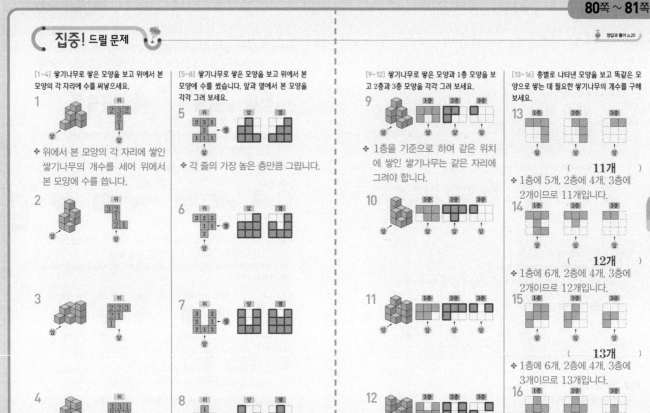

[1~4] 쌓기나무로 쌓은 모양을 보고 위에서 본 모양의 각 자리에 수를 써넣으세요.

1

❖ 위에서 본 모양의 각 자리에 쌓인 쌓기나무의 개수를 세어 위에서 본 모양에 수를 씁니다.

2

3

4

[5~8] 쌓기나무로 쌓은 모양을 보고 위에서 본 모양에 수를 썼습니다. 앞과 옆에서 본 모양을 각각 그려 보세요.

5

❖ 각 줄의 가장 높은 층만큼 그립니다.

6

7

8

[9~12] 쌓기나무로 쌓은 모양과 1층 모양을 보고 2층과 3층 모양을 각각 그려 보세요.

9

❖ 1층을 기준으로 하여 같은 위치에 쌓인 쌓기나무는 같은 자리에 그려야 합니다.

10

11

12

[13~16] 층별로 나타낸 모양을 보고 똑같은 모양으로 쌓는 데 필요한 쌓기나무의 개수를 구해 보세요.

13

(11개)

❖ 1층에 5개, 2층에 4개, 3층에 2개이므로 11개입니다.

14

(12개)

❖ 1층에 6개, 2층에 4개, 3층에 2개이므로 12개입니다.

15

(13개)

❖ 1층에 6개, 2층에 4개, 3층에 3개이므로 13개입니다.

16

(11개)

❖ 1층에 5개, 2층에 5개, 3층에 1개이므로 11개입니다.

❖ (1) 앞에서 본 모양의 △ 부분에 따르면 ㉢에 쌓인 쌓기나무는 2개입니다.
앞에서 본 모양의 ○ 부분에 따르면 ㉣과 ㉤에 쌓인 쌓기나무는 1개씩입니다.

교과서 개념 확인 문제

정답과 풀이 p.21

1 쌓기나무로 쌓은 모양을 위, 앞, 옆에서 본 모양입니다. 똑같은 모양으로 쌓는 데 필요한 쌓기나무의 개수를 구하려고 합니다. 물음에 답하세요.

(1) ㉡, ㉣, ㉤에 쌓인 쌓기나무는 각각 몇 개인지 구해 보세요.
㉡ (**2개**), ㉣ (**1개**), ㉤ (**1개**)

(2) ㉠과 ㉢에 쌓인 쌓기나무는 각각 몇 개인지 구해 보세요.
㉠ (**2개**), ㉢ (**3개**)

(3) 똑같은 모양으로 쌓는 데 필요한 쌓기나무는 몇 개인지 구해 보세요.
(**9개**)

(2) 옆에서 본 모양의 ♡ 부분에 따르면 ㉠에 쌓인 쌓기나무는 2개입니다.
옆에서 본 모양의 ☆ 부분에 따르면 ㉢에 쌓인 쌓기나무는 3개입니다.
(3) 각 자리에 쌓인 쌓기나무의 개수를 모두 더합니다.
➡ ㉠+㉡+㉢+㉣+㉤=2+2+3+1+1=9(개)

2 쌓기나무로 쌓은 3층짜리 모양을 층별로 나타낸 모양입니다. 1층, 2층, 3층 모양으로 알맞은 것을 찾아 기호를 써 보세요.

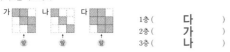

1층 (**다**)
2층 (**가**)
3층 (**나**)

❖ 색칠한 칸 수가 많을수록 낮은 층의 모양입니다

3 보기 의 모양에 쌓기나무 1개를 더 붙여서 만들 수 없는 모양에 ✕표 하세요.

( ) ( ) ( ) (✕)

4 쌓기나무로 쌓은 모양을 보고 위에서 본 모양에 수를 썼습니다. 관계있는 것끼리 선으로 이어 보세요.

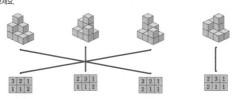

❖ 위에서 본 모양이 서로 같은 쌓기나무입니다. 위에서 본 모양의 각 자리에 쌓인 쌓기나무의 개수를 세어서 비교합니다.

5 쌓기나무로 쌓은 모양을 층별로 나타낸 모양을 보고 쌓은 모양을 찾아 기호를 써 보세요.

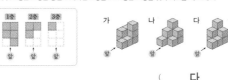

(**다**)

❖ 1층 모양으로 쌓은 모양을 찾으면 가와 다입니다. 가는 3층 모양이 주어진 모양과 다릅니다.

6 쌓기나무 9개를 사용하여 쌓은 모양입니다. 위에서 본 모양에 수를 쓰는 방법으로 나타내어 보세요.

❖ 1층 모양과 같게 위에서 본 모양을 그린 후 쌓기나무의 개수를 세어 각 자리에 수를 씁니다.

교과서 개념 확인 문제

정답과 풀이 p.21

7 쌓기나무를 각각 4개씩 붙여서 만든 두 가지 모양을 사용하여 새로운 모양을 만들었습니다. 사용한 두 가지 모양을 찾아 기호를 써 보세요.

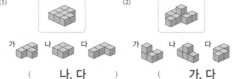

(1) (**나, 다**)
(2) (**가, 다**)

❖ (1) 가가 들어갈 수 있는 위치를 찾으면 가로 인해서 모양이 둘로 나누어지므로 답이 아닙니다.
(2) 나가 들어갈 수 있는 위치를 찾으면 나로 인해서 모양이 둘로 나누어지므로 답이 아닙니다.

8 쌓기나무 4개로 만든 모양입니다. 돌리거나 뒤집었을 때 같은 모양이 되는 것을 찾아 기호를 써 보세요.

(**가, 마**)

❖ 가 모양을 돌리거나 뒤집으면 마 모양이 됩니다.

9 쌓기나무로 1층 위에 2층과 3층을 쌓으려고 합니다. 1층 모양을 보고 2층과 3층 모양으로 알맞은 것을 보기 에서 찾아 기호를 써 보세요.

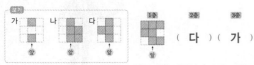

2층 (**다**) 3층 (**가**)

❖ 2층 모양으로 가능한 모양은 가와 다입니다. 2층 모양이 가이면 다는 3층 모양이 될 수 없으므로 2층 모양이 다이고 3층 모양이 가입니다.

10 쌓기나무로 쌓은 모양을 층별로 나타낸 모양입니다. 위에서 본 모양을 그리고, 각 자리에 쌓인 쌓기나무의 개수를 써넣으세요.

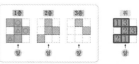

❖ 1층의 △ 부분은 쌓기나무가 2층까지 있고, ○ 부분은 쌓기나무가 3층까지 있습니다. 나머지 부분은 1층만 있습니다.

11 쌓기나무로 쌓은 모양을 층별로 나타낸 모양입니다. 앞과 옆에서 본 모양을 각각 그려 보세요.

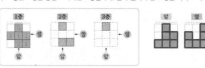

❖ 앞에서 보면 왼쪽에서부터 1층, 3층, 2층으로 보이고 옆에서 보면 왼쪽에서부터 2층, 1층, 3층으로 보입니다.

12 쌓기나무를 7개씩 사용하여 조건 을 만족하도록 쌓았을 때 위에서 본 모양에 수를 쓰는 방법으로 나타내어 보세요.

조건
· 가와 나의 쌓은 모양은 서로 다릅니다.
· 위에서 본 모양은 서로 같습니다.
· 앞에서 본 모양은 서로 같습니다.
· 옆에서 본 모양은 서로 같습니다.

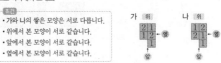

❖ 1층에 쌓인 쌓기나무가 5개이므로
2층 이상에 쌓인 쌓기나무는 7-5=2(개)입니다.
쌓기나무 2개의 위치를 이동하면서 위, 앞, 옆에서 본 모양이 서로 같은 두 모양을 만들어 봅니다.

개념 확인평가

3. 공간과 입체

맞은 개수

정답과 풀이 p.22

1 팔각기둥입니다. 팔각형 모양이 나오려면 어느 방향에서 찍어야 하는지 번호를 써 보세요.

(③)

✤ 팔각기둥의 밑면이 팔각형이므로 팔각형 모양이 나오려면 ③에서 찍어야 합니다.

2 쌓기나무로 쌓은 모양을 보고 위에서 본 모양의 각 자리에 수를 써넣으세요.

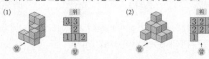

✤ 위에서 본 모양의 각 자리에 쌓인 쌓기나무의 개수를 세어 위에서 본 모양에 수를 씁니다.

3 주어진 모양과 똑같이 쌓는 데 필요한 쌓기나무의 개수를 구해 보세요.

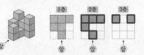

(1) (10개) (2) (14개)

✤ (1) 1층에 6개, 2층에 3개, 3층에 1개 ➡ 10개
   (2) 1층에 7개, 2층에 5개, 3층에 2개 ➡ 14개

4 쌓기나무로 쌓은 모양과 1층 모양을 보고 2층과 3층 모양을 각각 그려 보세요.

✤ 1층을 기준으로 하여 같은 위치에 쌓인 쌓기나무는 같은 자리에 그려야 합니다.

5 오른쪽 모양에 쌓기나무 1개를 더 붙여서 만들 수 있는 서로 다른 모양은 모두 몇 가지인지 구해 보세요. (단, 돌리거나 뒤집었을 때 같은 모양인 것은 1가지로 생각합니다.)

(3가지)

✤ ,   ➡ 3가지

6 쌓기나무로 쌓은 모양을 보고 위에서 본 모양이 될 수 있는 것을 모두 찾아 기호를 써 보세요.

(㉠, ㉢)

✤ ㉡의 ×표 한 자리에는 쌓기나무가 놓일 수 없습니다.

7 쌓기나무로 쌓은 모양을 보고 위에서 본 모양에 수를 썼습니다. 앞과 옆에서 볼 때 각각 보이는 쌓기나무 개수의 합을 구해 보세요.

(12개)

✤ 앞에서 보면 왼쪽에서부터 1층, 2층, 3층으로 보이므로 6개가 보입니다.
옆에서 보면 왼쪽에서부터 1층, 3층, 2층으로 보이므로 6개가 보입니다.
따라서 모두 6+6=12(개)입니다.

8 쌓기나무 12개로 쌓은 모양과 위에서 본 모양입니다. 앞과 옆에서 본 모양을 각각 그려 보세요.

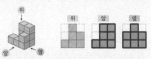

✤ ・앞에서 보면 왼쪽에서부터 1층, 3층, 3층으로 보입니다.
・위에서 본 모양을 보면 뒤에 보이지 않는 쌓기나무가 2개 있습니다.
따라서 옆에서 보면 왼쪽에서부터 2층, 3층, 2층으로 보입니다.

3 단원

개념 확인평가

3. 공간과 입체

정답과 풀이 p.22

9 쌓기나무를 각각 4개씩 붙여서 만든 두 가지 모양을 사용하여 새로운 모양을 만들었습니다. 사용한 두 가지 모양을 보기에서 찾아 기호를 써 보세요.

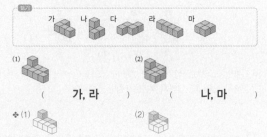

가 나 다 라 마

(1) (가, 라) (2) (나, 마)

✤ (1) 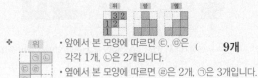 (2)

10 쌓기나무로 쌓은 모양을 위, 앞, 옆에서 본 모양입니다. 위에서 본 모양에 수를 쓰고 똑같은 모양으로 쌓는 데 필요한 쌓기나무의 개수를 구해 보세요.

(9개)

✤ ・앞에서 본 모양에 따르면 ㉢, ㉣은 각각 1개, ㉡은 2개입니다.
・옆에서 본 모양에 따르면 ㉣은 2개, ㉠은 3개입니다.
➡ 3+2+1+2+1=9(개)

11 쌓기나무로 쌓은 모양을 층별로 나타낸 모양입니다. 위, 앞, 옆에서 본 모양을 각각 그려 보세요.

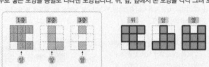

✤ ・위에서 본 모양은 1층의 모양과 똑같이 그립니다.
・앞에서 보면 왼쪽에서부터 1층, 3층, 2층으로 보입니다.
・옆에서 보면 왼쪽에서부터 3층, 2층, 3층으로 보입니다.

[GO! 매쓰]
여기까지 3단원 내용입니다.
다음부터는 4단원 내용이
시작합니다.

교과서 개념 잡기

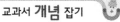

개념 1 비의 성질 알아보기

비 1 : 3에서 기호 ' : ' 앞에 있는 1을 전항, 뒤에 있는 3을 후항이라고 합니다.

$$1 : 3$$
$$\uparrow \quad \uparrow$$
$$전항 \quad 후항$$

· 비의 성질 (1)

예 2 : 3과 4 : 6의 비율 비교하기

0을 곱하면 0 : 0이 되므로 0을 곱할 수 없어요.

비 2 : 3   비율 $\frac{2}{3}$
비 4 : 6   비율 $\frac{4}{6} = \frac{2}{3}$ ┐ 비율이 같습니다.

> 비의 전항과 후항에 0이 아닌 같은 수를 곱하여도 비율은 같습니다.

· 비의 성질 (2)

예 3 : 9와 1 : 3의 비율 비교하기

분모가 0인 분수는 없으므로 0으로 나눌 수 없어요.

비 3 : 9   비율 $\frac{3}{9} = \frac{1}{3}$
비 1 : 3   비율 $\frac{1}{3}$ ┐ 비율이 같습니다.

> 비의 전항과 후항을 0이 아닌 같은 수로 나누어도 비율은 같습니다.

개념 Check

맞으면 ○표 틀리면 ×표 하세요.

> 비의 전항과 후항에 0이 아닌 (같은) 수를 곱하여도 비율은 같습니다.

90 · Start 6-2

1 알맞은 말에 ○표 하세요.

> 비 8 : 9에서 8은 ((전항), 후항)이고, 9는 (전항, (후항))입니다.

❖ 비 8 : 9에서 기호 ' : ' 앞에 있는 8을 전항, 뒤에 있는 9를 후항이 라고 합니다.

2 비에서 전항과 후항을 각각 구해 보세요.

(1) ⎡ 7 : 5 ⎤
전항 (**7**)
후항 (**5**)

(2) ⎡ 2 : 3 ⎤
전항 (**2**)
후항 (**3**)

❖ (1) 비 7 : 5에서 전항은 7이고 후항은 5입니다.
(2) 비 2 : 3에서 전항은 2이고 후항은 3입니다.

3 비 3 : 5와 비율이 같은 비를 구하려고 합니다. ☐ 안에 알맞은 수를 써넣으세요.

$$3 : 5 \ \Rightarrow \ \boxed{6} : 10$$
×2 (위), ×**2** (아래)

❖ 비의 전항과 후항에 0이 아닌 같은 수를 곱하여도 비율은 같습니다.

4 비 2 : 6과 비율이 같은 비를 구하려고 합니다. ☐ 안에 알맞은 수를 써넣으세요.

$$2 : 6 \ \Rightarrow \ 1 : \boxed{3}$$
÷**2** (위), ÷2 (아래)

❖ 비의 전항과 후항을 0이 아닌 같은 수로 나누어도 비율은 같습니다.

4. 비례식과 비례배분 · 91

교과서 개념 잡기

개념 2 간단한 자연수의 비로 나타내기

· 소수의 비를 간단한 자연수의 비로 나타내기

예 0.5 : 0.9

$$0.5 : 0.9 \ \Rightarrow \ 5 : 9$$
×10 (위), ×10 (아래)

소수점 아래 자릿수에 따라 비의 전항과 후항에 10, 100……을 곱합니다.

· 분수의 비를 간단한 자연수의 비로 나타내기

예 $\frac{1}{2} : \frac{1}{3}$

2와 3의 공배수: 6, 12……

$$\frac{1}{2} : \frac{1}{3} \ \Rightarrow \ 3 : 2$$
×6 (위), ×6 (아래)

비의 전항과 후항에 두 분모의 공배수를 곱합니다.

대분수인 경우에는 가분수로 바꾸어서 계산해요.

· 분수와 소수의 비 또는 소수와 분수의 비를 간단한 자연수의 비로 나타내기

분수를 소수로 나타내거나 소수를 분수로 나타낸 후 간단한 자연수의 비로 나타냅니다.

예 $\frac{3}{10} : 0.2$

방법1 분수를 소수로 나타내기

전항인 $\frac{3}{10}$을 소수로 바꾸면 0.3입니다.
0.3 : 0.2의 전항과 후항에 10을 곱하면 3 : 2가 됩니다.

방법2 소수를 분수로 나타내기

후항인 0.2를 분수로 바꾸면 $\frac{2}{10}$입니다.
$\frac{3}{10} : \frac{2}{10}$의 전항과 후항에 10을 곱하면 3 : 2가 됩니다.

개념 Check

알맞은 말에 ○표 하세요.

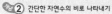

> 분수의 비를 간단한 자연수의 비로 나타내려면 비의 전항과 후항에 분모의 (공약수 , (공배수))를 곱합니다.

92 · Start 6-2

---

1 소수의 비를 간단한 자연수의 비로 나타내려고 합니다. ☐ 안에 알맞은 수를 써넣으세요.

(1) $$0.2 : 0.9 \ \Rightarrow \ \boxed{2} : 9$$
×10 (위), ×10 (아래)

(2) $$0.11 : 0.19 \ \Rightarrow \ 11 : \boxed{19}$$
×**100** (위), ×100 (아래)

❖ (1) 비의 전항과 후항에 10을 곱합니다.
(2) 비의 전항과 후항에 100을 곱합니다.

2 분수의 비를 간단한 자연수의 비로 나타내려고 합니다. ☐ 안에 알맞은 수를 써넣으세요.

(1) $$\frac{1}{3} : \frac{1}{8} \ \Rightarrow \ \boxed{8} : 3$$
×24 (위), ×**24** (아래)

(2) $$\frac{2}{3} : \frac{3}{5} \ \Rightarrow \ 10 : \boxed{9}$$
×**15** (위), ×15 (아래)

❖ (1) 비의 전항과 후항에 분모의 공배수인 24를 곱합니다.
(2) 비의 전항과 후항에 분모의 공배수인 15를 곱합니다.

3 $0.2 : \frac{1}{2}$을 간단한 자연수의 비로 나타내려고 합니다. ☐ 안에 알맞은 수를 써넣으세요.

$$0.2 : \frac{1}{2} \ \Rightarrow \ 0.2 : \boxed{0.5} \ \Rightarrow \ 2 : \boxed{5}$$

❖ $\frac{1}{2}$을 소수로 바꾸면 0.5입니다. 0.2 : 0.5의 전항과 후항에 10을 곱하면 2 : 5가 됩니다.

4 $\frac{3}{5} : 0.5$를 간단한 자연수의 비로 나타내려고 합니다. ☐ 안에 알맞은 수를 써넣으세요.

$$\frac{3}{5} : 0.5 \ \Rightarrow \ \frac{3}{5} : \frac{\boxed{5}}{10} \ \Rightarrow \ 6 : \boxed{5}$$

❖ 0.5를 분수로 바꾸면 $\frac{5}{10} \left(= \frac{1}{2} \right)$입니다. $\frac{3}{5} : \frac{5}{10}$의 전항과 후항에 분모의 공배수인 10을 곱하면 6 : 5가 됩니다.

4. 비례식과 비례배분 · 93

교과서 개념 play 가격표 붙이기

주어진 비를 간단한 자연수의 비로 나타낸 가격표를 붙여 보세요.

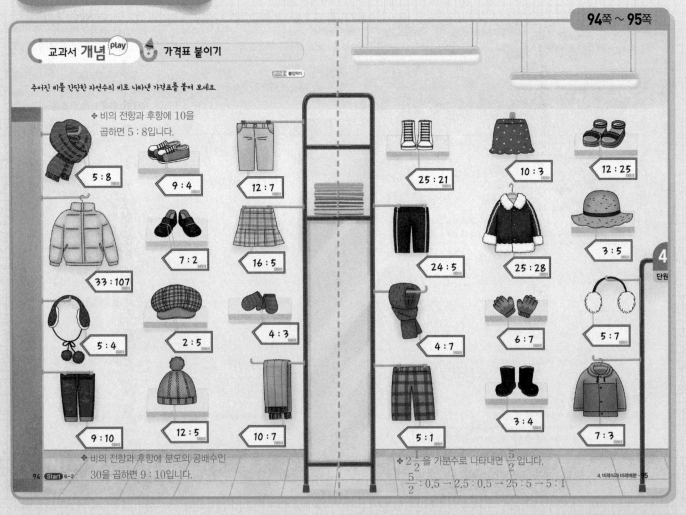

❖ 비의 전항과 후항에 10을 곱하면 5 : 8입니다.

5 : 8

9 : 4

12 : 7

7 : 2

16 : 5

33 : 107

5 : 4

2 : 5

4 : 3

9 : 10

12 : 5

10 : 7

25 : 21

10 : 3

12 : 25

3 : 5

24 : 5

25 : 28

4 : 7

6 : 7

5 : 7

3 : 4

7 : 3

5 : 1

❖ 비의 전항과 후항에 분모의 공배수인 30을 곱하면 9 : 10입니다.

❖ $2\frac{1}{2}$ 을 가분수로 나타내면 $\frac{5}{2}$ 입니다.

$\frac{5}{2} : 0.5 \rightarrow 2.5 : 0.5 \rightarrow 25 : 5 \rightarrow 5 : 1$

94 · Start 6-2

4. 비례식과 비례배분 · 95

4 단원

집중! 드릴 문제

정답과 풀이 p.24

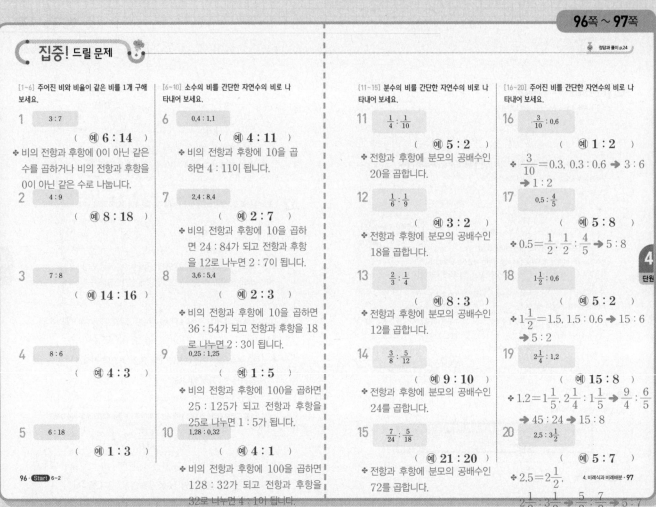

[1~6] 주어진 비와 비율이 같은 비를 1개 구해 보세요.

1 3 : 7
(예 6 : 14)
❖ 비의 전항과 후항에 0이 아닌 같은 수를 곱하거나 비의 전항과 후항을 0이 아닌 같은 수로 나눕니다.

2 4 : 9
(예 8 : 18)

3 7 : 8
(예 14 : 16)

4 8 : 6
(예 4 : 3)

5 6 : 18
(예 1 : 3)

[6~10] 소수의 비를 간단한 자연수의 비로 나타내어 보세요.

6 0.4 : 1.1
(예 4 : 11)
❖ 비의 전항과 후항에 10을 곱하면 4 : 11이 됩니다.

7 2.4 : 8.4
(예 2 : 7)
❖ 비의 전항과 후항에 10을 곱하면 24 : 84가 되고 전항과 후항을 12로 나누면 2 : 7이 됩니다.

8 3.6 : 5.4
(예 2 : 3)
❖ 비의 전항과 후항에 10을 곱하면 36 : 54가 되고 전항과 후항을 18로 나누면 2 : 3이 됩니다.

9 0.25 : 1.25
(예 1 : 5)
❖ 비의 전항과 후항에 100을 곱하면 25 : 125가 되고 전항과 후항을 25로 나누면 1 : 5가 됩니다.

10 1.28 : 0.32
(예 4 : 1)
❖ 비의 전항과 후항에 100을 곱하면 128 : 32가 되고 전항과 후항을 32로 나누면 4 : 1이 됩니다.

[11~15] 분수의 비를 간단한 자연수의 비로 나타내어 보세요.

11 $\frac{1}{4} : \frac{1}{10}$
(예 5 : 2)
❖ 전항과 후항에 분모의 공배수인 20을 곱합니다.

12 $\frac{1}{6} : \frac{1}{9}$
(예 3 : 2)
❖ 전항과 후항에 분모의 공배수인 18을 곱합니다.

13 $\frac{2}{3} : \frac{1}{4}$
(예 8 : 3)
❖ 전항과 후항에 분모의 공배수인 12를 곱합니다.

14 $\frac{3}{8} : \frac{5}{12}$
(예 9 : 10)
❖ 전항과 후항에 분모의 공배수인 24를 곱합니다.

15 $\frac{7}{24} : \frac{5}{18}$
(예 21 : 20)
❖ 전항과 후항에 분모의 공배수인 72를 곱합니다.

[16~20] 주어진 비를 간단한 자연수의 비로 나타내어 보세요.

16 $\frac{3}{10} : 0.6$
(예 1 : 2)
❖ $\frac{3}{10} = 0.3$, $0.3 : 0.6 \rightarrow 3 : 6$
$\rightarrow 1 : 2$

17 $0.5 : \frac{4}{5}$
(예 5 : 8)
❖ $0.5 = \frac{1}{2}$, $\frac{1}{2} : \frac{4}{5} \rightarrow 5 : 8$

18 $1\frac{1}{2} : 0.6$
(예 5 : 2)
❖ $1\frac{1}{2} = 1.5$, $1.5 : 0.6 \rightarrow 15 : 6$
$\rightarrow 5 : 2$

19 $2\frac{1}{4} : 1.2$
(예 15 : 8)
❖ $1.2 = 1\frac{1}{5}$, $2\frac{1}{4} : 1\frac{1}{5} \rightarrow \frac{9}{4} : \frac{6}{5}$
$\rightarrow 45 : 24 \rightarrow 15 : 8$

20 $2.5 : 3\frac{1}{2}$
(예 5 : 7)
❖ $2.5 = 2\frac{1}{2}$,
$2\frac{1}{2} : 3\frac{1}{2} \rightarrow \frac{5}{2} : \frac{7}{2} \rightarrow 5 : 7$

96 · Start 6-2

4. 비례식과 비례배분 · 97

4 단원

교과서 **개념 확인 문제**

1 □안에 알맞은 수를 써넣으세요.

(1) 비의 전항과 후항에 $\boxed{0}$ 이 아닌 같은 수를 곱해도 비율은 같습니다.

(2) 비의 전항과 후항을 $\boxed{0}$ 이 아닌 같은 수로 나누어도 비율은 같습니다.

2 전항에는 △표, 후항에는 ○표 하세요.

(1) $\triangle{3}:\bigcirc{7}$　　　　(2) $\triangle{11}:\bigcirc{5}$

✚ (1) 비 3 : 7에서 기호 ' : ' 앞에 있는 3을 전항, 뒤에 있는 7을 후항이라고 합니다.

　(2) 비 11 : 5에서 기호 ' : ' 앞에 있는 11을 전항, 뒤에 있는 5를 후항이라고 합니다.

3 비의 전항이 후항보다 큰 것을 찾아 ○표 하세요.

21 : 8	11 : 19	8 : 15
(◯)	( )	( )

✚ 기호 ' : ' 앞에 있는 수가 뒤에 있는 수보다 더 큰 것은 21 : 8입니다.

✚ (1) 비의 전항에 3을 곱했으므로 비의 후항에도 3을 곱해야 비율이 같습니다.

　(2) 비의 전항을 6으로 나누었으므로 비의 후항도 6으로 나누어야 비율이 같습니다.

4 비의 성질을 이용하여 비율이 같은 비를 만들려고 합니다. □안에 알맞은 수를 써넣으세요.

(1) $4:5 \xrightarrow[\times 3]{\times 3} 12:\boxed{15}$　　(2) $12:54 \xrightarrow[\div 6]{\div 6} 2:\boxed{9}$

5 □안에 알맞은 수를 써넣어 간단한 자연수의 비로 나타내어 보세요.

$$0.3 : 0.8 \xrightarrow{\times \boxed{10}} \boxed{3} : 8$$

✚ 비 0.3 : 0.8의 전항과 후항에 10을 곱하면 3 : 8이 됩니다.

6 비의 성질을 이용하여 비율이 같은 비를 찾아 선으로 이어 보세요.

3 : 2		1 : 5
4 : 9		12 : 8
6 : 30		8 : 18

✚ 3 : 2 ➡ (3×4) : (2×4) ➡ 12 : 8
　4 : 9 ➡ (4×2) : (9×2) ➡ 8 : 18
　6 : 30 ➡ (6÷6) : (30÷6) ➡ 1 : 5

7 비율이 같은 비를 2개씩 써 보세요.

(1) 3 : 2 ➡ **예 6 : 4, 9 : 6**

(2) 6 : 11 ➡ **예 12 : 22, 18 : 33**

✚ 비의 전항과 후항에 0이 아닌 같은 수를 곱하거나 전항과 후항을 0이 아닌 같은 수로 나누어서 나타낸 비는 모두 정답으로 인정합니다.

8 0.25 : 0.49를 간단한 자연수의 비로 나타내려면 전항과 후항에 얼마를 곱해야 하는지 구해 보세요.

(**예 100**)

✚ 비의 전항과 후항이 소수 두 자리 수이므로 전항과 후항에 100을 곱해야 합니다.

 교과서 **개념 확인 문제**

9 $\frac{2}{3} : \frac{1}{4}$을 간단한 자연수의 비로 나타내려고 합니다. 전항과 후항에 곱할 수 있는 수를 모두 찾아 기호를 써 보세요.

㉠ 12	㉡ 16	㉢ 20	㉣ 24

(**㉠, ㉣**)

✚ 분수의 비이므로 전항과 후항에 두 분모의 공배수를 곱합니다. 3과 4의 공배수는 3과 4의 최소공배수의 배수이므로 12의 배수를 찾으면 12, 24입니다.

10 간단한 자연수의 비로 나타내어 보세요.

(1) 1.3 : 3.5 ➡ (**예 13 : 35**)

(2) $\frac{1}{5} : \frac{1}{12}$ ➡ (**예 12 : 5**)

✚ (1) 1.3 : 3.5 ➡ (1.3×10) : (3.5×10) ➡ 13 : 35

　(2) $\frac{1}{5} : \frac{1}{12}$ ➡ $(\frac{1}{5}×60) : (\frac{1}{12}×60)$ ➡ 12 : 5

11 다음 직사각형에서 가로와 세로의 비를 간단한 자연수의 비로 나타내려고 합니다. 물음에 답하세요.

75 cm · 33 cm

(1) □안에 알맞은 수를 써넣으세요.

가로와 세로의 비 ➡ 75 : $\boxed{33}$

(2) 가로와 세로의 최대공약수를 구해 보세요.

(**3**)

(3) 비의 전항과 후항을 최대공약수로 나누어 가로와 세로의 비를 간단한 자연수의 비로 나타내어 보세요.

(**25 : 11**)

✚ 75 : 33 ➡ (75÷3) : (33÷3) ➡ 25 : 11

12 민기와 예지가 같은 책을 1시간 동안 읽고 나눈 대화입니다. 민기와 예지가 각각 1시간 동안 읽은 책의 양을 간단한 자연수의 비로 나타내어 보세요.

전체의 $\frac{2}{3}$ 를 읽었어. 민기

전체의 $\frac{1}{2}$ 을 읽었어. 예지

(**예 4 : 3**)

✚ $\frac{2}{3} : \frac{1}{2}$의 전항과 후항에 분모의 공배수인 6을 곱하면 4 : 3입니다.

13 가로와 세로의 비가 3 : 2와 비율이 같은 직사각형을 찾아 기호를 써 보세요.

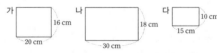

가 20 cm · 16 cm　　나 30 cm · 18 cm　　다 15 cm · 10 cm

(**다**)

✚ 가 직사각형의 가로와 세로의 비 20 : 16은 전항과 후항을 4로 나누면 5 : 4가 됩니다.

나 직사각형의 가로와 세로의 비 30 : 18은 전항과 후항을 6으로 나누면 5 : 3이 됩니다.

14 비율이 나머지 셋과 다른 것을 찾아 기호를 써 보세요.

| ㉠ $\frac{1}{3} : \frac{1}{8}$ | ㉡ 0.8 : $\frac{2}{5}$ |
| ㉢ 32 : 12 | ㉣ 1.6 : 0.6 |

(**㉡**)

✚ 간단한 자연수의 비로 나타낸 후에 비율을 구해 봅니다.

15 $1\frac{1}{5} : 2.4$를 간단한 자연수의 비로 바르게 나타낸 것을 찾아 기호를 써 보세요.

㉠ 3 : 4	㉡ 1 : 2	㉢ 2 : 1

(**㉡**)

✚ $1\frac{1}{5}$을 소수로 나타내면 1.2입니다.

1.2 : 2.4의 전항과 후항에 10을 곱하면 12 : 24이고 전항과 후항을 12로 나누면 1 : 2입니다.

교과서 개념 잡기

정답과 풀이 p.26

개념 3 비례식 알아보기

• 비율이 같은 두 비를 기호 '='를 사용하여 나타낸 식을 비례식이라고 합니다.

비 15 : 6 비율 → $\frac{15}{6} = \frac{5}{2}$ 비율이 같으므로 15 : 6 = 10 : 4와 같이

비 10 : 4 비율 → $\frac{10}{4} = \frac{5}{2}$ 비례식으로 나타낼 수 있습니다.

• 비례식 15 : 6 = 10 : 4에서 바깥쪽에 있는 15와 4를 외항, 안쪽에 있는 6과 10을 내항이라고 합니다.

$$15 : 6 = 10 : 4$$
(외항, 내항)

• 비례식을 이용하여 비의 성질 나타내기

| **예 3 : 2는 전항과 후항에 2를 곱한 6 : 4와 그 비율이 같습니다.** | **예 9 : 6은 전항과 후항을 3으로 나눈 3 : 2와 그 비율이 같습니다.** |

3 : 2 = 6 : 4 (×2)

9 : 6 = 3 : 2 (÷3)

3 : 2 → 비율 : $\frac{3}{2}$

9 : 6 → 비율 : $\frac{9}{6} = \frac{3}{2}$

6 : 4 → 비율 : $\frac{6}{4} = \frac{3}{2}$

3 : 2 → 비율 : $\frac{3}{2}$

개념 4 비례식의 성질 알아보기

예 1 : 2 = 4 : 8

외항의 곱 : 1 × 8 = 8
내항의 곱 : 2 × 4 = 8 같습니다.

예 3 : 7 = 4 : 8

외항의 곱 : 3 × 8 = 24
내항의 곱 : 7 × 4 = 28 다릅니다.

> 비례식에서 외항의 곱과 내항의 곱은 같습니다.

> 외항의 곱과 내항의 곱이 같지 않으면 비례식이 아닙니다.

개념 Check

알맞은 말에 ○표 하세요.

> 비례식에서 외항의 곱과 내항의 곱은 (같습니다 , 다릅니다).

102 · Start 6-2

1 □ 안에 알맞은 말을 써넣으세요.

> 1 : 2 = 2 : 4와 같이 비율이 같은 두 비를 기호 '='를 사용하여 나타낸 식을 **비례식** (이)라고 합니다.

2 알맞은 말에 ○표 하세요.

> 비례식 2 : 3 = 4 : 6에서 2와 6은 (내항 , 외항)입니다.

❖ 2 : 3 = 4 : 6에서 2와 6은 외항, 3과 4는 내항입니다.

3 비례식을 찾아 ○표 하세요.

| 1 : 6 = 2 : 3 | 1 : 5 = 2 : 10 |
| ( ) | (○) |

❖ 외항의 곱과 내항의 곱이 같은지 확인합니다.

1 : 6 = 2 : 3 → (외항의 곱) = 1 × 3 = 3, (내항의 곱) = 6 × 2 = 12

1 : 5 = 2 : 10 → (외항의 곱) = 1 × 10 = 10, (내항의 곱) = 5 × 2 = 10

4 비례식의 성질을 이용하여 ■의 값을 구하려고 합니다. □ 안에 알맞은 수를 써넣으세요.

(1)
3 : 4 = 9 : ■ (3×■, 4×9)

3 × ■ = 4 × **9**

3 × ■ = **36**

■ = **12**

(2)
5 : 6 = ■ : 24 (5×24, 6×■)

5 × 24 = 6 × ■

6 × ■ = **120**

■ = **20**

❖ 비례식에서 외항의 곱과 내항의 곱은 같습니다.

4. 비례식과 비례배분 · 103

교과서 개념 잡기

정답과 풀이 p.26

개념 5 비례식 활용하기

예 연수는 설탕과 물을 2 : 5로 섞어서 설탕물을 만들려고 합니다. 물을 100 g 넣었다면 설탕을 몇 g 넣어야 하는지 구해 보세요.

> 넣어야 하는 설탕 무게를 ■ g이라고 하고 비례식을 세우면 2 : 5 = ■ : 100입니다.

방법1 비례식의 성질을 이용하기

비례식에서 외항의 곱과 내항의 곱은 같으므로 2 × 100 = 5 × ■, 5 × ■ = 200, ■ = 40입니다.

방법2 비의 성질을 이용하기

비의 전항과 후항에 0이 아닌 같은 수를 곱해도 비율은 같으므로

2 : 5 = ■ : 100 (×20) → ■ = 2 × 20 = 40입니다.

개념 6 비례배분하기

전체를 주어진 비로 배분하는 것을 비례배분이라고 합니다.

예 사탕 15개를 2 : 3으로 나누기

2 : 3

$\frac{2}{5}$ $\frac{3}{5}$

$\frac{2}{2+3}$ $\frac{3}{2+3}$

→ $15 \times \frac{2}{2+3} = 15 \times \frac{2}{5} = 6$(개), $15 \times \frac{3}{2+3} = 15 \times \frac{3}{5} = 9$(개)

개념 Check

알맞은 말에 ○표 하세요.

> 전체를 주어진 비로 배분하는 것을 (비례식 , 비례배분)이라고 합니다.

104 · Start 6-2

1 지우와 동생의 나이의 비가 2 : 1입니다. 지우의 나이가 8살이라면 동생의 나이는 몇 살인지 구하려고 합니다. 물음에 답하세요.

(1) 동생의 나이를 ■살이라고 하고 비례식을 세울 때 □ 안에 알맞은 수를 써넣으세요.

2 : 1 = **8** : ■

(2) 비례식의 성질을 이용하여 동생의 나이를 구해 보세요.

2 × ■ = **8**, ■ = **4**

(**4살**)

❖ 2 : 1 = 8 : □에서 외항의 곱과 내항의 곱은 같습니다.

2 × □ = 8, □ = 4

2 붕어빵이 3개에 1000원입니다. 붕어빵 9개를 사려면 얼마가 필요한지 구하려고 합니다. 물음에 답하세요.

(1) 필요한 돈을 □원이라고 하고 비례식을 세울 때 □ 안에 알맞은 수를 써넣으세요.

3 : 1000 = **9** : ■

(2) 비의 성질을 이용하여 붕어빵 9개를 사는 데 필요한 돈을 구해 보세요.

3 : 1000 = **9** : ■ (×3)

(**3000원**)

❖ 비의 전항과 후항에 0이 아닌 같은 수를 곱해도 비율은 같습니다.

■ = 1000 × 3 = 3000

3 8을 1 : 3으로 나누려고 합니다. □ 안에 알맞은 수를 써넣으세요.

$8 \times \frac{1}{1+3} = 8 \times \frac{1}{4} = 2$ $8 \times \frac{3}{1+3} = 8 \times \frac{3}{4} = 6$

4 20을 1 : 4로 나누려고 합니다. □ 안에 알맞은 수를 써넣으세요.

$20 \times \frac{1}{5} = 4$ $20 \times \frac{4}{5} = 16$

❖ $20 \times \frac{1}{1+4} = 20 \times \frac{1}{5} = 4$

$20 \times \frac{4}{1+4} = 20 \times \frac{4}{5} = 16$

4. 비례식과 비례배분 · 105

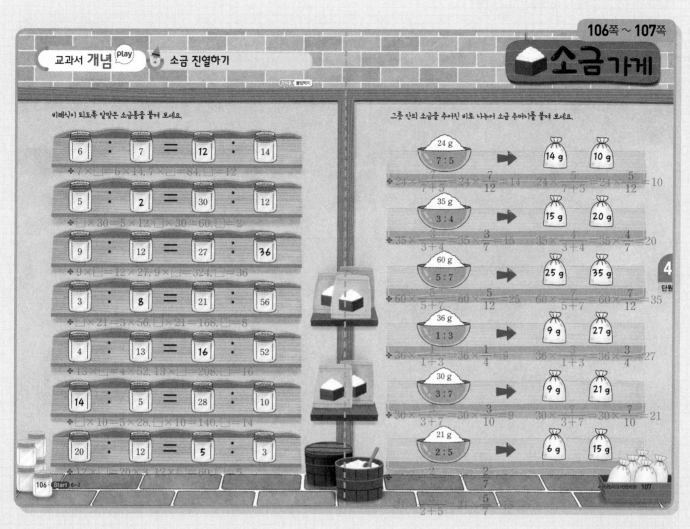

교과서 개념 play · 소금 진열하기

소금가게

비례식이 되도록 알맞은 소금통을 붙여 보세요.

6 : 7 = 12 : 14
❖ 7×□＝6×14, 7×□＝84, □＝12

5 : 2 = 30 : 12
❖ □×30＝5×12, □×30＝60, □＝2

9 : 12 = 27 : 36
❖ 9×□＝12×27, 9×□＝324, □＝36

3 : 8 = 21 : 56
❖ □×21＝3×56, □×21＝168, □＝8

4 : 13 = 16 : 52
❖ 13×□＝4×52, 13×□＝208, □＝16

14 : 5 = 28 : 10
❖ □×10＝5×28, □×10＝140, □＝14

20 : 12 = 5 : 3
❖ □×12＝20×3, 12×□＝60, □＝5

그릇 안의 소금을 주어진 비로 나누어 소금 주머니를 붙여 보세요.

24 g (7 : 5) ➡ 14 g, 10 g
❖ 24×$\frac{7}{7+5}$＝24×$\frac{7}{12}$＝14, 24×$\frac{5}{7+5}$＝24×$\frac{5}{12}$＝10

35 g (3 : 4) ➡ 15 g, 20 g
❖ 35×$\frac{3}{3+4}$＝35×$\frac{3}{7}$＝15, 35×$\frac{4}{3+4}$＝35×$\frac{4}{7}$＝20

60 g (5 : 7) ➡ 25 g, 35 g
❖ 60×$\frac{5}{5+7}$＝60×$\frac{5}{12}$＝25, 60×$\frac{7}{5+7}$＝60×$\frac{7}{12}$＝35

36 g (1 : 3) ➡ 9 g, 27 g
❖ 36×$\frac{1}{1+3}$＝36×$\frac{1}{4}$＝9, 36×$\frac{3}{1+3}$＝36×$\frac{3}{4}$＝27

30 g (3 : 7) ➡ 9 g, 21 g
❖ 30×$\frac{3}{3+7}$＝30×$\frac{3}{10}$＝9, 30×$\frac{7}{3+7}$＝30×$\frac{7}{10}$＝21

21 g (2 : 5) ➡ 6 g, 15 g
❖ 21×$\frac{2}{2+5}$＝21×$\frac{2}{7}$, 21×$\frac{5}{2+5}$＝21×$\frac{5}{7}$

106 · Start 6-2

4. 비례식과 비례배분 · 107

4 단원

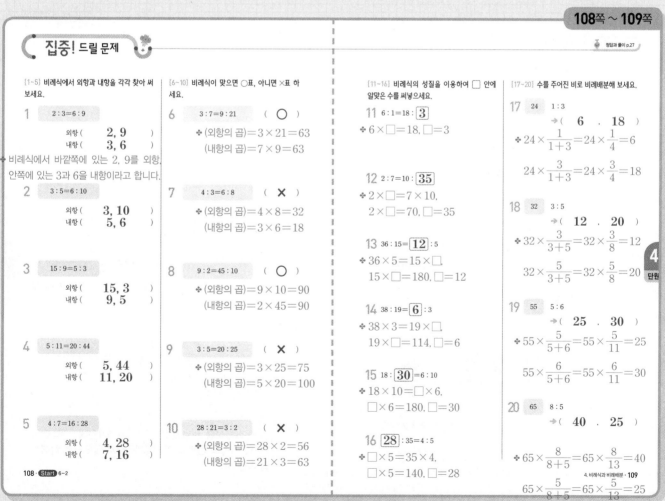

집중! 드릴 문제

정답과 풀이 p.27

[1~5] 비례식에서 외항과 내항을 각각 찾아 써 보세요.

1 2 : 3 = 6 : 9
외항 (**2, 9**)
내항 (**3, 6**)
❖ 비례식에서 바깥쪽에 있는 2, 9를 외항, 안쪽에 있는 3과 6을 내항이라고 합니다.

2 3 : 5 = 6 : 10
외항 (**3, 10**)
내항 (**5, 6**)

3 15 : 9 = 5 : 3
외항 (**15, 3**)
내항 (**9, 5**)

4 5 : 11 = 20 : 44
외항 (**5, 44**)
내항 (**11, 20**)

5 4 : 7 = 16 : 28
외항 (**4, 28**)
내항 (**7, 16**)

[6~10] 비례식이 맞으면 ○표, 아니면 ×표 하세요.

6 3 : 7 = 9 : 21 (**○**)
❖ (외항의 곱)＝3×21＝63
(내항의 곱)＝7×9＝63

7 4 : 3 = 6 : 8 (**×**)
❖ (외항의 곱)＝4×8＝32
(내항의 곱)＝3×6＝18

8 9 : 2 = 45 : 10 (**○**)
❖ (외항의 곱)＝9×10＝90
(내항의 곱)＝2×45＝90

9 3 : 5 = 20 : 25 (**×**)
❖ (외항의 곱)＝3×25＝75
(내항의 곱)＝5×20＝100

10 28 : 21 = 3 : 2 (**×**)
❖ (외항의 곱)＝28×2＝56
(내항의 곱)＝21×3＝63

[11~16] 비례식의 성질을 이용하여 □ 안에 알맞은 수를 써넣으세요.

11 6 : 1 = 18 : **3**
❖ 6×□＝18, □＝3

12 2 : 7 = 10 : **35**
❖ 2×□＝7×10, 2×□＝70, □＝35

13 36 : 15 = **12** : 5
❖ 36×5＝15×□, 15×□＝180, □＝12

14 38 : 19 = **6** : 3
❖ 38×3＝19×□, 19×□＝114, □＝6

15 18 : **30** = 6 : 10
❖ 18×10＝□×6, □×6＝180, □＝30

16 **28** : 35 = 4 : 5
❖ □×5＝35×4, □×5＝140, □＝28

[17~20] 수를 주어진 비로 비례배분해 보세요.

17 24 1 : 3
➡ (**6** , **18**)
❖ 24×$\frac{1}{1+3}$＝24×$\frac{1}{4}$＝6
24×$\frac{3}{1+3}$＝24×$\frac{3}{4}$＝18

18 32 3 : 5
➡ (**12** , **20**)
❖ 32×$\frac{3}{3+5}$＝32×$\frac{3}{8}$＝12
32×$\frac{5}{3+5}$＝32×$\frac{5}{8}$＝20

19 55 5 : 6
➡ (**25** , **30**)
❖ 55×$\frac{5}{5+6}$＝55×$\frac{5}{11}$＝25
55×$\frac{6}{5+6}$＝55×$\frac{6}{11}$＝30

20 65 8 : 5
➡ (**40** , **25**)
❖ 65×$\frac{8}{8+5}$＝65×$\frac{8}{13}$＝40
65×$\frac{5}{8+5}$＝65×$\frac{5}{13}$＝25

108 · Start 6-2

4. 비례식과 비례배분 · 109

4 단원

교과서 개념 확인 문제

정답과 풀이 p.28

1 비례식에서 외항과 내항을 각각 찾아 써 보세요.

$$6 : 3 = 24 : 12$$

외항 (**6, 12**)
내항 (**3, 24**)

❖ 비례식 6 : 3 = 24 : 12에서 바깥쪽에 있는 6, 12를 외항, 안쪽에 있는 3, 24를 내항이라고 합니다.

2 비례식의 성질을 이용하여 ♡의 값을 구하려고 합니다. □ 안에 알맞은 수를 써넣으세요.

$$7 : 3 = ♡ : 6$$
→ $7 × 6 = \boxed{3} × ♡$
$42 = \boxed{3} × ♡$
$♡ = \boxed{14}$

❖ 비례식에서 외항의 곱과 내항의 곱이 같다는 성질을 이용하여 ♡의 값을 구합니다.

3 36을 5 : 7로 나누려고 합니다. 그림을 보고 □ 안에 알맞은 수를 써넣으세요.

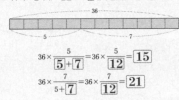

$$36 × \frac{5}{\boxed{5}+\boxed{7}} = 36 × \frac{5}{\boxed{12}} = \boxed{15}$$
$$36 × \frac{7}{5+\boxed{7}} = 36 × \frac{7}{\boxed{12}} = \boxed{21}$$

4 비례식에서 외항의 곱과 내항의 곱을 각각 구해 보세요.

$$3 : 6 = 4 : 8$$

외항의 곱 (**24**)
내항의 곱 (**24**)

110 · Start 6-2

❖ (외항의 곱) = 3 × 8 = 24
(내항의 곱) = 6 × 4 = 24

5 비율이 같은 두 비를 찾아 비례식으로 나타내어 보세요.

| 20 : 8 | 72 : 16 | 48 : 32 | 35 : 15 |

$$7 : 3 = \boxed{35} : \boxed{15}$$
$$\boxed{20} : \boxed{8} = 5 : 2$$

❖ 비율을 같은 두 비를 찾아 비례식을 세우면 7 : 3 = 35 : 15, 20 : 8 = 5 : 2입니다.

6 비례식의 성질을 이용하여 □ 안에 알맞은 수를 써넣으세요.

(1) 5 : 9 = $\boxed{10}$: 18

(2) 4 : 5 = 8 : $\boxed{10}$

(3) 10 : $\boxed{4}$ = 5 : 2

(4) 13 : 5 = 65 : $\boxed{25}$

비례식에서 외항의 곱과 내항의 곱이 같음을 이용해요.

❖ (1) 5 × 18 = 9 × □, 9 × □ = 90, □ = 10
(2) 4 × □ = 5 × 8, 4 × □ = 40, □ = 10

7 사탕 28개를 준우와 동생이 4 : 3으로 나누어 가지려고 합니다. 물음에 답하세요.

(1) 준우가 가지는 사탕은 몇 개인지 구해 보세요.

(**16개**)

(2) 동생이 가지는 사탕은 몇 개인지 구해 보세요.

(**12개**)

(3) 알맞은 말에 ○표 하세요.

준우와 동생이 나누어 가지는 사탕의 수의 합은 전체 사탕의 수와 ((같습니다.) 다릅니다).

❖ (1) $28 × \frac{4}{4+3} = 28 × \frac{4}{7} = 16(개)$

4단원

(2) $28 × \frac{3}{4+3} = 28 × \frac{3}{7} = 12(개)$　(3) 16 + 12 = 28(개)

4. 비례식과 비례배분 · 111

교과서 개념 확인 문제

정답과 풀이 p.28

8 보기와 같이 두 비율을 보고 비례식으로 나타내어 보세요.

보기
$$\frac{3}{4} = \frac{6}{8} → 3 : 4 = 6 : 8$$

(1) $\frac{6}{11} = \frac{30}{55}$ → 예 $6 : 11 = 30 : 55$

(2) $\frac{3}{8} = \frac{21}{56}$ → 예 $3 : 8 = 21 : 56$

❖ 비율을 비로 나타낼 때에는 분자를 전항에, 분모를 후항에 씁니다.

9 형과 동생이 돈을 모아 40000원 짜리 게임기를 사려고 합니다. 형과 동생이 3 : 2로 돈을 낸다면, 두 사람이 내야 하는 돈은 각각 얼마인지 구해 보세요.

형 (**24000원**)
동생 (**16000원**)

❖ (형) = $40000 × \frac{3}{3+2} = 24000(원)$

(동생) = $40000 × \frac{2}{3+2} = 16000(원)$

10 소금과 물을 2 : 7로 섞어 소금물을 만들려고 합니다. 물음에 답하세요.

소금을 24 g 넣었습니다.

(1) 물을 몇 g 넣어야 하는지 구해 보세요.

(**84 g**)

(2) 소금물은 몇 g인지 구해 보세요.

(**108 g**)

112 · Start 6-2　❖ (1) 넣어야 하는 물의 양을 □g이라 하고 비례식을 세우면
$2 : 7 = 24 : □$ → $2 × □ = 7 × 24$, $2 × □ = 168$, $□ = 84$입니다.

(2) 24 + 84 = 108(g)

11 다음 동화책의 가로와 세로의 비는 5 : 6입니다. 동화책의 가로가 15 cm라면 세로는 몇 cm인지 구해 보세요.

15 cm

동화책

(**18 cm**)

❖ 동화책의 세로를 □cm라 하고 비례식을 세우면 5 : 6 = 15 : □
→ $5 × □ = 6 × 15$, $5 × □ = 90$, $□ = 18$입니다.

12 현수네 학교 6학년 전체 학생은 300명이고, 남학생 수와 여학생 수의 비는 3 : 2입니다. 6학년 남학생이 몇 명인지 알아보기 위한 식에서 잘못된 부분을 찾아 바르게 계산해 보세요.

$$300 × \frac{3}{3 × 2} = 300 × \frac{3}{6} = 150(명)$$

→ 예 $300 × \frac{3}{3+2} = 300 × \frac{3}{5}$
$= 180(명)$

4단원

13 강호와 서희의 대화를 읽고 물음에 답하세요.

강호: 끈 2개로 리본 5개를 만들 수 있어.

서희: 리본 개수는 끈 개수보다 3개 많아. 그래서 리본 10개를 만들려면 끈이 7개 필요해.

(1) 서희가 이야기한 것이 맞으면 ○표, 틀리면 ✗표 하세요.

(**✗**)

(2) (1)에서 ○표 또는 ✗표 한 이유를 써 보세요.

풀이 예 비례식을 세우면 2 : 5 = □ : 10인데 □의 값이 7이면 외항의 곱과 내항의 곱이 같지 않으므로 비례식이 아닙니다.

4. 비례식과 비례배분 · 113

개념 확인평가

4. 비례식과 비례배분

맞은 개수

1 비례식에서 12가 외항인 것을 모두 찾아 보세요. ·············(① , ⑤)

① 5 : 6＝10 : 12
② 6 : 12＝1 : 2
③ 1 : 5＝12 : 60
④ 2 : 12＝12 : 72
⑤ 12 : 3＝4 : 1

❖ ① 비례식 5 : 6＝10 : 12에서 바깥쪽에 있는 5와 12를 외항이라고 합니다.
⑤ 비례식 12 : 3＝4 : 1에서 바깥쪽에 있는 12와 1을 외항이라고 합니다.

2 비례식 5 : 7＝10 : 14에서 옳지 않은 것을 찾아 보세요 ·············(③)

① 비의 성질을 나타낼 수 있습니다.
② 내항은 7과 10입니다.
③ 전항은 5와 14입니다.
④ 기호 '='를 사용하여 나타내었습니다.
⑤ 외항의 곱과 내항의 곱이 같습니다.

❖ ③ 전항은 5와 10입니다.

[3~4] □ 안에 알맞은 수를 써넣으세요.

3 (1) 2 : 5  20 : **50** (2) 5 : 6  **45** : 54

❖ 비의 전항과 후항에 0이 아닌 같은 수를 곱하여도 비율은 같습니다.

4 (1) 80 : 30 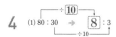 **8** : 3 (2) 21 : 35 3 : **5**

❖ 비의 전항과 후항을 0이 아닌 같은 수로 나누어도 비율은 같습니다.

5 76을 12 : 7로 비례배분해 보세요.

(**48**), (**28**)

❖ $76 \times \dfrac{12}{12+7} = 76 \times \dfrac{12}{19} = 48$

$76 \times \dfrac{7}{12+7} = 76 \times \dfrac{7}{19} = 28$

6 비의 성질을 이용하여 비율이 같은 비를 찾아 선으로 이어 보세요.

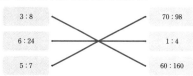

❖ 3 : 8은 전항과 후항에 20을 곱한 60 : 160과 비율이 같습니다.
6 : 24는 전항과 후항을 6으로 나눈 1 : 4와 비율이 같습니다.
5 : 7은 전항과 후항에 14를 곱한 70 : 98과 비율이 같습니다.

[7~8] 간단한 자연수의 비로 나타내어 보세요.

7 (1) 0.28 : 0.55 (2) 0.18 : 0.34

(예 **28 : 55**) (예 **9 : 17**)

❖ (1) 비의 전항과 후항에 100을 곱하면 28 : 55가 됩니다.
(2) 비의 전항과 후항에 100을 곱하면 18 : 34가 되고 전항과 후항을 각각 2로 나누면 9 : 17이 됩니다.

8 (1) $\dfrac{1}{3} : \dfrac{3}{5}$ (2) $\dfrac{3}{5} : \dfrac{6}{7}$

(예 **5 : 9**) (예 **7 : 10**)

❖ (1) 비의 전항과 후항에 분모의 공배수인 15를 곱하면 5 : 9가 됩니다.

(2) 비의 전항과 후항에 분모의 공배수인 35를 곱하면 21 : 30이 되고 전항과 후항을 각각 3으로 나누면 7 : 10이 됩니다.

개념 확인평가

4. 비례식과 비례배분

9 비례식이 맞으면 ○표, 틀리면 ×표 하세요.

(1) 5 : 2＝30 : 10 (2) 7 : 2＝28 : 8

(✗) (○)

❖ (1) (외항의 곱)＝5×10＝50, (내항의 곱)＝2×30＝60
(2) (외항의 곱)＝7×8＝56, (내항의 곱)＝2×28＝56

10 한 상자에 사탕이 50개 들어 있습니다. 은수와 지혜가 사탕을 2 : 3으로 나누어 가진다면 은수와 지혜가 가지는 사탕은 몇 개인지 구해 보세요.

은수 (**20개**)
지혜 (**30개**)

❖ (은수가 가지는 사탕의 수)＝$50 \times \dfrac{2}{2+3} = 50 \times \dfrac{2}{5} = 20$(개)

(지혜가 가지는 사탕의 수)＝$50 \times \dfrac{3}{2+3} = 50 \times \dfrac{3}{5} = 30$(개)

11 4초에 5장을 복사하는 복사기가 있습니다. 100장을 복사하는 데 걸리는 시간이 몇 초인지 구해 보세요.

(**80초**)

❖ 100장을 복사하는 데 걸리는 시간을 □초라 하고 비례식을 세우면 4 : 5＝□ : 100입니다.
4×100＝5×□, 5×□＝400, □＝80

12 윤하네 학교 학생 수는 모두 몇 명인지 구해 보세요.

학생 수 전체의 40%가 180명 이에요.

(**450명**)

❖ 윤하네 학교 학생 수를 □명이라 하면 100%가 □명이므로 비례식을 세우면 40 : 180＝100 : □입니다.
40×□＝180×100, 40×□＝18000, □＝450

[GO! 매쓰]
여기까지 4단원 내용입니다.
다음부터는 5단원 내용이 시작합니다.

교과서 **개념** 잡기

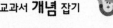

개념 ① 원주와 지름의 관계 알아보기

• 원의 둘레를 원주라고 합니다.

원주
원의 지름
원의 반지름
원의 중심

• 원의 지름이 길어지면 원주도 길어집니다.
• 원주가 길어지면 원의 지름도 길어집니다.

• 정육각형의 둘레와 원의 지름 비교하기

정육각형의 둘레는 6 cm이고 원의 지름은 2 cm므로 정육각형의 둘레는 원의 지름의 3배입니다. ➡ (원주)>(정육각형의 둘레)

• 정사각형의 둘레와 원의 지름 비교하기

정사각형의 둘레는 8 cm이고 원의 지름은 2 cm이므로 정사각형의 둘레는 원의 지름의 4배입니다. ➡ (원주)<(정사각형의 둘레)

• 지름과 원주의 길이 비교하기

원주는 원의 지름의 3배보다 길고, 원의 지름의 4배보다 짧습니다.

개념 ② 원주율 알아보기

원의 지름에 대한 원주의 비율을 원주율이라고 합니다.

(원주율)=(원주)÷(지름)

원의 크기와 상관없이 원주율은 일정합니다.

원주율을 소수로 나타내면 3.1415926535897932……와 같이 끝없이 계속됩니다.
따라서 필요에 따라 3, 3.1, 3.14 등으로 어림하여 사용하기도 합니다.

> 원주율은 보통 3.14까지 줄여서 사용합니다. 수가 너무 길어지면 계산할 때 시간이 많이 걸리므로 소수 둘째 자리까지 반올림하여 3.14로 사용하기로 정한 것입니다. 이 수로 계산해도 99 % 이상 정확한 값을 구할 수 있습니다.

1 원주를 나타내는 것을 찾아 기호를 써 보세요.

(㉣)

❖ ㉠ 원의 중심, ㉡ 원의 반지름, ㉢ 원의 지름, ㉣ 원주

2 설명이 옳은 것은 ○표, 잘못된 것은 ×표 하세요.

(1) 원의 지름이 길어져도 원주는 변하지 않습니다. (×)
(2) 원주가 길어지면 원의 지름도 길어집니다. (○)
(3) 원주와 원의 지름은 길이가 같습니다. (×)

❖ (1) 원의 지름이 길어지면 원주도 길어집니다.
(3) 원주는 원의 지름의 3배보다 길고, 원의 지름의 4배보다 짧습니다.

3 원주율을 소수로 나타내면 3.1415926535897932……와 같이 끝없이 계속됩니다. 원주율을 반올림하여 주어진 자리까지 나타내어 보세요.

	일의 자리까지	소수 첫째 자리까지	소수 둘째 자리까지
원주율	3	3.1	3.14

❖ • 일의 자리까지: 3.1…… ➡ 3
• 소수 첫째 자리까지: 3.14…… ➡ 3.1
• 소수 둘째 자리까지: 3.141…… ➡ 3.14

4 지름이 3 cm인 원의 원주와 가장 비슷한 길이를 찾아 기호를 써 보세요.

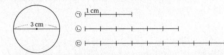

❖ 지름이 3 cm인 원의 원주는 지름의 3배인 (㉢) 9 cm보다 길고, 지름의 4배인 12 cm보다 짧으므로 원주와 가장 비슷한 것은 ㉢입니다.

5 단원

교과서 **개념** 잡기

개념 ③ 원주와 지름 구하기

• 지름을 알 때 원주를 구하는 방법
(원주율)=(원주)÷(지름)
➡ (원주)=(지름)×(원주율)

6 cm
원주율: 3.1

(원주)=6×3.1=18.6 (cm)

• 원주를 알 때 지름을 구하는 방법
(원주율)=(원주)÷(지름)
➡ (지름)=(원주)÷(원주율)

원주: 15.7 cm
원주율: 3.14

(지름)=15.7÷3.14=5 (cm)

개념 ④ 원의 넓이 어림하기

• 정사각형으로 원의 넓이 어림하기
반지름이 10 cm인 원의 넓이 어림하기

(원 안에 있는 정사각형의 넓이)
=20×20÷2=200 (cm²)
(원 밖에 있는 정사각형의 넓이)
=20×20=400 (cm²)
200 cm²<(반지름이 10 cm인 원의 넓이)
(반지름이 10 cm인 원의 넓이)<400 cm²

• 모눈종이를 이용하여 원의 넓이 어림하기
반지름이 10 cm인 원의 넓이 어림하기

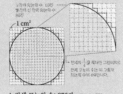

노란색 모눈의 수: 276칸
빨간색 선 안쪽 모눈의 수: 344칸
276 cm²<(반지름이 10 cm인 원의 넓이)
(반지름이 10 cm인 원의 넓이)<344 cm²

개념 Check

맞으면 ○표, 틀리면 ×표 하세요.

원주는 반지름과 원주율의 곱으로 구합니다.

1 원주를 구하려고 합니다. □ 안에 알맞은 수를 써넣으세요.

(1)

8 cm
원주율: 3
(원주)=8× 3 = 24 (cm)

(2)

12 cm
원주율: 3.1
(원주)=12× 3.1 = 37.2 (cm)

❖ (원주)=(지름)×(원주율)

2 원주가 다음과 같을 때 □ 안에 알맞은 수를 써넣으세요.

(1)
14 cm
원주: 42 cm
원주율: 3
(지름)=42÷ 3 = 14 (cm)

(2)
16 cm
원주: 50.24 cm
원주율: 3.14
(지름)=50.24÷ 3.14 = 16 (cm)

❖ (지름)=(원주)÷(원주율)

3 반지름이 4 cm인 원의 넓이는 얼마인지 어림해 보려고 합니다. □ 안에 알맞은 수를 써넣으세요.

4 cm
4 cm

• (원 안에 있는 정사각형의 넓이)=8× 8 ÷2= 32 (cm²)
• (원 밖에 있는 정사각형의 넓이)= 8 × 8 = 64 (cm²)
➡ 32 cm²<(반지름이 4 cm인 원의 넓이)< 64 cm²

❖ 원의 넓이는 원 안에 있는 정사각형의 넓이보다 넓고 원 밖에 있는 정사각형의 넓이보다 좁습니다.

4 반지름이 5 cm인 원의 넓이는 얼마인지 어림해 보려고 합니다. □ 안에 알맞은 수를 써넣으세요.

1 cm

• 노란색 모눈의 수: 60 칸
• 빨간색 선 안쪽 모눈의 수: 88 칸
➡ 60 cm²<(반지름이 5 cm인 원의 넓이)< 88 cm²

❖ 모눈 한 칸의 넓이는 1 cm²이므로 원의 넓이는 60 cm²보다 넓고 88 cm²보다 좁습니다.

5 단원

교과서 개념 play · 구멍 막기

공사장 구멍에 있는 쥐들을 안 보이게 하려고 합니다. 구멍에 있는 문제의 답이 써 있는 뚜껑 붙임딱지를 붙여 구멍을 막아 보세요.

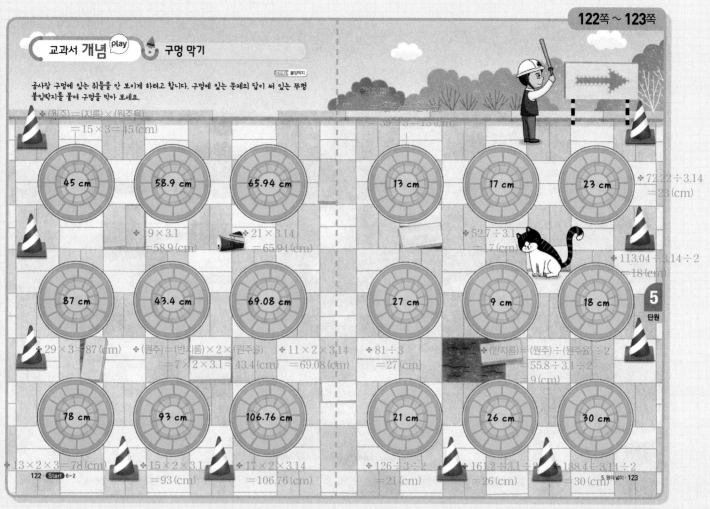

❖ (원주)=(지름)×(원주율)
=15×3=45 (cm)

45 cm 58.9 cm 65.94 cm

❖ 19×3.1
=58.9 (cm)

❖ 21×3.14
=65.94 (cm)

87 cm 43.4 cm 69.08 cm

❖ 29×3=87 (cm)

❖ (원주)=(반지름)×2×(원주율)
=7×2×3.1=43.4 (cm)

❖ 11×2×3.14
=69.08 (cm)

78 cm 93 cm 106.76 cm

❖ 13×2×3=78 (cm)

❖ 15×2×3.1
=93 (cm)

❖ 17×2×3.14
=106.76 (cm)

13 cm 17 cm 23 cm

❖ 52.7÷3.1
=17 (cm)

❖ 72.22÷3.14
=23 (cm)

27 cm 9 cm 18 cm

❖ 81÷3
=27 (cm)

❖ (반지름)=(원주)÷(원주율)÷2
=55.8÷3.1÷2
=9 (cm)

❖ 113.04÷3.14÷2
=18 (cm)

21 cm 26 cm 30 cm

❖ 126÷3÷2
=21 (cm)

❖ 161.2÷3.1÷2
=26 (cm)

❖ 188.4÷3.14÷2
=30 (cm)

122 · Start 6-2

5. 원의 넓이 · 123

5 단원

집중! 드릴 문제

정답과 풀이 p.31

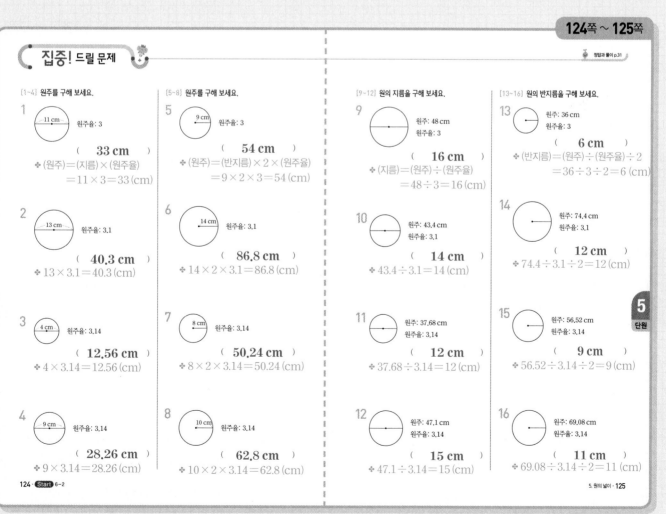

[1~4] 원주를 구해 보세요.

1
11 cm   원주율: 3

(**33 cm**)

❖ (원주)=(지름)×(원주율)
=11×3=33 (cm)

2
13 cm   원주율: 3.1

(**40.3 cm**)

❖ 13×3.1=40.3 (cm)

3
4 cm   원주율: 3.14

(**12.56 cm**)

❖ 4×3.14=12.56 (cm)

4
9 cm   원주율: 3.14

(**28.26 cm**)

❖ 9×3.14=28.26 (cm)

[5~8] 원주를 구해 보세요.

5
9 cm   원주율: 3

(**54 cm**)

❖ (원주)=(반지름)×2×(원주율)
=9×2×3=54 (cm)

6
14 cm   원주율: 3.1

(**86.8 cm**)

❖ 14×2×3.1=86.8 (cm)

7
8 cm   원주율: 3.14

(**50.24 cm**)

❖ 8×2×3.14=50.24 (cm)

8
10 cm   원주율: 3.14

(**62.8 cm**)

❖ 10×2×3.14=62.8 (cm)

[9~12] 원의 지름을 구해 보세요.

9
원주: 48 cm
원주율: 3

(**16 cm**)

❖ (지름)=(원주)÷(원주율)
=48÷3=16 (cm)

10
원주: 43.4 cm
원주율: 3.1

(**14 cm**)

❖ 43.4÷3.1=14 (cm)

11
원주: 37.68 cm
원주율: 3.14

(**12 cm**)

❖ 37.68÷3.14=12 (cm)

12
원주: 47.1 cm
원주율: 3.14

(**15 cm**)

❖ 47.1÷3.14=15 (cm)

[13~16] 원의 반지름을 구해 보세요.

13
원주: 36 cm
원주율: 3

(**6 cm**)

❖ (반지름)=(원주)÷(원주율)÷2
=36÷3÷2=6 (cm)

14
원주: 74.4 cm
원주율: 3.1

(**12 cm**)

❖ 74.4÷3.1÷2=12 (cm)

15
원주: 56.52 cm
원주율: 3.14

(**9 cm**)

❖ 56.52÷3.14÷2=9 (cm)

16
원주: 69.08 cm
원주율: 3.14

(**11 cm**)

❖ 69.08÷3.14÷2=11 (cm)

124 · Start 6-2

5. 원의 넓이 · 125

5 단원

교과서 개념 확인 문제

정답과 풀이 p.32

1 원의 지름과 원주를 표시해 보세요.

❖ 지름은 원 위의 두 점을 지나면서 원의 중심을 지나는 선분입니다.
원주는 원의 둘레입니다.

2 지름이 다른 두 원에서 항상 같은 것을 찾아 기호를 써 보세요.

| ㉠ 원의 크기   ㉡ 원주   ㉢ 원의 반지름   ㉣ 원주율 |

(㉣)

❖ ㉣ 원주율은 원의 크기와 상관없이 일정합니다.

3 지름이 5 cm인 원판을 만들고 자 위에서 한 바퀴 굴렸습니다. 원판의 원주가 얼마쯤 될지 자에 표시해 보세요.

❖ 원주는 지름의 약 3.14배이므로 지름이 5 cm인 원의 원주는
5×3.14=15.7 (cm)입니다. 그러므로 15.7 cm만큼 표시하면 됩니다.

4 그림과 같이 한 변의 길이가 12 cm인 정사각형에 지름이 12 cm인 원을 그리고 1 cm 간격으로 모눈을 그렸습니다. 모눈을 세어 원의 넓이를 어림해 보세요.

$\boxed{88}$ cm² < (원의 넓이)

(원의 넓이) < $\boxed{132}$ cm²

❖ 모눈 한 칸의 넓이가 1 cm²이므로 원의 넓이는
88 cm²보다 넓고 132 cm²보다 좁습니다.

126 · Start 6-2

5 원주를 구해 보세요.

(1) 원주율: 3.1

(**52.7 cm**)

(2) 원주율: 3.14

(**81.64 cm**)

❖ (1) 17×3.1=52.7(cm)   (2) 13×2×3.14=81.64(cm)

6 원의 지름을 구해 보세요.

(1) 원주: 96 cm   원주율: 3

(**32 cm**)

(2) 원주: 87.92 cm   원주율: 3.14

(**28 cm**)

❖ (1) 96÷3=32 (cm)   (2) 87.92÷3.14=28 (cm)

7 민준이는 오른쪽과 같이 시계의 원주와 지름을 재어 보았습니다. 물음에 답하세요.

 원주: 40.84 cm   지름: 13 cm

(1) (원주)÷(지름)을 반올림하여 주어진 자리까지 나타내어 보세요.

| 반올림하여 소수 첫째 자리까지 | 3.1 |
| 반올림하여 소수 둘째 자리까지 | 3.14 |

(2) 원주율을 3, 3.1, 3.14와 같이 어림하여 사용하는 이유를 써 보세요.

예 원주율은 나누어떨어지지 않고, 끝없이 계속되기 때문입니다.

❖ (1) • 소수 첫째 자리까지: 40.84÷13=3.14…… ➔ 3.1
• 소수 둘째 자리까지: 40.84÷13=3.141…… ➔ 3.14
(2) (원주)÷(지름)을 계산하면 3.1415……이므로 끝없이 이어진다는 것을 알 수 있습니다.

5. 원의 넓이 · 127

교과서 개념 확인 문제

정답과 풀이 p.32

8 동전의 반지름은 몇 mm인지 구해 보세요. (원주율: 3.14)

(1) 원주: 75.36 mm

(**12 mm**)

(2) 원주: 83.21 mm

(**13.25 mm**)

❖ (1) 75.36÷3.14÷2=12 (mm)   (2) 83.21÷3.14÷2=13.25 (mm)

9 큰 원의 원주를 구해 보세요. (원주율: 3.1)

 7 cm, 4 cm

(**68.2 cm**)

❖ 큰 원의 반지름은 7+4=11 (cm)
이므로 지름은 11×2=22 (cm)입니다.
따라서 원주는 22×3.1=68.2 (cm)입니다.

10 두 원의 원주의 차를 구해 보세요. (원주율: 3.14)

 16 cm, 12 cm

(**25.12 cm**)

❖ (작은 원의 원주)=16×3.14=50.24 (cm),
(큰 원의 원주)=12×2×3.14=75.36 (cm)
➔ 75.36−50.24=25.12 (cm)

11 색칠한 도형의 둘레를 구해 보세요. (원주율: 3)

 5 cm, 13 cm

(**108 cm**)

128 · Start 6-2   ❖ (색칠한 도형의 둘레)=(큰 원의 원주)+(작은 원의 원주)
=(13×2×3)+(5×2×3)=78+30=108 (cm)

12 두 원을 이어 붙여서 만든 도형입니다. 작은 원의 원주를 구해 보세요. (원주율: 3.1)

 20 cm, 20 cm

(**31 cm**)

❖ (큰 원의 반지름)=20÷2=10 (cm),
(작은 원의 지름)=20−10=10 (cm)
➔ (작은 원의 원주)=10×3.1=31 (cm)

13 지름이 0.8 m인 원 모양의 바퀴 자를 사용하여 집에서 학교까지의 거리를 알아보려고 합니다. 바퀴가 100바퀴 돌았다면 집에서 학교까지의 거리는 몇 m인지 구해 보세요. (원주율: 3)

(**240 m**)

❖ (바퀴 자가 한 바퀴 돈 거리)=0.8×3=2.4 (m)
➔ (집에서 학교까지의 거리)=2.4×100=240 (m)

14 가장 큰 원과 가장 작은 원의 지름의 차를 구해 보세요. (원주율: 3.14)

| ㉠ 반지름이 18 cm인 원 | ㉡ 지름이 24 cm인 원 | ㉢ 원주가 62.8 cm인 원 |

(**16 cm**)

❖ ㉠ 지름: 18×2=36 (cm), ㉡ 지름: 24 cm,
㉢ 지름: 62.8÷3.14=20 (cm)
➔ 36>24>20이므로 36−20=16 (cm)입니다.

15 지름이 75 cm인 굴렁쇠를 몇 바퀴 굴려서 간 거리가 23.25 m입니다. 굴렁쇠를 몇 바퀴 굴린 것인지 구해 보세요. (원주율: 3.1)

(**10바퀴**)

❖ (굴렁쇠가 한 바퀴 돈 거리)
=75×3.1=232.5 (cm)
따라서 23.25 m=2325 cm이므로
굴렁쇠를 2325÷232.5=10(바퀴) 굴린 것입니다.

5. 원의 넓이 · 129

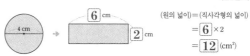

$$\text{(가로)} = \text{(원주)} \times \frac{1}{2} = 4 \times 3 \times \frac{1}{2} = 6 \,(\text{cm}).$$
$$\text{(세로)} = \text{(원의 반지름)} = 4 \div 2 = 2 \,(\text{cm})$$
$$\rightarrow \text{(원의 넓이)} = \text{(직사각형의 넓이)} = 6 \times 2 = 12 \,(\text{cm}^2)$$

교과서 개념 잡기

정답과 풀이 p.33

개념 5 원의 넓이 구하는 방법 알아보기

• 원을 다른 도형으로 바꾸기

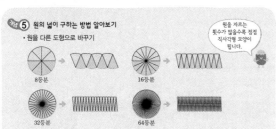

8등분 → 16등분
32등분 → 64등분

원을 자르는 횟수가 많을수록 점점 직사각형 모양이 됩니다.

→ 원을 한없이 잘라서 이어 붙이면 점점 직사각형에 가까워집니다.

• 원의 넓이 구하는 방법 알아보기
원의 넓이는 직사각형의 넓이를 구하는 방법을 이용하여 구할 수 있습니다.

(원주)×$\frac{1}{2}$
원의 반지름

참고
• (직사각형의 넓이)=(가로)×(세로)
• (원주)=(원주율)×(지름)
• (지름)×$\frac{1}{2}$=(반지름)

$$\text{(원의 넓이)} = \text{(원주)} \times \frac{1}{2} \times \text{(반지름)}$$
$$= \text{(원주율)} \times \text{(지름)} \times \frac{1}{2} \times \text{(반지름)}$$
$$= \text{(원주율)} \times \text{(반지름)} \times \text{(반지름)}$$

$$\boxed{\text{(원의 넓이)} = \text{(반지름)} \times \text{(반지름)} \times \text{(원주율)}}$$

개념 Check

원의 넓이를 구하는 방법을 바르게 쓴 사람에게 ○표 하세요.

 (원의 넓이)=(지름)×(지름)×(원주율)

 (원의 넓이)=(반지름)×(반지름)×(원주율)

130 · Start 6-2

---

1 원을 한없이 잘라서 이어 붙여 직사각형을 만들었습니다. □ 안에 알맞은 수를 써넣으세요. (원주율: 3)

4 cm → [6] cm, [2] cm

(원의 넓이)=(직사각형의 넓이)
=[6]×2
=[12] (cm²)

2 원의 넓이를 구하려고 합니다. □ 안에 알맞은 수를 써넣으세요. (원주율: 3)

(1) 6 cm

(원의 넓이)=[6]×[6]×3
=[108] (cm²)

(2) 9 cm

(원의 넓이)=[9]×[9]×3
=[243] (cm²)

❖ (원의 넓이)=(반지름)×(반지름)×(원주율)

3 주어진 원의 지름을 이용하여 빈칸에 알맞게 써넣으세요. (원주율: 3.1)

지름(cm)	반지름(cm)	원의 넓이를 구하는 식	원의 넓이(cm²)
10	5	5×5×3.1	77.5
18	9	9×9×3.1	251.1

❖ (반지름)=(지름)÷2, (원의 넓이)=(반지름)×(반지름)×(원주율)

4 원의 넓이를 구해 보세요. (원주율: 3.14)

(1) 16 cm
(**200.96 cm²**)

(2) 20 cm
(**314 cm²**)

❖ (1) (반지름)=16÷2=8 (cm)
→ 8×8×3.14=200.96 (cm²)

(2) (반지름)=20÷2=10 (cm)
→ 10×10×3.14=314 (cm²)

5. 원의 넓이 · 131

교과서 개념 잡기

정답과 풀이 p.33

개념 6 여러 가지 원의 넓이 구하기

• 반지름에 따른 원의 넓이 비교(원주율: 3)

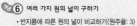

1 cm, 2 cm, 3 cm

반지름이 길어지면 원의 넓이도 넓어집니다.

원	빨간색 원	노란색 원	초록색 원
반지름(cm)	1	2	3
넓이(cm²)	3	12	27

• 반지름이 2배가 되면 넓이는 2×2=4(배)가 됩니다.
• 반지름이 3배가 되면 넓이는 3×3=9(배)가 됩니다.
→ 반지름이 ▓배가 되면 넓이는 (▓×▓)배가 됩니다.

• 색칠한 부분의 넓이 구하기

3 cm, 6 cm
원주율: 3

(색칠한 부분의 넓이)
=(큰 원의 넓이)−(작은 원의 넓이)
=6×6×3−3×3×3
=108−27=81 (cm²)

• 반원의 넓이 구하기

4 cm
원주율: 3

(반원의 넓이)
=(원의 넓이)÷2
=4×4×3÷2
=24 (cm²)

개념 Check

원의 넓이에 대하여 바르게 설명을 한 사람에게 ○표 하세요.

 반지름이 4배가 되면 넓이는 8배가 됩니다.

 반지름이 4배가 되면 넓이는 16배가 됩니다.

132 · Start 6-2

---

1 색칠한 부분의 넓이를 구하려고 합니다. □ 안에 알맞은 수를 써넣으세요. (원주율: 3)

3 cm, 4 cm

(1) 색칠한 부분의 넓이는 반지름이 [7] cm인 원의 넓이에서 반지름이 [4] cm인 원의 넓이를 뺀 값입니다.

❖ (1) 큰 원의 반지름은 4+3=7 (cm)입니다.

(2) (색칠한 부분의 넓이)=[7]×[7]×3−[4]×[4]×3
=[147]−[48]=[99] (cm²)

2 색칠한 부분의 넓이를 구하려고 합니다. □ 안에 알맞은 수를 써넣으세요. (원주율: 3.1)

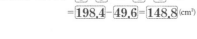

8 cm

(1) 색칠한 부분의 넓이는 반지름이 [8] cm인 원의 넓이에서 반지름이 [4] cm인 원의 넓이를 뺀 값입니다.

❖ (1) 작은 원의 반지름은 8÷2=4 (cm)입니다.

(2) (색칠한 부분의 넓이)=[8]×[8]×3.1−[4]×[4]×3.1
=[198.4]−[49.6]=[148.8] (cm²)

3 색칠한 부분의 넓이를 구하려고 합니다. □ 안에 알맞은 수를 써넣으세요. (원주율: 3.14)

10 cm, 10 cm

(1) 색칠한 부분의 넓이는 한 변의 길이가 [10] cm인 정사각형의 넓이에서 반지름이 [5] cm인 원의 넓이를 뺀 값입니다.

❖ (1) 원의 반지름은 10÷2=5 (cm)입니다.

(2) (색칠한 부분의 넓이)=[10]×[10]−[5]×[5]×3.14
=[100]−[78.5]=[21.5] (cm²)

5. 원의 넓이 · 133

134쪽 ~ 135쪽

교과서 개념 play · 뚜껑 닫기

잼을 팔려면 원 모양의 뚜껑이 있어야 합니다. 병에 있는 반지름, 지름과 원주율을 보고 알맞은 원의 넓이가 써 있는 뚜껑 붙임딱지를 붙여 뚜껑을 닫아 보세요.

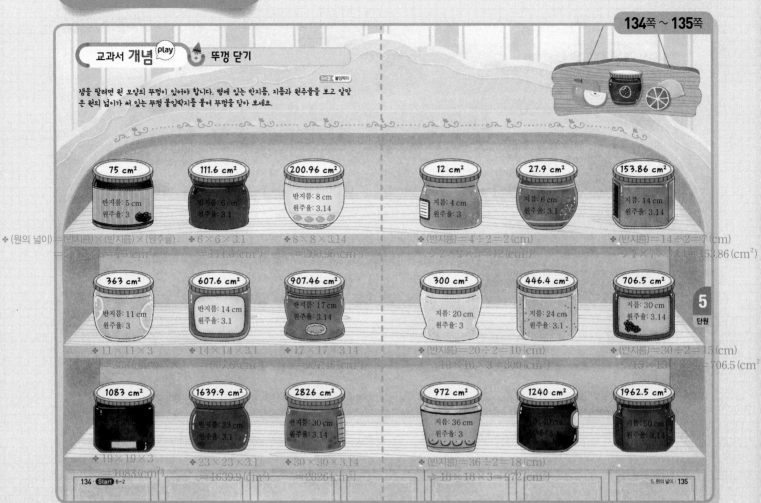

5 단원

136쪽 ~ 137쪽

집중! 드릴 문제

정답과 풀이 p.34

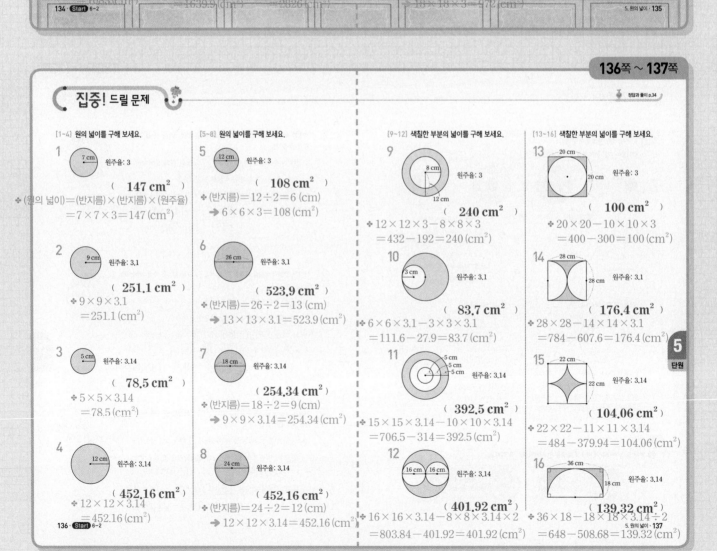

교과서 **개념 확인 문제**

정답과 풀이 p.35

1 원을 한없이 잘라서 이어 붙여 직사각형을 만들었습니다. 물음에 답하세요.

(1) 위 그림의 □ 안에 알맞은 말을 써넣으세요.
❖ (1) 직사각형의 가로는 (원주)×$\frac{1}{2}$과 같고, 세로는 원의 반지름과 같습니다.

(2) □ 안에 알맞은 말을 보기 에서 골라 써넣으세요.

보기
원주   반지름   지름   원주율

(원의 넓이)= 원주 ×$\frac{1}{2}$× 반지름

= 원주율 × 지름 ×$\frac{1}{2}$× 반지름

= 원주율 × 반지름 × 반지름

❖ (2) (원주)=(원주율)×(지름), (지름)=(반지름)×2 ➡ (지름)×$\frac{1}{2}$=(반지름)

2 원의 넓이를 구해요. (원주율: 3.1)

(1) 13 cm
(2) 21 cm

(**523.9 cm²**)   (**1367.1 cm²**)

❖ (1) $13×13×3.1=523.9\,(\text{cm}^2)$ (2) $21×21×3.1$
$=1367.1\,(\text{cm}^2)$

3 원의 넓이를 구해요. (원주율: 3.14)

(1) 28 cm
(2) 36 cm

(**615.44 cm²**)   (**1017.36 cm²**)

❖ (1) (반지름)$=28÷2=14\,(\text{cm})$
➡ $14×14×3.14=615.44\,(\text{cm}^2)$

4 원의 반지름을 구해 보세요. (원주율: 3)

(1) 넓이: 108 cm²
(2) 넓이: 243 cm²

(**6 cm**)   (**9 cm**)

❖ (1) (원의 넓이)÷(원주율)=(반지름)×(반지름)=108÷3=36,
$6×6=36$이므로 (반지름)=6 cm입니다.

5 오른쪽 그림과 같이 컴퍼스를 벌려 원을 그렸습니다. 원의 넓이를 구해 보세요. (원주율: 3.14)

(**12.56 cm²**)

❖ 반지름이 2 cm인 원이므로 원의 넓이는
$2×2×3.14=12.56\,(\text{cm}^2)$입니다.

6 반원의 넓이를 구해 보세요. (원주율: 3)

(1) 11 cm
(2) 14 cm

(**181.5 cm²**)   (**73.5 cm²**)

❖ (1) (반원의 넓이)=(원의 넓이)÷2   (2) (반지름)=14÷2=7 (cm)
$=11×11×3÷2$ ➡ $7×7×3÷2=73.5\,(\text{cm}^2)$
$=181.5\,(\text{cm}^2)$

7 호준이는 엄마와 함께 딸기잼을 만들고 원기둥 모양의 병에 옮겨 담았습니다. 이 병을 원 모양의 뚜껑으로 닫을 때 뚜껑 윗부분의 넓이를 구해 보세요. (원주율: 3.14)

(**200.96 cm²**)

❖ $8×8×3.14=200.96\,(\text{cm}^2)$

5 단원

교과서 **개념 확인 문제**

정답과 풀이 p.35

8 색칠한 부분의 넓이를 구해 보세요. (원주율: 3.14)

❖ 색칠한 부분의 넓이는
지름이 18 cm인 원 1개의 넓이와 같습니다.   (**254.34 cm²**)
(반지름)$=18÷2=9\,(\text{cm})$ ➡ $9×9×3.14=254.34\,(\text{cm}^2)$

9 한 변의 길이가 24 cm인 정사각형 안에 들어갈 수 있는 가장 큰 원의 넓이를 구해 보세요.
(원주율: 3.1)

 24 cm

❖ 가장 큰 원의 지름이
24 cm이므로 반지름은 24÷2=12 (cm)입니다.   (**446.4 cm²**)
➡ $12×12×3.1=446.4\,(\text{cm}^2)$

10 두 원의 넓이의 합을 구해 보세요. (원주율: 3)

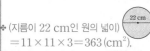 22 cm   30 cm

❖ (지름이 22 cm인 원의 넓이)
$=11×11×3=363\,(\text{cm}^2)$,
(지름이 30 cm인 원의 넓이)=15×15×3   (**1038 cm²**)
$=675\,(\text{cm}^2)$ ➡ $363+675=1038\,(\text{cm}^2)$

11 색칠한 부분의 넓이를 구해 보세요. (원주율: 3.1)

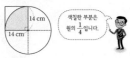 14 cm 14 cm

색칠한 부분은 원의 $\frac{1}{4}$입니다.

(**151.9 cm²**)

❖ (색칠한 부분의 넓이)
=(반지름이 14 cm인 원의 넓이)×$\frac{1}{4}$
$=14×14×3.1×\frac{1}{4}=151.9\,(\text{cm}^2)$

12 색칠한 부분의 넓이를 구해 보세요. (원주율: 3)

 15 cm   30 cm

❖ (색칠한 부분의 넓이)
=(직사각형의 넓이)－(반지름이 15 cm인 원의 넓이)×$\frac{1}{2}$ (**112.5 cm²**)
$=30×15-15×15×3×\frac{1}{2}=450-337.5=112.5\,(\text{cm}^2)$

13 원의 일부분입니다. 도형의 넓이를 구해 보세요. (원주율: 3)

 8 cm

❖ (도형의 넓이)=(반지름이 8 cm인 원의 넓이)×$\frac{3}{4}$ (**144 cm²**)
$=8×8×3×\frac{3}{4}=144\,(\text{cm}^2)$

14 미술 시간에 종이를 오려서 부채를 만들었습니다. 부채의 넓이를 구해 보세요. (원주율: 3)

20 cm   6 cm

❖ (부채의 넓이)
=(지름이 20 cm인 원의 넓이)
－(지름이 6 cm인 원의 넓이)   (**273 cm²**)
$=10×10×3-3×3×3$
$=300-27=273\,(\text{cm}^2)$

15 색칠한 부분의 넓이를 구해 보세요. (원주율: 3)

12 cm

❖ (색칠한 부분의 넓이)
=(반지름이 12 cm인 원의 넓이)÷2   (**108 cm²**)
－(반지름이 6 cm인 원의 넓이)
$=12×12×3÷2-6×6×3$
$=216-108=108\,(\text{cm}^2)$

5 단원

개념 확인평가 5. 원의 넓이

맞은 개수

정답과 풀이 p.36

1 □ 안에 알맞은 말을 써넣으세요.

(1) 원의 둘레를 **원주** (이)라고 합니다.

(2) 원의 지름에 대한 원주의 비율을 **원주율** (이)라고 합니다.

(3) (원주율)= **원주** ÷(지름), (원주)= **지름** ×(원주율)

(4) (원의 넓이)=(반지름)× **반지름** ×(원주율)

2 한 변의 길이가 1 cm인 정육각형, 지름이 2 cm인 원, 한 변의 길이가 2 cm인 정사각형을 보고 물음에 답하세요.

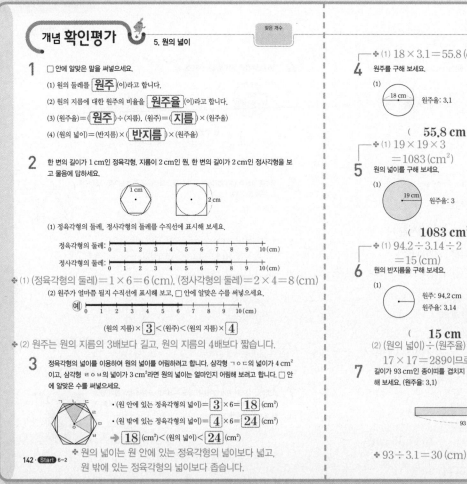

(1) 정육각형의 둘레, 정사각형의 둘레를 수직선에 표시해 보세요.

정육각형의 둘레

정사각형의 둘레

❖ (1) (정육각형의 둘레)=1×6=6 (cm), (정사각형의 둘레)=2×4=8 (cm)

(2) 원주가 얼마쯤 될지 수직선에 표시해 보고, □ 안에 알맞은 수를 써넣으세요.

(예)

(원의 지름)× **3** <(원주)<(원의 지름)× **4**

❖ (2) 원주는 원의 지름의 3배보다 길고, 원의 지름의 4배보다 짧습니다.

3 정육각형의 넓이를 이용하여 원의 넓이를 어림하려고 합니다. 삼각형 ㄱㅇㄷ의 넓이가 4 cm²이고, 삼각형 ㄹㅇㅂ의 넓이가 3 cm²라면 원의 넓이는 얼마인지 어림해 보려고 합니다. □ 안에 알맞은 수를 써넣으세요.

• (원 안에 있는 정육각형의 넓이)= **3** ×6= **18** (cm²)

• (원 밖에 있는 정육각형의 넓이)= **4** ×6= **24** (cm²)

➜ **18** (cm²)<(원의 넓이)< **24** (cm²)

❖ 원의 넓이는 원 안에 있는 정육각형의 넓이보다 넓고, 원 밖에 있는 정육각형의 넓이보다 좁습니다.

142 · Start 6-2

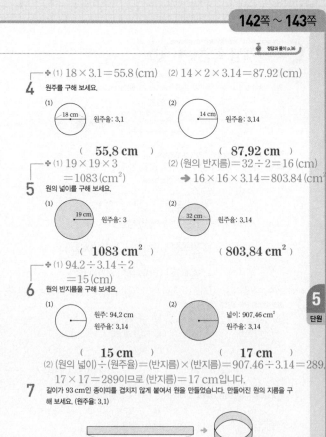

❖ (1) 18×3.1=55.8 (cm) (2) 14×2×3.14=87.92 (cm)

4 원주를 구해 보세요.

(1) 18 cm 원주율: 3.1

(**55.8 cm**)

(2) 14 cm 원주율: 3.14

(**87.92 cm**)

❖ (1) 19×19×3 =1083 (cm²) (2) (원의 반지름)=32÷2=16 (cm)
➜ 16×16×3.14=803.84 (cm²)

5 원의 넓이를 구해 보세요.

(1) 19 cm 원주율: 3

(**1083 cm²**)

(2) 32 cm 원주율: 3.14

(**803.84 cm²**)

❖ (1) 94.2÷3.14÷2 =15 (cm)

6 원의 반지름을 구해 보세요.

(1) 원주: 94.2 원주율: 3.14

(**15 cm**)

(2) 넓이: 907.46 cm² 원주율: 3.14

(**17 cm**)

(2) (원의 넓이)÷(원주율)=(반지름)×(반지름)=907.46÷3.14=289. 17×17=2890이므로 (반지름)=17 cm입니다.

7 길이가 93 cm인 종이띠를 겹치지 않게 붙여서 원을 만들었습니다. 만들어진 원의 지름을 구해 보세요. (원주율: 3.1)

93 cm

(**30 cm**)

❖ 93÷3.1=30 (cm)

5. 원의 넓이 · 143

개념 확인평가 5. 원의 넓이

정답과 풀이 p.36

8 연서는 바퀴의 지름이 58 cm인 자전거를 타고 집에서 학교까지 갔습니다. 집에서 학교까지 가는 데 바퀴가 150바퀴 돌았다면 집에서 학교까지의 거리는 몇 m인지 구해 보세요. (원주율: 3)

(**261 m**)

❖ (자전거 바퀴가 한 바퀴 돈 거리)=58×3=174 (cm)
➜ (집에서 학교까지의 거리)=174×150=26100 (cm) ➜ 261 m

9 다음 직사각형 안에 들어가는 가장 큰 원의 넓이를 구해 보세요. (원주율: 3.14)

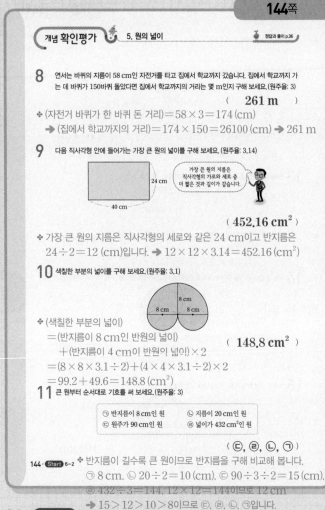

24 cm

40 cm

가장 큰 원의 지름은 직사각형의 가로와 세로 중 더 짧은 것과 길이가 같습니다.

(**452.16 cm²**)

❖ 가장 큰 원의 지름은 직사각형의 세로와 같은 24 cm이고 반지름은 24÷2=12 (cm)입니다. ➜ 12×12×3.14=452.16 (cm²)

10 색칠한 부분의 넓이를 구해 보세요. (원주율: 3.1)

8 cm 8 cm 8 cm

(**148.8 cm²**)

❖ (색칠한 부분의 넓이)
=(반지름이 8 cm인 반원의 넓이)
+(반지름이 4 cm인 반원의 넓이)×2
=(8×8×3.1÷2)+(4×4×3.1÷2)×2
=99.2+49.6=148.8 (cm²)

11 큰 원부터 순서대로 기호를 써 보세요. (원주율: 3)

㉠ 반지름이 8 cm인 원	㉡ 지름이 20 cm인 원
㉢ 원주가 90 cm인 원	㉣ 넓이가 432 cm²인 원

(㉢, ㉣, ㉡, ㉠)

144 · Start 6-2 ❖ 반지름이 길수록 큰 원이므로 반지름을 구해 비교해 봅니다.
㉠ 8 cm, ㉡ 20÷2=10 (cm), ㉢ 90÷3÷2=15 (cm),
㉣ 432÷3=144, 12×12=144이므로 12 cm
➜ 15>12>10>8이므로 ㉢, ㉣, ㉡, ㉠입니다.

[GO! 매쓰] 여기까지 5단원 내용입니다. 다음부터는 6단원 내용이 시작합니다.

교과서 개념 잡기

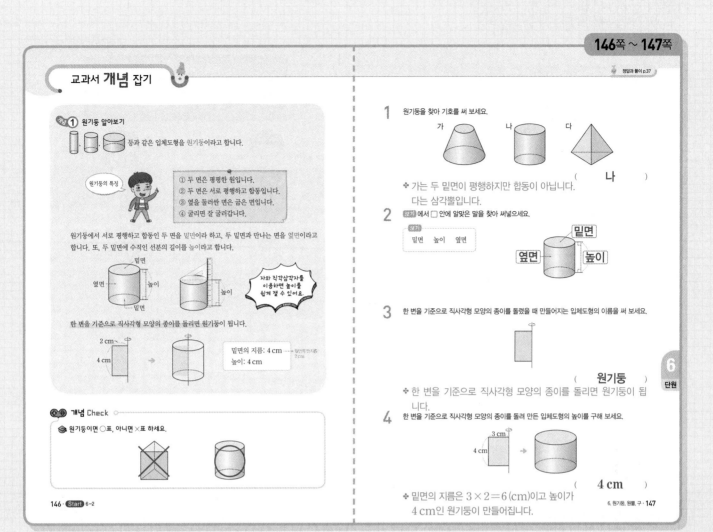

개념 ① 원기둥 알아보기

, , 등과 같은 입체도형을 원기둥이라고 합니다.

원기둥의 특징

① 두 면은 평평한 원입니다.
② 두 면은 서로 평행하고 합동입니다.
③ 옆을 둘러싼 면은 굽은 면입니다.
④ 굴리면 잘 굴러갑니다.

원기둥에서 서로 평행하고 합동인 두 면을 밑면이라 하고, 두 밑면과 만나는 면을 옆면이라고 합니다. 또, 두 밑면에 수직인 선분의 길이를 높이라고 합니다.

밑면 / 옆면 / 높이 / 밑면 / 높이

자와 직각삼각자를 이용하면 높이를 쉽게 잴 수 있어요.

한 변을 기준으로 직사각형 모양의 종이를 돌리면 원기둥이 됩니다.

2 cm / 4 cm →

밑면의 지름: 4 cm --- 밑면의 반지름 2 cm
높이: 4 cm

개념 Check

원기둥이면 ○표, 아니면 ×표 하세요.

정답과 풀이 p.37

1 원기둥을 찾아 기호를 써 보세요.

가 / 나 / 다

(나)

✤ 가는 두 밑면이 평행하지만 합동이 아닙니다.
다는 삼각뿔입니다.

2 보기 에서 □ 안에 알맞은 말을 찾아 써넣으세요.

보기
밑면 높이 옆면

밑면 / 옆면 / 높이

3 한 변을 기준으로 직사각형 모양의 종이를 돌렸을 때 만들어지는 입체도형의 이름을 써 보세요.

(원기둥)

✤ 한 변을 기준으로 직사각형 모양의 종이를 돌리면 원기둥이 됩니다.

4 한 변을 기준으로 직사각형 모양의 종이를 돌려 만든 입체도형의 높이를 구해 보세요.

3 cm / 4 cm →

(4 cm)

✤ 밑면의 지름은 $3 \times 2 = 6 \,(cm)$이고 높이가 4 cm인 원기둥이 만들어집니다.

교과서 개념 잡기

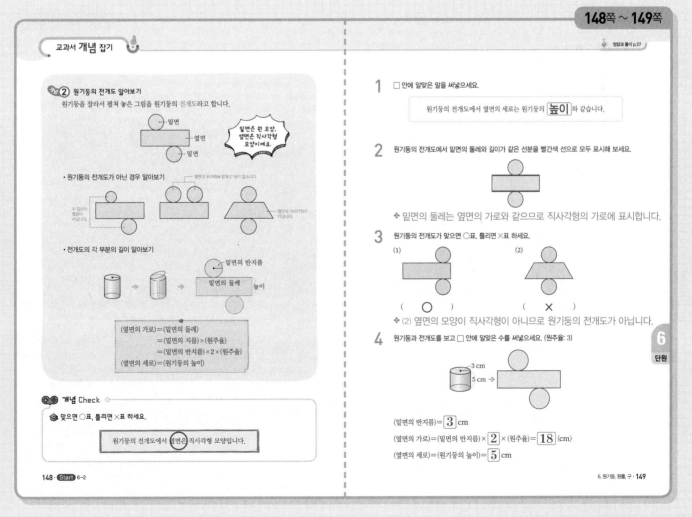

개념 ② 원기둥의 전개도 알아보기

원기둥을 잘라서 펼쳐 놓은 그림을 원기둥의 전개도라고 합니다.

밑면 / 옆면 / 밑면

밑면은 원 모양, 옆면은 직사각형 모양이에요.

· 원기둥의 전개도가 아닌 경우 알아보기

옆면의 위아래에 원(밑면)이 있지 않습니다.

두 원(밑면)이 겹쳐지지 않습니다.

옆면이 직사각형이 아닙니다.

· 전개도의 각 부분의 길이 알아보기

밑면의 반지름
밑면의 둘레 / 높이

(옆면의 가로)=(밑면의 둘레)
        =(밑면의 지름)×(원주율)
        =(밑면의 반지름)×2×(원주율)
(옆면의 세로)=(원기둥의 높이)

개념 Check

맞으면 ○표, 틀리면 ×표 하세요.

원기둥의 전개도에서 옆면은 직사각형 모양입니다.

정답과 풀이 p.37

1 □ 안에 알맞은 말을 써넣으세요.

원기둥의 전개도에서 옆면의 세로는 원기둥의 **높이** 와 같습니다.

2 원기둥의 전개도에서 밑면의 둘레와 길이가 같은 선분을 빨간색 선으로 모두 표시해 보세요.

✤ 밑면의 둘레는 옆면의 가로와 같으므로 직사각형의 가로에 표시합니다.

3 원기둥의 전개도가 맞으면 ○표, 틀리면 ×표 하세요.

(1) (○) (2) (×)

✤ (2) 옆면의 모양이 직사각형이 아니므로 원기둥의 전개도가 아닙니다.

4 원기둥과 전개도를 보고 □ 안에 알맞은 수를 써넣으세요. (원주율: 3)

3 cm / 5 cm →

(밑면의 반지름)= 3 cm
(옆면의 가로)=(밑면의 반지름)× 2 ×(원주율)= 18 (cm)
(옆면의 세로)=(원기둥의 높이)= 5 cm

교과서 개념 play 🙂 원기둥 찾기

한 변을 기준으로 직사각형 모양의 종이를 돌렸을 때 만들어지는 원기둥을
붙이고 전개도를 그려 보세요. (원주율: 3)

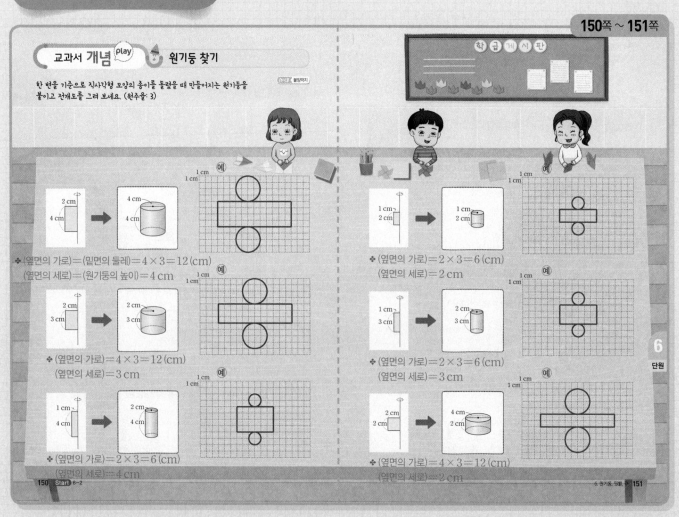

❖ (옆면의 가로)=(밑면의 둘레)=4×3=12 (cm)
(옆면의 세로)=(원기둥의 높이)=4 cm

❖ (옆면의 가로)=4×3=12 (cm)
(옆면의 세로)=3 cm

❖ (옆면의 가로)=2×3=6 (cm)
(옆면의 세로)=4 cm

❖ (옆면의 가로)=2×3=6 (cm)
(옆면의 세로)=2 cm

❖ (옆면의 가로)=2×3=6 (cm)
(옆면의 세로)=3 cm

❖ (옆면의 가로)=4×3=12 (cm)
(옆면의 세로)=2 cm

집중! 드릴 문제

정답과 풀이 p.38

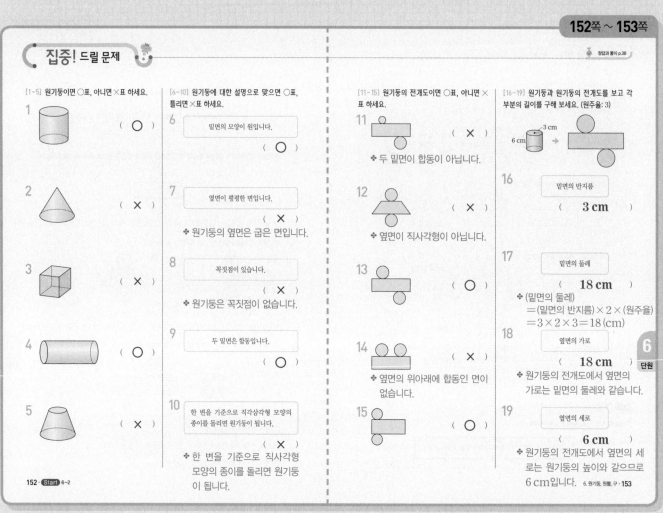

[1~5] 원기둥이면 ○표, 아니면 ×표 하세요.

1 (○)

2 (×)

3 (×)

4 (○)

5 (×)

[6~10] 원기둥에 대한 설명으로 맞으면 ○표,
틀리면 ×표 하세요.

6 밑면의 모양이 원입니다.
(○)

7 옆면이 평평한 면입니다.
(×)
❖ 원기둥의 옆면은 굽은 면입니다.

8 꼭짓점이 있습니다.
(×)
❖ 원기둥은 꼭짓점이 없습니다.

9 두 밑면은 합동입니다.
(○)

10 한 변을 기준으로 직각삼각형 모양의
종이를 돌리면 원기둥이 됩니다.
(×)
❖ 한 변을 기준으로 직사각형
모양의 종이를 돌리면 원기둥
이 됩니다.

[11~15] 원기둥의 전개도이면 ○표, 아니면 ×
표 하세요.

11 (×)
❖ 두 밑면이 합동이 아닙니다.

12 (×)
❖ 옆면이 직사각형이 아닙니다.

13 (○)

14 (×)
❖ 옆면의 위아래에 합동인 면이
없습니다.

15 (○)

[16~19] 원기둥과 원기둥의 전개도를 보고 각
부분의 길이를 구해 보세요. (원주율: 3)

16 밑면의 반지름
(3 cm)

17 밑면의 둘레
(18 cm)
❖ (밑면의 둘레)
=(밑면의 반지름)×2×(원주율)
=3×2×3=18 (cm)

18 옆면의 가로
(18 cm)
❖ 원기둥의 전개도에서 옆면의
가로는 밑면의 둘레와 같습니다.

19 옆면의 세로
(6 cm)
❖ 원기둥의 전개도에서 옆면의 세
로는 원기둥의 높이와 같으므로
6 cm입니다.

교과서 **개념 확인 문제**

정답과 풀이 p.39

1 원기둥 모양을 모두 찾아 기호를 써 보세요.

✤ 위와 아래에 있는 면이 서로 평행하고   (㉮, ㉱)
합동인 원으로 이루어진 모양은 ㉮, ㉱입니다.

2 원기둥을 보고 □ 안에 각 부분의 이름을 써넣으세요.

3 원기둥의 밑면을 모두 찾아 색칠해 보세요.

(1)   (2)

✤ 원기둥에서 서로 평행하고 합동인 두 면을 밑면이라고 합니다.

4 원기둥의 전개도를 찾아 기호를 써 보세요.

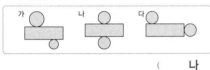

(나   )

154 · **Start** 6-2   ✤ 두 밑면이 합동인 원이고, 옆면의 위아래에 있는 것을 찾습니다.

5 □ 안에 알맞은 말을 써넣으세요.

원기둥의 전개도에서 밑면은 **원** 모양이고, 옆면은 **직사각형** 모양입니다.

✤ 밑면과 수직인 방향으로 옆면을 자르면 옆면은 직사각형이 됩니다.

6 다음과 같이 한 변을 기준으로 직사각형 모양의 종이를 한 바퀴 돌렸을 때 만들어지는 입체도형을 찾아 기호를 써 보세요.

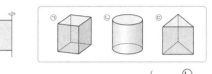

(㉡   )

✤ 한 변을 기준으로 직사각형 모양의 종이를 한 바퀴 돌리면 원기둥이 됩니다.

7 원기둥의 높이는 몇 cm인지 구해 보세요.

(1)   (2)

(**12 cm**   )   (**12 cm**   )

✤ 원기둥의 높이는 두 밑면에 수직인 선분의 길이입니다.

6. 원기둥, 원뿔, 구 · 155

6
단원

교과서 **개념 확인 문제**

정답과 풀이 p.39

8 원기둥의 밑면의 둘레는 전개도의 어떤 선분과 길이가 같은지 모두 써 보세요.

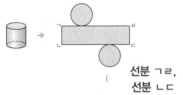

(**선분 ㄱㄹ,**)
(**선분 ㄴㄷ**)

✤ 밑면의 둘레는 전개도에서 옆면의 가로와 길이가 같습니다.

9 다음 그림이 원기둥의 전개도가 <u>아닌</u> 이유를 써 보세요.

이유 예 **옆면이 직사각형이 아니기 때문입니다.**

10 원기둥과 원기둥의 전개도를 보고 □ 안에 알맞은 수를 써넣으세요. (원주율: 3.14)

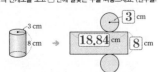

156 · **Start** 6-2 ✤ 원기둥의 전개도에서 밑면의 반지름은 3 cm이고, 옆면의 가로는 밑면의 둘레와 같으므로 3×2×3.14=18.84 (cm)입니다. 옆면의 세로는 원기둥의 높이와 같으므로 8 cm입니다.

11 원기둥을 관찰하며 나눈 대화를 보고 밑면의 지름과 높이를 구해 보세요.

밑면의 지름 (**8 cm**)
높이 (**8 cm**)

✤ 밑면의 지름은 반지름의 2배이므로 4×2=8 (cm)입니다. 앞에서 본 모양이 정사각형이므로 원기둥이 높이와 밑면의 지름은 같습니다. 따라서 높이는 8 cm입니다.

12 원기둥의 전개도를 그려 보세요. (원주율: 3)

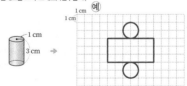

✤ 옆면의 가로는 밑면의 둘레와 같으므로 2×3=6 (cm)이고 옆면의 세로는 원기둥의 높이와 같으므로 3 cm입니다.

13 원기둥과 각기둥의 공통점을 찾아 기호를 써 보세요.

| ㉠ 밑면의 수 |
| ㉡ 밑면의 모양 |
| ㉢ 옆면의 수 |
| ㉣ 옆면의 모양 |

✤ ㉡ 원기둥은 밑면의 모양이 원이고, 각기둥의 밑면은 다각형입니다.
㉢ 원기둥의 옆면은 1개이고, 각기둥의 옆면은 한 밑면의 변의 수와 같습니다.
㉣ 원기둥은 옆면은 굽은 면이고, 각기둥의 옆면은 평평한 면입니다.

(㉠   )

6. 원기둥, 원뿔, 구 · 157

6
단원

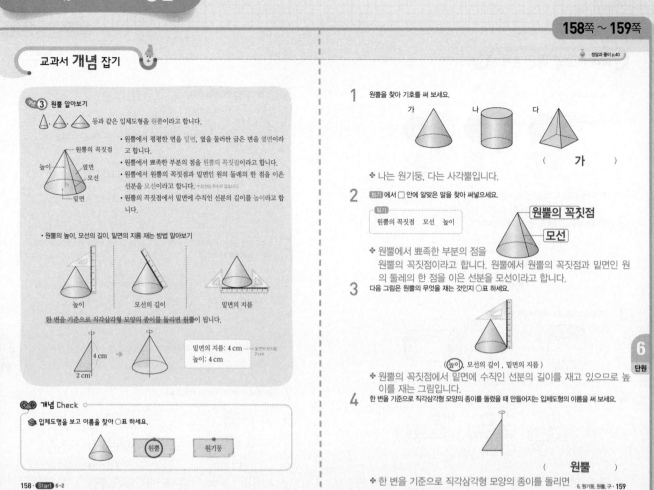

교과서 개념 잡기

개념 3 원뿔 알아보기

△, ○, △ 등과 같은 입체도형을 원뿔이라고 합니다.

- 원뿔에서 평평한 면을 밑면, 옆을 둘러싼 굽은 면을 옆면이라고 합니다.
- 원뿔에서 뾰족한 부분의 점을 원뿔의 꼭짓점이라고 합니다.
- 원뿔에서 원뿔의 꼭짓점과 밑면인 원의 둘레의 한 점을 이은 선분을 모선이라고 합니다.
- 원뿔의 꼭짓점에서 밑면에 수직인 선분의 길이를 높이라고 합니다.

- 원뿔의 높이, 모선의 길이, 밑면의 지름 재는 방법 알아보기

높이 / 모선의 길이 / 밑면의 지름

한 변을 기준으로 직각삼각형 모양의 종이를 돌리면 원뿔이 됩니다.

밑면의 지름: 4 cm
높이: 4 cm

개념 Check

입체도형을 보고 이름을 찾아 ○표 하세요.

원뿔 / 원기둥

158 · Start 6-2

---

1 원뿔을 찾아 기호를 써 보세요.

가 / 나 / 다

(가)

✤ 나는 원기둥, 다는 사각뿔입니다.

2 보기 에서 □ 안에 알맞은 말을 찾아 써넣으세요.

보기
원뿔의 꼭짓점 모선 높이

원뿔의 꼭짓점
모선

✤ 원뿔에서 뾰족한 부분의 점을 원뿔의 꼭짓점이라고 합니다. 원뿔에서 원뿔의 꼭짓점과 밑면인 원의 둘레의 한 점을 이은 선분을 모선이라고 합니다.

3 다음 그림은 원뿔의 무엇을 재는 것인지 ○표 하세요.

((높이), 모선의 길이 , 밑면의 지름)

✤ 원뿔의 꼭짓점에서 밑면에 수직인 선분의 길이를 재고 있으므로 높이를 재는 그림입니다.

4 한 변을 기준으로 직각삼각형 모양의 종이를 돌렸을 때 만들어지는 입체도형의 이름을 써 보세요.

(원뿔)

✤ 한 변을 기준으로 직각삼각형 모양의 종이를 돌리면 원뿔이 됩니다.

6. 원기둥, 원뿔, 구 · 159

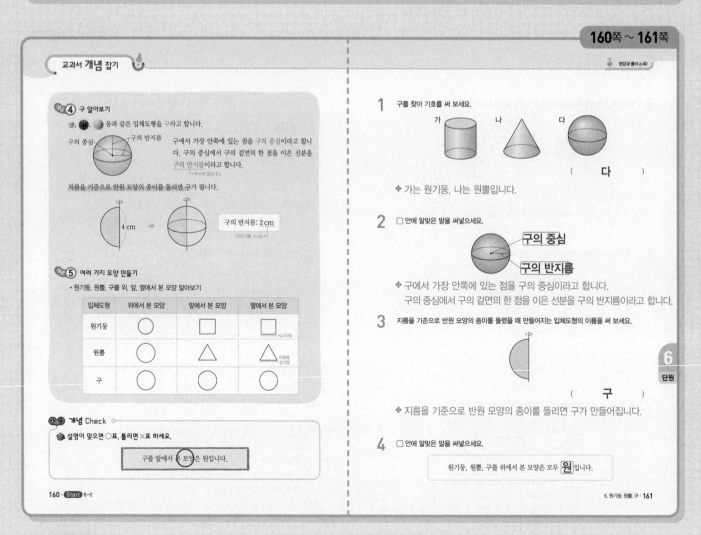

교과서 개념 잡기

개념 4 구 알아보기

⊙, ⊕, ◉ 등과 같은 입체도형을 구라고 합니다.

구에서 가장 안쪽에 있는 점을 구의 중심이라고 합니다. 구의 중심에서 구의 겉면의 한 점을 이은 선분을 구의 반지름이라고 합니다.

구의 중심 / 구의 반지름

지름을 기준으로 반원 모양의 종이를 돌리면 구가 됩니다.

구의 반지름: 2 cm

개념 5 여러 가지 모양 만들기

- 원기둥, 원뿔, 구를 위, 앞, 옆에서 본 모양 알아보기

입체도형	위에서 본 모양	앞에서 본 모양	옆에서 본 모양
원기둥	○	□	
원뿔	○	△	△
구	○	○	○

개념 Check

설명이 맞으면 ○표, 틀리면 ✕표 하세요.

구를 앞에서 본 모양은 원입니다. (○)

160 · Start 6-2

---

1 구를 찾아 기호를 써 보세요.

가 / 나 / 다

(다)

✤ 가는 원기둥, 나는 원뿔입니다.

2 □ 안에 알맞은 말을 써넣으세요.

구의 중심
구의 반지름

✤ 구에서 가장 안쪽에 있는 점을 구의 중심이라고 합니다. 구의 중심에서 구의 겉면의 한 점을 이은 선분을 구의 반지름이라고 합니다.

3 지름을 기준으로 반원 모양의 종이를 돌렸을 때 만들어지는 입체도형의 이름을 써 보세요.

(구)

✤ 지름을 기준으로 반원 모양의 종이를 돌리면 구가 만들어집니다.

4 □ 안에 알맞은 말을 써넣으세요.

원기둥, 원뿔, 구를 위에서 본 모양은 모두 원입니다.

6. 원기둥, 원뿔, 구 · 161

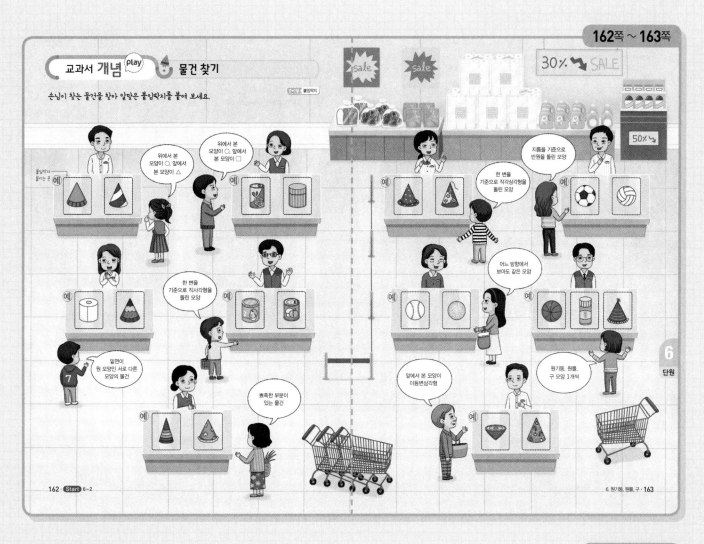

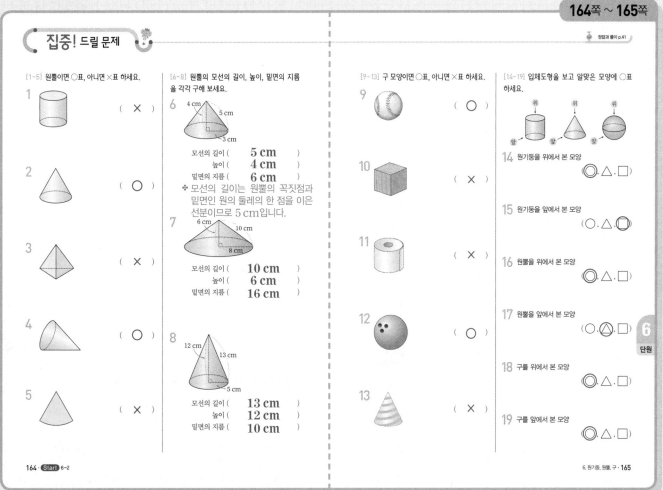

교과서 **개념 확인 문제**

정답과 풀이 p.42

1 구 모양의 물건에 ○표 하세요.

(○)　　( )　　( )

✤ 구 모양인 물건을 찾으면 배구공입니다.

2 입체도형을 이용하여 다음 모양을 만들었습니다. 각각의 입체도형을 몇 개 사용하였는지 구해 보세요.

원기둥 (**2개**)
원뿔 (**1개**)
구 (**6개**)

3 밑면의 지름은 몇 cm인지 구해 보세요.

(**5 cm**)

✤ 밑면인 원의 지름은 5 cm입니다.

4 원뿔의 밑면에 색칠해 보세요.

(1) 　　(2)

✤ 원뿔에서 평평한 면을 밑면이라고 합니다.

5 입체도형을 위, 앞, 옆에서 본 모양을 보기 에서 골라 그려 보세요.

입체도형	위에서 본 모양	앞에서 본 모양	옆에서 본 모양
구	원	원	원
원뿔	원	삼각형	삼각형

✤ 원뿔, 구를 위에서 본 모양은 모두 원이고, 구는 어느 방향에서 보아도 모양이 모두 원입니다.

6 구의 반지름을 구해 보세요.

(**12 cm**)

✤ 구의 중심에서 구의 겉면의 한 점을 이은 선분이 구의 반지름이므로 12 cm입니다.

6 단원

교과서 **개념 확인 문제**

정답과 풀이 p.42

7 원뿔의 무엇을 재는 그림인지 알맞게 선으로 이어 보세요.

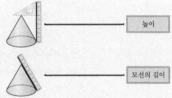

높이
모선의 길이

✤ • 꼭짓점에서 밑면에 수직인 선분의 길이는 높이입니다.
　• 밑면인 원의 둘레 위의 한 점과 꼭짓점을 이은 선분의 길이는 모선의 길이입니다.

8 한 변을 기준으로 직각삼각형 모양의 종이를 돌려 만든 입체도형을 보고, 높이와 밑면의 지름을 구해 보세요.

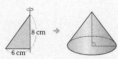

높이 (**8 cm**)
밑면의 지름 (**12 cm**)

✤ 높이는 8 cm이고 밑면의 지름이 6×2=12 (cm)인 원뿔이 만들어집니다.

9 지름을 기준으로 반원 모양의 종이를 한 바퀴 돌렸을 때 만들어지는 입체도형의 반지름은 몇 cm인지 구해 보세요.

(**7 cm**)

✤ 반지름이 7 cm인 구가 만들어집니다.

10 입체도형을 보고 빈칸에 알맞은 말이나 수를 써넣으세요.

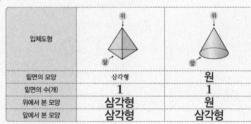

입체도형		
밑면의 모양	삼각형	원
밑면의 수(개)	1	1
위에서 본 모양	**삼각형**	**원**
앞에서 본 모양	**삼각형**	**삼각형**

11 밑면의 수가 많은 순서대로 기호를 써 보세요.

ㄱ 원기둥　　ㄴ 원뿔　　ㄷ 구

(**ㄱ, ㄴ, ㄷ**)

✤ 원기둥의 밑면은 2개, 원뿔의 밑면은 1개이고, 구는 밑면이 없습니다.

12 구를 옆에서 본 모양의 둘레는 몇 cm인지 구해 보세요. (원주율: 3)

(**72 cm**)

✤ 구는 어느 방향에서 보아도 원 모양이며 원의 반지름은 구의 반지름인 12 cm와 같습니다. 따라서 원의 둘레는 12×2×3=72 (cm)입니다.

6 단원

개념 확인평가

6. 원기둥, 원뿔, 구

맞은 개수

정답과 풀이 p.43

[1~4] 도형을 보고 물음에 답하세요.

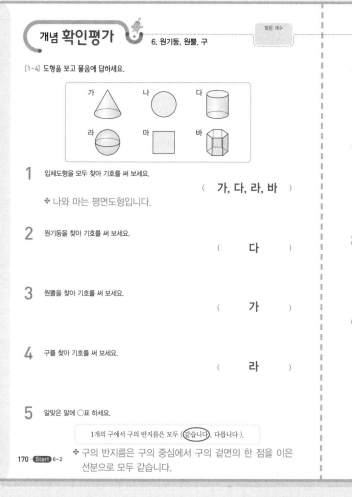

1 입체도형을 모두 찾아 기호를 써 보세요.

(가, 다, 라, 바)

✤ 나와 마는 평면도형입니다.

2 원기둥을 찾아 기호를 써 보세요.

(다)

3 원뿔을 찾아 기호를 써 보세요.

(가)

4 구를 찾아 기호를 써 보세요.

(라)

5 알맞은 말에 ○표 하세요.

1개의 구에서 구의 반지름은 모두 (같습니다 , 다릅니다).

✤ 구의 반지름은 구의 중심에서 구의 겉면의 한 점을 이은 선분으로 모두 같습니다.

6 원기둥의 밑면의 반지름을 구해 보세요.

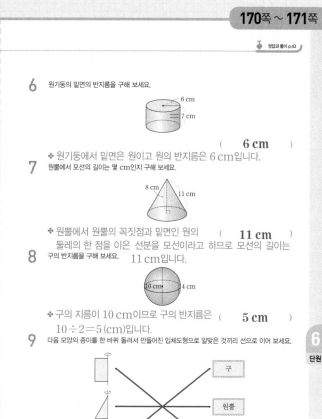

(6 cm)

✤ 원기둥에서 밑면은 원이고 원의 반지름은 6 cm입니다.

7 원뿔에서 모선의 길이는 몇 cm인지 구해 보세요.

(11 cm)

✤ 원뿔에서 원뿔의 꼭짓점과 밑면인 원의 둘레의 한 점을 이은 선분을 모선이라고 하므로 모선의 길이는 11 cm입니다.

8 구의 반지름을 구해 보세요.

(5 cm)

✤ 구의 지름이 10 cm이므로 구의 반지름은 $10 \div 2 = 5\,(cm)$입니다.

9 다음 모양의 종이를 한 바퀴 돌려서 만들어진 입체도형으로 알맞은 것끼리 선으로 이어 보세요.

| 구 |
| 원뿔 |
| 원기둥 |

✤ • 한 변을 기준으로 직사각형 모양의 종이를 돌리면 원기둥이 됩니다.
• 한 변을 기준으로 직각삼각형의 모양의 종이를 돌리면 원뿔이 됩니다.
• 지름을 기준으로 반원 모양의 종이를 돌리면 구가 됩니다.

6
단원

개념 확인평가

6. 원기둥, 원뿔, 구

정답과 풀이 p.43

10 원기둥과 원기둥의 전개도를 보고 □ 안에 알맞은 수를 써넣으세요. (원주율: 3)

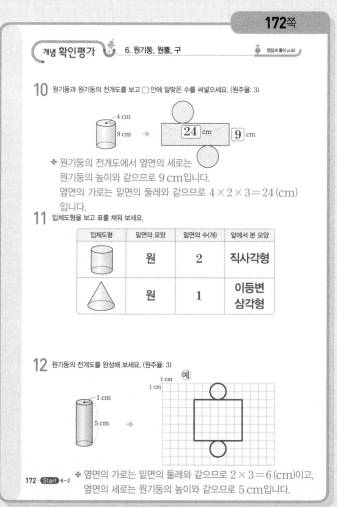

[24] cm   [9] cm

✤ 원기둥의 전개도에서 옆면의 세로는 원기둥의 높이와 같으므로 9 cm입니다.
옆면의 가로는 밑면의 둘레와 같으므로 $4 \times 2 \times 3 = 24\,(cm)$입니다.

11 입체도형을 보고 표를 채워 보세요.

입체도형	밑면의 모양	밑면의 수(개)	앞에서 본 모양
(원기둥)	원	2	직사각형
(원뿔)	원	1	이등변 삼각형

12 원기둥의 전개도를 완성해 보세요. (원주율: 3)

✤ 옆면의 가로는 밑면의 둘레와 같으므로 $2 \times 3 = 6\,(cm)$이고, 옆면의 세로는 원기둥의 높이와 같으므로 5 cm입니다.

[GO! 매쓰]
수고하셨습니다.
앞으로 Run 교재와 Jump 교재로
교과+사고력을 잡아 보세요.

Memo